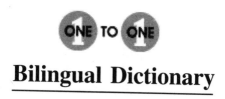

Bilingual Dictionary

English-Hungarian
Hungarian-English
Dictionary

Compiled by
Lucy Mallows

ibs BOOKS (UK)

© Publishers

First Edition: 2011

ISBN : 978-1-905863-83-9

Published by
ibs BOOKS (UK)
55, Warren Street, London W1T 5NW (UK)
e-mail: indbooks@aol.com; starbooksuk@aol.com
www.starbooksuk.com

Printed in India at
Star Print-O-Bind, New Delhi-110020

About this Dictionary

Developments in science and technology today have narrowed down distances between countries, and have made the world a small place. A person living thousands of miles away can learn and understand the culture and lifestyle of another country with ease and without travelling to that country. Languages play an important role as facilitators of communication in this respect.

To promote such an understanding, **ibs BOOKS (UK)** has planned to bring out a series of bilingual dictionaries in which important English words have been translated into other languages, with Roman transliteration in case of languages that have different scripts. This is a humble attempt to bring people of the world closer through the medium of language, thus making communication easy and convenient.

These dictionaries have been compiled and edited by teachers and scholars of relative languages.

Bilingual Dictionaries in this Series

English-Arabic/Arabic-English	Rania-al-Qass
English-Bengali/Bengali-English	Amit Majumdar
English-Cantonese/Cantonese-English	Nisa Yang
English-Dari/Dari-English	Amir Khan
English-Farsi/Farsi-English	Maryam Zamankhani
English-Gujarati/Gujarati-English	Sujata Basaria
English-Hindi/Hindi-English	Sudhakar Chaturvedi
English-Hungarian/Hungarian-English	Lucy Mallows
English-Lithuanian/Lithuanian-English	Regina Kazakeviciute
English-Nepali/Nepali-English	Anil Mandal
English-Punjabi/Punjabi-English	Teja Singh Chatwal
English-Pashto/Pashto-English	Amir Khan
English-Polish/Polish-English	Magdalena Herok
English-Romanian/Romanian-English	Georgeta Laura Dutulescu
English-Somali/Somali-English	Ali Mohamud Omer
English-Tamil/Tamil-English	Sandhya Mahadevan
English-Turkish/Turkish-English	Nagme Yazgin
English-Urdu/Urdu-English	S.A Rahman

More languages in print

ibs BOOKS (UK)
London W1T 5NW (UK)

ENGLISH-HUNGARIAN

A

a *a.* egy
aback *adv.* visszafelé
abacus *n* oszlopfőlap
abandon *v.t.* elhagy
abase *v.t.* megaláz
abasement *n* megalázás
abash *v.t.* megszégyenít
abate *v.t.* csökkent
abatement *n.* csökkentés
abbey *n.* apátság
abbreviate *v.t.* rövidít
abbreviation *n* rövidítés
abdicate *v.t,* lemond
abdication *n* lemondás
abdomen *n* has
abdominal *a.* hasi
abduct *v.t.* elrabol
abduction *n* emberrablás
abed *adv.* ágyban
aberration *n.* eltérés
abet *v.t.* felbujt
abetment *n.* felbujtás
abeyance *n.* felfüggesztés
abhor *v.t.* gyűlöl
abhorrence *n.* gyűlölet
abide *v.i* elvisel
abiding *a* maradandó
ability *n* képesség
abject *a.* alávaló
ablaze *adv.* lángoló
ablactate *v. t* elválaszt
ablactation *n* elválasztás
able *a* képes
ablush *adv* pironkodva
ablution *n* tisztálkodás
abnegate *v. t* megtagad
abnegation *n* megtagadás
abnormal *a* rendellenes
aboard *adv* hajón

abode *n* lakóhely
abolish *v.t* megszüntet
abolition *v* megszüntetés
abominable *a* utálatos
aboriginal *a* őslakó
aborigines *n. pl* őslakók
abort *v.i* elvetél
abortion *n* magzatelhajtás
abortive *adv* elvetélt
abound *v.i.* bővelkedik
about *adv* közelben
about *prep* körülbelül
above *adv* felül
above *prep.* fölé
abreast *adv* tájékozott
abridge *v.t* rövidít
abridgement *n* kivonat
abroad *adv* külföldön
abrogate *v. t.* érvénytelenít
abrupt *a* hirtelen
abruption *n* leválás
abscess *n* tályog
abscond *v.i* megszökik
absence *n* távollét
absent *a* hiányzó
absolute *a* teljes
absolutely *adv* teljesen
absolve *v.t* felment
absorb *v.t* elnyelik
abstain *v.i.* tartózkodik
abstract *a* absztrakt
abstract *n* összefoglalás
abstract *v.t* elválaszt
abstraction *n.* elvonás
absurd *a* abszurd
absurdity *n* abszurdum
abundance *n* bőség
abundant *a* bőséges
abuse *v.t.* gyaláz
abuse *n* sértés
abusive *a* gyalázkodó
abutment *n* támfal

abyss *n* szakadék
academic *a* akadémiai
academy *n* akadémia
acarpous *a* gyümölcstelen
accede *v.t.* csatlakozik
accelerate *v.t* gyorsít
acceleration *n* gyorsítás
accent *n* hangsúly
accent *v.t.* hangsúlyoz
accept *v.t.* elfogad
acceptable *a* elfogadható
acceptance *n* elfogadás
access *n* hozzáférés
accession *n* csatlakozás
accessory *n* tartozék
accident *n* baleset
accidental *a* véletlen
acclaim *v.t* éljenez
acclaim *n* éljenzés
acclamation *n* felkiáltás
acclimatise *v.t* akklimatizál
accommodate *v.t* elszállásol
accommodation *n.* szállás
accompaniment *n* kíséret
accompany *v.t.* elkísér
accomplice *n* bűntárs
accomplish *v.t.* teljesít
accomplished *a* tökéletes
accomplishment *n.*
    teljesítmény
accord *v.t.* összehangol
accord *n.* egyetértés
accordingly *adv.* ilyenformán
account *n.* beszámoló
account *v.t.* elszámol
accountable *a* felelős
accountancy *n.* könyvelés
accountant *n.* könyvelő
accredit *v.t.* akkreditál
accrete *v.t.* toboroz
accrue *v.i.* gyűlnek
accumulate *v.t.* halmozódik

accumulation *n* felhalmozódás
accuracy *n.* pontosság
accurate *a.* pontos
accursed *a.* elátkozott
accusation *n* vád
accuse *v.t.* vádol
accused *n.* vádlott
accustom *v.t.* hozzászoktat
accustomed *a.* szokásos
ace *n* ász
acetic *a.* ecetes
ache *n.* fájdalom
ache *v.i.* fáj
achieve *v.t.* elér
achievement *n.* teljesítmény
achromatic *adj* színtelen
acid *a* savas
acid *n* sav
acidity *n.* savasság
acknowledge *v.t.* elismer
acknowledgement *n.*
    elismerés
acne *n* pattanás
acorn *n.* makk
acoustic *a* akusztikus
acoustics *n.* akusztika
acquaint *v.t.* megismertet
acquaintance *n.* ismeretség
acquest *n* szerzemény
acquiesce *v.i.* beleegyezik
acquiescence *n.* beleegyezés
acquire *v.t.* szerez
acquirement *n.* megszerzés
acquisition *n.* szerzemény
acquit *v.t.* felment
acquittal *n.* felmentés
acre *n.* angol-hold
acreage *n.* vetésterülete
acrimony *n* kesernyésség
acrobat *n.* akrobata
across *adv.* keresztben
across *prep.* keresztbe

act *n.* tett
act *v.i.* cselekszik
acting *n.* ható
action *n.* cselekvés
activate *v.t.* aktivizál
active *a.* aktív
activity *n.* tevékenység
actor *n.* színész
actress *n.* színésznő
actual *a.* tényleges
actually *adv.* tulajdonképpen
acumen *n.* eszesség
acute *a.* akut
adage *n.* példabeszéd
adamant *a.* hajthatatlan
adamantine *a.* kőkemény
adapt *v.t.* adaptál
adaptation *n.* adaptáció
add *v.t.* hozzáad
addict *v.t.* egyetért
addict *n.* rabja
addiction *n.* függőség
addition *n.* hozzáadás
additional *a.* további
addle *adj* záp
address *v.t.* megszólít
address *n.* cím
addressee *n.* címzett
adduce *v.t.* felhoz
adept *n.* szakértő
adept *a.* ügyes
adequacy *n.* megfelelés
adequate *a.* megfelelő
adhere *v.i.* ragad
adherence *n.* hűség
adhesion *n.* tapadás
adhesive *n.* ragasztóanyag
adhesive *a.* ragadós
adhibit *v.t.* beenged
adieu *n.* viszontlátás
adieu *interj.* viszlát
adipose *n.* zsír

adjacent *a.* szomszédos
adjective *n.* melléknév
adjoin *v.t.* egyesít
adjourn *v.t.* elhalaszt
adjournment *n.* felfüggesztés
adjudge *v.t.* eldönt
adjunct *n.* járulék
adjure *n* elrendel
adjust *v.t.* beállít
adjustment *n.* beállítás
administer *v.t.* igazgat
administration *n.* igazgatás
administrative *a.* igazgatási
administrator *n.* adminisztrátor
admirable *a.* csodálatos
admiral *n.* tengernagy
admiration *n.* csodálat
admire *v.t.* csodál
admissible *a.* elfogadható
admission *n.* belépés
admit *v.t.* bevall
admittance *n.* bejárás
admonish *v.t.* figyelmeztet
admonition *n.* figyelmeztetés
ado *n.* hűhó
adobe *n.* vályogtégla
adolescence *n.* serdülőkor
adolescent *a.* serdülő
adopt *v.t.* befogad
adoption *n* örökbefogadás
adorable *a.* imádnivaló
adoration *n.* imádás
adore *v.t.* imád
adorn *v.t.* díszít
adroit *a.* ügyes
adsorb *v.t.* felszív
adulation *n* hízelgés
adult *a* felnőtt
adult *n.* felnőtt
adulterate *v.t.* hamisít
adulteration *n.* hamisítás
adultery *n.* házasságtörés

advance *v.i.* előrenyomul
advance *n.* haladás
advancement *n.* fejlődés
advantage *n.* előny
advantaged *a.* előnyös
advantageous *a.* előnyös
advent *n.* eljövetel
adventure *n* kaland
adventurous *a.* kalandos
adverb *n.* határozószó
adverbial *a.* határozói
adversary *n.* ellenfél
adverse *a* ellenkező
adversity *n.* balsors
advert *v.* reklám
advertise *v.t.* hirdet
advertisement *n* hirdetés
advice *n* tanács
advisable *a.* tanácsos
advisability *n* ajánlatos
advise *v.t.* tanácsol
advocacy *n.* pártfogás
advocate *n* ügyvéd
advocate *v.t.* pártol
aerial *a.* légi
aerial *n.* antenna
aeriform *a* légnemű
aerify *v.t.* elgázosít
aerodrome *n* repülőtér
aeronautics *n.pl.* repüléstan
aeroplane *n.* repülőgép
aesthetic *a.* esztétikus
aesthetics *n.pl.* esztétika
aestival *a* nyári
afar *adv.* távol
affable *a.* nyájas
affair *n.* ügy
affect *v.t.* hat
affectation *n* színlelés
affection *n.* szeretet
affectionate *a.* szeretetteljes
affiliate *v.l.* csatlakozik

affiliation *n.* hovatartozás
affinity *n* affinitás
affirm *v.t.* megerősít
affirmation *n* megerősítés
affirmative *a* igenlő
affix *v.t.* csatol
afflict *v.t.* sújt
affliction *n.* szenvedés
affluence *n.* bőség
affluent *a.* gazdag
afford *v.t.* nyújt
afforest *v.t.* erdősít
affray *n* csetepaté
affront *v.t.* megsért
affront *n* sértés
afield *adv.* mezőn
aflame *adv.* lángoló
afloat *adv.* úszva
afoot *adv.* gyalogosan
afore *prep.* előtt
afraid *a.* félős
afresh *adv.* elölről
after *prep.* után
after *adv* utána
after *conj.* azután
after *a* későbbi
afterwards *adv.* később
again *adv.* ismét
against *prep.* ellen
agamic *a.* ivartalan
agape *a.* bámuló
agaze *adv* bámészkodó
age *n.* kor
aged *a.* idős
agency *n.* ügynökség
agenda *n.* napirend
agent *n* ügynök
aggravate *v.t.* bosszant
aggravation *n.* súlyosbodás
aggregate *v.t.* csoportosít
aggression *n* agresszió
aggressive *a.* agresszív

aggressor *n.* támadó
aggrieve *v.t.* bosszant
aghast *a.* megdöbbent
agile *a.* agilis
agility *n.* agilitás
agitate *v.t.* megmozgat
agitation *n.* agitáció
aglow *a.* sugárzó
agnate *a.* vérrokon
ago *adv.* ezelőtt
agog *a* vágyakozó
agonist *n* agonista
agonize *v.t.* kínoz
agony *n.* gyötrelem
agronomy *n.* mezőgazdaság
agoraphobia *n.* tériszony
agrarian *a.* mezőgazdasági
agree *v.i.* egyetért
agreeable *a.* kellemes
agreement *n.* megállapodás
agricultural *a* mezőgazdasági
agriculture *n* mezőgazdaság
agriculturist *n.* agronómus
ague *n* hidegrázás
ahead *adv.* előre
aheap *adv* halmozott
aid *n* segély
aid *v.t* segít
aigrette *n* kócsag
ail *v.i.* betegeskedik
ailment *n.* betegség
aim *n.* cél
aim *v.i.* céloz
air *n* levegő
aircraft *n.* repülőgép
airy *a.* levegős
ajar *adv.* félig-nyitva
akin *a.* hasonló
alacrity *n.* fürgeség
alarm *n* riadó
alarm *v.t* riaszt
alas *interj.* jaj

albeit *conj.* habár
Albion *n* Albion
album *n.* album
albumen *n* tojásfehérje
alchemy *n.* aranycsinálás
alcohol *n* alkohol
ale *n* sör
alegar *n* sör-ecet
alert *a.* éber
alertness *n.* éberség
algebra *n.* algebra
alias *n.* álnév
alias *adv.* másképpen
alibi *n.* alibi
alien *a.* idegen
alienate *v.t.* elidegenít
aliform *a* szárny-alakú
alight *v.i.* leszáll
align *v.t.* felsorakoztat
alignment *n.* sorakozás
alike *a.* hasonló
alike *adv* egyformán
aliment *n.* táplálék
alimony *n.* feleségtartásidíj
alive *a* élő
alive *adv* elevenen
alkali *n* lúg
alkaline *a.* lúgos
all *a.* minden
all *n* mindenki
all *adv* összesen
all *pron* mindegyik
allay *v.t.* enyhít
allegation *n.* állítás
allege *v.t.* állít
allegiance *n.* hűség
allegorical *a.* allegorikus
allegory *n.* allegória
allergy *n.* allergia
alleviate *v.t.* enyhít
alleviation *n.* enyhítés
alley *n.* átjáró

alliance n. szövetség
alligator n aligátor
alliterate v. alliterál
alliteration n. alliteráció
allocate v.t. kioszt
allocation n. kiosztás
allot v.t. rábíz
allotment n. telek
allow v.t. enged
allowance n. juttatás
alloy n. ötvözet
allude v.i. utal
allure v.t. csábít
allurement n vonzás
allusion n célzás
allusive a. célzó
ally v.t. egyesül
ally n. szövetséges
almanac n. évkönyv
almighty a. mindenható
almond n. mandula
almost adv. majdnem
alms n. jótétemény
aloft adv. magasban
alone a. egyedülálló
along adv. előre
along prep. mentén
aloof adv. tartózkodó
aloud adv. hangosan
alps n.pl. alpok
alpha n alfa
alphabet n. ábécé
alphabetical a. ábécérend
alpinist n alpinista
already adv. már
also adv. szintén
altar n. oltár
alter v.t. változtat
alteration n módosítás
altercation n. veszekedés
alternate a. váltakozó
alternate v.t. váltogat

alternative n. választás
alternative a. alternatív
although conj. bár
altimeter n magasságmérő
altitude n. magasság
alto n alt
altogether adv. együtt
aluminium n. alumínium
alumnus n volt-diák
always adv mindig
alveolus n foghang
alvine a hasi
am vagyok
amalgam n amalgám
amalgamate v.t. ötvöz
amalgamation n egyesítés
amass v.t. felhalmoz
amateur n. amatőr
amatory a szerelmes
amaurosis n vakság
amaze v.t. meghökkent
amazement n. ámulat
ambassador n. nagykövet
ambergris n. ámbra
ambient a környező
ambiguity n. kétértelműség
ambiguous a. kétértelmű
ambition n. ambíció
ambitious a. ambiciózus
ambry n. fegyverláda
ambulance n. mentőautó
ambulant a ambuláns
ambulate v.l sétál
ambush n. leshely
ameliorate v.t. jobbít
amelioration n. jobbítás
amen interj. ámen
amenable a rányítható
amend v.t. módosít
amendment n. módosítás
amends n.pl. jóvátétel
amethyst n ametiszt

amiability n. szeretetreméltóság
amiable a. kedves
amicable adj. barátságos
amid prep. közepén
amiss adv. rosszul
amity n. jóakarat
ammunition n. lőszer
amnesia n amnézia
amnesty n. amnesztia
among prep. között
amongst prep. közé
amoral a. erkölcsnélküli
amount n mennyiség
amount v.i egyenlít
amorous a. szerelmi
amour n szerelem
ampere n amper
amphibious a kétéltű
amphitheatre n amfiteátrum
ample a. bőséges
amplification n erősítés
amplifier n erősítő
amplify v.t. erősít
amuck adv. ámokfutó
amulet n. amulett
amuse v.t. szórakoztat
amusement n szórakoztatás
an art egy
anabaptist n anabaptista
anachronism n anakronizmus
anaconda n anakonda
anadem n beköt
anaemia n anémia
anaesthesia n érzéstelenítés
anaesthetic n. érzéstelenítő
anal a anális
analogous a. hasonló
analogy n. analógia
analyse v.t. elemez
analysis n. elemzés
analyst n elemző
analytical a analitikai

anamnesis n emlékezőképesség
anarchism n. anarchizmus
anarchist n anarchista
anarchy n anarchia
anatomy n. anatómia
ancestor n. előd
ancestral a. ősi
ancestry n. származás
anchor n. horgony
anchorage n horgonyzóhely
ancient a. ókori
ancillary a. kisegítő
and conj. és
androgenous a. kétnemű
anecdote n. anekdota
anemometer n szélmérő
anew adv. újra
anfractuous a nyakatekert
angel n angyal
anger n. harag
angina n angina
angle n. szög
angle v.t. eltérít
angry a. haragos
anguish n. kín
angular a. szögletes
animal n. állat
animate v.t. lelkesít
animate a. élő
animation n élénkség
animosity n ellenségeskedés
animus n szándék
aniseed n ánizsmag
ankle n. boka
anklet n bokalánc
annalist n. évkönyvíró
annals n.pl. évkönyv
annex v.t. hozzácsatol
annexation n bekebelezés
annihilate v.t. megsemmisít
annihilation n megsemmisítés
anniversary n. évforduló

14

announce *v.t.* bejelent
announcement *n.* közlemény
annoy *v.t.* bosszant
annoyance *n.* bosszantás
annual *a.* évi
annuitant *n* járadékélvező
annuity *n.* járadék
annul *v.t.* érvénytelenít
annulet *n* gyűrűs-díszítés
anoint *v.t.* bedörzsöl
anomalous *a* rendellenes
anomaly *n* rendellenesség
anon *adv.* mindjárt
anonymity *n.* névtelenség
anonymous *a.* névtelen
another *a* másik
answer *n* válasz
answer *v.t* válaszol
answerable *a.* megválaszolható
ant *n* hangya
antacid *a* savkötők
antagonism *n* ellentét
antagonist *n.* antagonista
antagonise *v.t.* akadályoz
antarctic *a.* délisarki
antecede *v.t.* megelőz
antecedent *n.* előzmény
antecedent *a.* megelőző
antedate *n* korábbi-keltezés
antelope *n.* antilop
antenatal *a* születés-előtti
antennae *n.pl.* antennák
antenuptial *a.* házasság-előtti
anthem *n* himnusz
anthology *n.* antológia
anthropoid *a* emberszabású
anti *pref.* anti
anti-aircraft *a.* légvédelmi
antibody *n* ellenanyag
antic *n* bohóckodás
anticipate *v.t.* megérez
anticipation *n.* előérzet

antidote *n.* ellenméreg
antinomy *n.* antimon
antipathy *n.* ellenszenv
antipodes *n.pl* antipódus
antiquarian *a.* régészeti
antiquarian *n* régiségkereskedő
antiquary *n.* régiséggyűjtő
antiquated *a.* elavult
antique *a.* antik
antiquity *n.* antikvitás
antiseptic *n.* fertőtlenítőszer
antiseptic *a.* fertőtlenítő
antithesis *n.* szembenállás
antitrust *n* trösztellenes
antler *n.* agancs
antonym *n.* antonímia
anus *n.* végbélnyílás
anvil *n.* üllő
anxiety *n.* szorongás
anxious *a.* aggódó
any *a.* valamilyen
any *adv.* valamennyire
anyhow *adv.* valahogyan
apace *adv.* gyorsan
apart *adv.* külön
apartment *n.* lakás
apathy *n.* fásultság
ape *n* majom
ape *v.t.* utánoz
aperture *n.* nyílás
apex *n.* csúcs
aphorism *n* aforizma
apiary *n.* méhészet
apiculture *n.* méhészeti
apish *a.* majmoló
apnoea *n* apnoe
apologise *v.i.* mentegetőzik
apologue *n* bocsánatkérés
apology *n.* bocsánat
apostle *n.* apostol
apostrophe *n.* aposztróf
apotheosis *n.* megdicsőülés

apparatus *n.* készülék
apparel *n.* felszerelés
apparel *v.t.* felruház
apparent *a.* nyilvánvaló
appeal *n.* fellebbezés
appeal *v.t.* fellebbez
appear *v.i.* megjelenik
appearance *n* megjelenés
appease *v.t.* lecsillapít
appellant *n.* fellebbező
append *v.t.* hozzáfűz
appendage *n.* függelék
appendicitis *n.* vakbélgyulladás
appendix *n.* melléklet
appendix *n.* függelék
appetence *n.* sóvárgás
appetent *a* sóvár
appetite *n.* étvágy
appetiser *n* előétel
applaud *v.t.* tapsol
applause *n.* taps
apple *n.* alma
appliance *n.* készülék
applicable *a.* ráilleszthető
applicant *n.* pályázó
application *n.* jelentés
apply *v.t.* alkalmaz
appoint *v.t.* kijelöl
appointment *n.* időpont
apportion *v.t.* eloszt
apposite *a* időszerű
appositely *adv* időszerűen
approbate *v.t* jóváhagy
appraise *v.t.* értékel
appreciable *a.* észlelhető
appreciate *v.t.* méltányol
appreciation *n.* méltánylás
apprehend *v.t.* letartóztat
apprehension *n.* nyugtalansag
apprehensive *a.* nyugtalan
apprentice *n.* gyakornok
apprise *v.t.* értesít

approach *v.t.* megközelít
approach *n.* közeledés
approbation *n.* igazolás
appropriate *v.t.* eltulajdonít
appropriate *a.* megfelelő
appropriation *n.* eltulajdonítás
approval *n.* helyeslés
approve *v.t.* helyesel
approximate *a.* megközelítő
apricot *n.* sárgabarack
appurtenance *n* tartozék
apron *n.* kötény
apt *a.* hajlamos
aptitude *n.* alkalmasság
aquarium *n.* akvárium
Aquarius *n.* Vízöntő
aqueduct *n* vízvezeték
arable *a* szántóföldi
arbiter *n.* döntőbíró
arbitrary *a.* önkényes
arbitrate *v.t.* eldönt
arbitration *n.* döntőbíráskodás
arbitrator *n.* döntőbíró
arc *n.* ív
arcade *n* árkád
arch *n.* boltív
arch *v.t.* ível
arch *a* furfangos
archaic *a.* régies
archangel *n* arkangyal
archbishop *n.* érsek
archer *n* íjász
architect *n.* építészmérnök
architecture *n.* építészet
archives *n.pl.* levéltár
Arctic *a* Északsarki
ardent *a.* lelkes
ardour *n.* lelkesedés
arduous *a.* fáradságos
area *n* terület
areca *n* aréka
arena *n* küzdőtér

argil *n* agyagföld
argue *v.t.* vitat
argument *n.* vita
argute *a* éles-szemű
arid *a* száraz
Aries *n* Kos
aright *adv* jól
aright *adv.* helyesen
arise *v.i.* felkel
aristocracy *n.* arisztokrácia
aristocrat *n.* arisztokrata
arithmetic *n.* számtan
arithmetical *a.* számtani
ark *n* bárka
arm *n.* kar
arm *v.t.* elfegyverez
armada *n.* hajóhad
armament *n.* fegyverzet
armature *n.* forgórész
armistice *n.* fegyverszünet
armlet *a* karkötő
armour *n.* páncél
armoury *n.* fegyvertár
army *n.* hadsereg
around *prep.* körül
around *adv* körülbelül
arouse *v.t.* felébreszt
arraign *v.* bevádol
arrange *v.t.* intézkedik
arrangement *n.* elrendezés
arrant *n.* hírhedt
array *v.t.* rendbehoz
array *n.* sor
arrears *n.pl.* hátralék
arrest *v.t.* letartóztat
arrest *n.* letartóztatás
arrival *n.* érkezés
arrive *v.i.* megérkezik
arrogance *n.* gőg
arrogant *a.* gőgös
arrow *n* nyíl
arrowroot *n.* nyílgyökér

arse *n.* segg
arsenal *n.* fegyverraktár
arsenic *n* arzén
arson *n* gyújtogatás
art *n.* művészet
artery *n.* ütőér
artful *a.* ügyes
arthritis *n* köszvény
artichoke *n.* articsóka
article *n* cikk
articulate *a.* közérthető
artifice *n.* kifejt
artificial *a.* mesterséges
artillery *n.* tüzérség
artisan *n.* kézműves
artist *n.* művész
artistic *a.* művészeti
artless *a.* művészietlen
as *adv.* mint
as *conj.* mivel
as *pron.* ahogyan
asbestos *n.* azbeszt
ascend *v.t.* felemelkedik
ascent *n.* felemelkedés
ascertain *v.t.* meggyőződik
ascetic *n.* aszkéta
ascetic *a.* önsanyargató
ascribe *v.t.* tulajdonít
ash *n.* hamu
ashamed *a.* szégyenkezve
ashore *adv.* parton
aside *adv.* félre
asinine *a* ostoba
ask *v.t.* kérdez
asleep *adv.* alva
asleep *a* alvó
aspect *n.* szempont
asperse *v.* rágalmaz
aspirant *n.* pályázó
aspiration *n.* törekvés
aspire *v.t.* törekszik
ass *n.* szamár

assail v. megtámad
assassin n. bérgyilkos
assassinate v.t. meggyilkol
assassination n orgyilkosság
assault n. támadás
assault v.t. megtámad
assemble v.t. összeszerelni
assembly n. gyülekezés
assent v.i. jóváhagy
assent n. hozzájárulás
assert v.t. erősít
assess v.t. felbecsül
assessment n. értékelés
asset n. vagyontárgy
assign v.t. beoszt
assignee n. engedményes
assimilate v. beolvaszt
assimilation n asszimiláció
assist v.t. segít
assistance n. segítség
assistant n. segítő
associate v.t. társul
associate a. társult
associate n. társ
association n. társulás
assort v.t. kiválogat
assuage v.t. megnyugtat
assume v.t. feltételez
assumption n. feltevés
assurance n. biztosíték
assure v.t. biztosít
astatic a sarkítatlan
asterisk n. csillag
asteroid a kisbolygó
asthma n. asztma
astir adv. mozgásban
astonish v.t. megdöbbent
astonishment n. csodálkozás
astound v.t megdöbbent
astray adv., eltevedt
astrologer n. csillagjós
astrology n. csillagjóslás

astronaut n. űrhajós
astronomer n. csillagász
astronomy n. csillagászat
asunder adv. ketté
asylum n menedékház
atheism n ateizmus
atheist n ateista
athlete n. sportoló
athletic a. atlétikai
athletics n. atlétika
athwart prep. ferdén
atlas n. atlasz
atmosphere n. légkör
atoll n. korallzátony
atom n. atom
atomic a. atomos
atone v.i. vezekel
atonement n. bűnhődés
atrocious a. brutális
atrocity n szörnyűség
attach v.t. csatol
attache n. attasé
attachment n. melléklet
attack n. támadás
attack v.t. megtámad
attain v.t. megvalósít
attainment n. megszerzés
attaint v.t. bemocskol
attempt v.t. megpróbál
attempt n. próbálkozás
attend v.t. résztvesz
attendance n. részvétel
attendant n. kísérő
attention n. figyelem
attentive a. figyelmes
attest v.t. tanúsít
attire n. viselet
attire v.t. öltöztet
attitude n. hozzáállás
attorney n. ügyvéd
attract v.t. vonz
attraction n. vonzerő

attractive *a.* vonzó
attribute *v.t.* tulajdonít
attribute *n.* jellegzetesség
auction *n* árverés
auction *v.t.* elárverez
audible *a* hallható
audience *n.* közönség
audit *n.* könyvvizsgálat
audit *v.t.* számlát-ellenőriz
auditive *a* auditív
auditor *n.* könyvvizsgáló
auditorium *n.* előadóterem
auger *n.* előre-megmond
aught *n.* semmi
augment *v.t.* nagyobbodik
augmentation *n.* nagyobbodás
August *n.* Augusztus
august *n* köztiszteletben-álló
aunt *n.* nagynéni
auriform *a* fül-alakú
aurora *n* hajnal
auspice *n.* madárjóslás
auspicious *a.* kedvező
austere *a.* zord
authentic *a.* hiteles
author *n.* író
authoritative *a.* irányadó
authority *n.* hatóság
authorise *v.t.* meghatalmaz
autobiography *n.* önéletrajz
autocracy *n* önkényuralom
autocrat *n* zsarnok
autocratic *a* önkényeskedő
autograph *n.* autogram
automatic *a.* automatikus
automobile *n.* autó
autonomous *a* autonóm
autumn *n.* ősz
autumnal *a.* őszi
auxiliary *a.* kiegészítő
auxiliary *n.* segéd
avail *v.t.* használ

available *a* kapható
avarice *n.* kapzsiság
avenge *v.t.* megbosszul
avenue *n.* sugárút
average *n.* átlag
average *a.* átlagos
average *v.t.* átlagot-elér
averse *a.* idegenkedő
aversion *n.* idegenkedés
avert *v.t.* elhárít
aviary *n.* madárház
aviation *n.* repülés
aviator *n.* pilóta
avid *a.* mohó
avidity *adv.* mohóság
avidly *adv* mohón
avoid *v.t.* elkerül
avoidance *n.* elkerülés
avow *v.t.* elismer
avulsion *n.* leszakított-rész
await *v.t.* várakozik
awake *v.t.* felébreszt
awake *a* éber
award *v.t.* díjaz
award *n.* díj
aware *a.* tudatában
away *adv.* messzire
awe *n.* félelem
awful *a.* borzasztó
awhile *adv.* rövid-ideig
awkward *a.* kínos
axe *n.* balta
axis *n.* tengely
axle *n.* tengely

B

babble *n.* gügyögés
babble *v.i.* gügyög
babe *n.* kisbaba

babel *n* Babel
baboon *n.* pávián
baby *n.* baba
bachelor *n.* agglegény
back *n.* hát
back *adv.* vissza
backbite *v.t.* rágalmaz
backbone *n.* hátgerinc
background *n.* háttér
backhand *n.* fonákütés
backslide *v.i.* visszaesik
backward *a.* fejletlen
backward *adv.* hátrafelé
bacon *n.* szalonna
bacteria *n.* baktériumok
bad *a.* rossz
badge *n.* jelvény
badger *n.* borz
badly *adv.* rosszul
badminton *n.* tollaslabda
baffle *v. t.* meghiúsít
bag *n.* táska
bag *v. i.* bezsebel
baggage *n.* poggyász
bagpipe *n.* duda
bail *n.* óvadék
bail *v. t.* letétbe-helyez
bailed *a.* segített
bailiff *n.* végrehajtó
bait *n* csali
bait *v.t.* csalogat
bake *v.t.* süt
baker *n.* pék
bakery *n* pékség
balance *n.* mérleg
balance *v.t.* mérlegel
balcony *n.* erkély
bald *a.* kopasz
bale *n.* bála
bale *v.t.* bálába-csomagol
baleful *a.* káros
baleen *n.* sziláscet

ball *n.* labda
ballad *n.* ballada
ballet *sn.* balett
balloon *n.* léggömb
ballot *n* szavazás
ballot *v.i.* szavaz
balm *n.* gyógyír
balsam *n.* balzsam
bam *n.* bumm
bamboo *n.* bambusz
ban *n.* tilalom
ban *v.t.* betilt
banal *a.* banális
banana *n.* banán
band *n.* zenekar
band *n.* sáv
band *n.* szalag
bandage *n.* kötés
bandage *v.t* bekötöz
bandit *n.* bandita
bang *v.t.* üt
bang *n.* durranás
bangle *n.* karperec
banish *v.t.* száműz
banishment *n.* száműzetés
banjo *n.* bendzsó
bank *n.* part
bank *n.* bank
bank *v.t.* bankba-küld
banker *n.* bankár
bankrupt *a* fizetésképtelen
bankruptcy *n.* csőd
banner *n.* transzparens
banquet *n.* lakoma
banquet *v.t.* lakomázik
banter *v.t.* évődik
banter *n.* évődés
bantling *n.* rajkó
banyan *n.* indiai-fügefa
baptism *n.* keresztség
baptise *v.t.* megkeresztel
bar *conj.* kivéve

bar *n.* bár
bar *n.* akadály
bar *v.t* kizár
barb *n.* horog
barb *v.t.* felhorgosít
barbarian *a.* barbár
barbarian *n.* barbár
barbarism *n.* durvaság
barbarity *n* barbárság
barbarous *a.* vad
barber *n.* borbély
bard *n.* dalnok
bare *a.* csupasz
bare *v.t.* lemeztelenít
barely *adv.* alig
bargain *n.* alku
bargain *v.t.* alkudozik
barge *n.* uszály
bark *n.* fakéreg
bark *v.t.* ugat
barley *n.* árpa
barn *n.* csűr
barometer *n* légnyomásmérő
barouche *n.* nyitott-hintó
barrack *n.* laktanya
barrack *v.t.* laktanya
barrage *n.* zárótűz
barrator *n* szélhámos
barrel *n.* hordó
barren *a.* meddő
barricade *n.* barikád
barricade *v.t.* elbarikádoz
barrier *n.* sorompó
barrister *n.* ügyvéd
barter *v.t.* elcserél
barter *n.* árucsere
basal *a* alapvető
base *n.* alap
base *a.* alantas
base *v.t.* alapoz
baseless *a.* alaptalan
basement *n.* alagsor

bashful *a.* szégyenlős
basic *a.* alapvető
basically *adv.* alapvetően
basil *n.* bazsalikom
basin *n.* medence
basis *n.* bázis
bask *v.i.* sütkérezik
basket *n.* kosár
bass *n.* basszusgitár
bass *n.* sügér
bastard *n.* fattyú
bastard *a* elfajult
bat *n* denevér
bat *n* ütő
bat *v. i* üt
batch *n* halom
bath *n* fürdő
bath *v.t.* megfürdet
bathe *v.i.* fürdik
baton *n* pálca
battalion *n* zászlóalj
battery *n* elem
battle *n* csata
battle *v. i.* harcol
bawd *n.* madám
bawdy *a.* trágár
bawl *v.i.* üvölt
bay *n* öböl
bayleaf *n.* babérlevél
bayonet *n* szurony
be *v.i.* létezik
beach *n* tengerpart
beacon *n* jelzőfény
bead *n* üveggyöngy
beadle *n.* sekrestyés
beak *n* csőr
beaker *n* pohár
beam *n* gerenda
beam *n.* sugár
beam *v.i.* sugároz
bean *n.* bab
bear *n* medve

bear v.t visel
beard n szakáll
bearing n iránylat
beast n vadállat
beastly a brutális
beat v. t. ver
beat n ütem
beautiful a szép
beautify v. t szépít
beauty n szépség
beaver n hód
because conj. mert
beck n. patak
beckon v.t. odahív
beckon v. t int
become v. i válik
becoming a kecses
bed n ágy
bedevil v. t megbabonáz
bedding n. ágynemű
bed-time n. lefekvés-ideje
bee n. méh
beech n. bükkfa
beef n marhahús
beehive n. méhkas
beer n sör
beet n cukorrépa
beetle n bogár
befall v. t történik
before prep előtt
before adv. előbb
before conj mielőtt
beforehand adv. előzetesen
befriend v. t. barátkozik
beg v. t. könyörög
beget v. t nemz
beggar n koldus
begin n kezd
beginning n. kezdet
begird v.t. övez
begrudge v.t. sajnál
beguile v. t elcsábít

behalf n nevében
behave v. i. viselkedik
behaviour n viselkedés
behead v. t. lefejez
behind adv hátul
behind prep mögött
behold v. t észrevesz
being n lét
belated a elkésett
belch v.i. böfög
belch n böfögés
belief n hit
believe v. t hisz
bell n harang
belle n szépség
bellicose a harcias
belligerency n hadviselés
belligerent a hadviselő
belligerent n hadviselő-fél
bellow v. i ordít
bellows n. fújtató
belly n has
belong v. i tartozik
belongings n. holmi
beloved a szeretett
beloved n szeretett
below adv alul
below prep alatt
belt n öv
belvedere n kilátótorony
bemuse v. t elbódít
bench n pad
bend n kanyar
bend v. t hajlik
beneath adv alul
beneath prep alatt
benefaction n. jótett
benefice n javadalom
beneficial a előnyös
benefit n haszon
benefit v. t. jót-tesz
benevolence n jóakarat

22

benevolent *a* jótékony
benign *a* jóindulatú
benignly *adv* jóindulatúan
bent *n* hajlam
bent *a* elgörbített
bequeath *v. t.* örökségül-hagy
bereave *v. t.* megfoszt
bereaved *n* gyászoló
bereavement *n* gyász
berth *n* hálóhely
beside *prep.* mellett
beside *adv* mellé
besides *prep* kívül
besides *adv* azonfelül
beslaver *v. t* benyálaz
besiege *v. t* ostromol
bestow *v. t* ad
bestrew *v. t* megszór
bet *v.i* fogad
bet *n* tét
betel *n* bétel
betray *v.t.* elárul
betrayal *n* árulás
betroth *v. t* eljegyez
betrothal *n.* eljegyzés
better *a* jobb
better *adv.* jobban
better *n* fogadó
betterment *n* javulás
between *prep* között
beverage *n* ital
bewail *v. t* megsirat
beware *v.i.* óvakodik
bewilder *v. t* megtéveszt
bewitch *v.t* megbabonáz
beyond *prep.* túl
beyond *adv.* felett
bi *pref* kettős-
biannual *adj.* félévenkénti
bias *n* hajlam
bias *v. t* eltérít
bib *n* partedli

bibber *n* borissza
bible *n* Biblia
bibliographer *n* bibliográfus
bibliography *n* bibliográfia
bicentenary *adj* kétszázados
biceps *n* bicepsz
bicker *v. t* veszekszik
bicycle *n.* kerékpár
bid *v.t* megparancsol
bid *n* ajánlat
bidder *n* ajánlattevő
bide *v. t* várakozik
biennial *a.* kétévenkénti
bier *n* ravatal
big *a* nagy
bigamy *n* bigámia
bight *n* hajlat
bigot *n* bigott
bigotry *n* fanatizmus
bile *n* epe
bilingual *a* kétnyelvű
bill *n* számla
billion *n* milliárd
billow *n* emberáramlat
billow *v.i* hömpölyög
bilk *v. t.* elbliccel
bimonthly *a* kéthavonta
binary *a* kétkomponensű
bind *v.t* kötelez
binding *a* kötelező
binoculars *n. pl* távcső
biographer *n* életrajzíró
biography *n* életrajz
biologist *n* biológus
biology *n* biológia
biosohere *n* bioszféra
biped *n* kétlábú
birch *n.* nyírfa
bird *n* madár
birdie *n* kismadár
birth *n.* születés
birthright *n.* előszülöttségi-jog

biscuit *n* keksz
bisect *v. t* kettévág
bisexual *a* biszexuális
bishop *n* püspök
bison *n* bölény
bisque *n* krémleves
bit *n* darab
bitch *n* szuka
bite *v. t.* harap
bite *n* harapás
bitter *a* keserű
bi-weekly *a* kéthetente
bizarre *a* bizarr
blab *v. i* fecseg
black *a* fekete
blacken *v. t.* befeketít
blackmail *n* zsarolás
blackmail *v.t* zsarol
blacksmith *n* kovács
bladder *n* hólyag
blade *n.* penge
blain *n* gennytüsző
blame *v. t* hibáztat
blame *n* feddés
blanch *v.i.* elsápad
blanch *v. t.* fehérít
blanch *a* halvány
bland *a* nyájas
blank *a* üres
blank *n* hiány
blanket *n* pokróc
blare *v. t* harsog
blast *n* robbanás
blast *v.i* robbant
blaze *n* láng
blaze *v.i* lángol
bleach *n* fehérítő
bleach *v. t* színtelenít
bleary *a* homályos
bleat *n* bégetés
bleat *v. i* béget
bleb *n* légbuborék

bleed *v. i* vérzik
blemish *n* folt
blend *v. t* összekever
blend *n* keverék
bless *v. t* áld
blight *n* penész
blind *a* vak
blindage *n* fedezék
blindfold *adv.* vakon
blindness *n* vakság
blink *v. i* pislog
bliss *n* eksztázis
blister *n* vízhólyag
blizzard *n* hóvihar
bloc *n* blokk
block *n* tömb
block *v.t* zárol
blockade *n* blokád
blockade *v.t.* eltorlaszol
blockhead *n* tökfej
blood *n* vér
bloodshed *n* vérontás
bloody *a* véres
bloom *n* virágzás
bloom *v.i.* virágzik
blossom *n* virágzás
blossom *v.i* virágzik
blot *n.* folt
blot *v. t* bepiszkol
blouse *n* blúz
blow *v.i.* fúj
blow *n* ütés
blue *a* kék
blue *a* bús
bluff *v. t* blöfföl
bluff *n* blöff
blunder *n* baklövés
blunder *v.i* melléfog
blunt *a* tompa
blur *n* homály
blur *v.t.* elhomályosít
blurt *v. t* kifecseg

blush *n* pír
blush *v.i* elpirul
boar *n* vaddisznó
board *n* deszka
board *v.l.* felszáll
boast *v.i* dicsekszik
boast *n* dicsekvés
boat *n* hajó
boat *v.i* csónakázik
bodice *n* női-mellény
bodily *a* testi
body *n* test
bodyguard *n.* testőr
bog *n* mocsár
boggle *v.t* kontárkodik
bogus *a* hamis
boil *n* kelés
boil *v.i.* forr
boiler *n* bojler
bold *a.* bátor
boldness *n* bátorság
bolt *n* retesz
bolt *v. t* reteszel
bomb *n* bomba
bomb *v. t* bombáz
bombard *v. t* bombáz
bombardment *n* bombázás
bomber *n* bombázó
bonafide *adv* hiteles
bonafide *a* hitelesen
bond *n* kötvény
bondage *n* fogság
bone *n.* csont
bonfire *n* máglya
bonnet *n* motorháztető
bonnet *n* sapka
bonus *n* prémium
book *n* könyv
book *v. t.* feljegyez
book-keeper *n* könyvelő
bookmark *n.* könyvjelző
bookseller *n* könyvkereskedő

bookworm *n* könyvmoly
bookish *n.* könyvkedvelő
booklet *n* füzet
boon *n* áldás
boor *n* paraszt
boost *n* emelkedés
boost *v. t* fellendít
boot *n* csomagtartó
boot *n* csizma
boot *n* bakancs
booth *n* fülke
booty *n* zsákmány
booze *n* pia
booze *v. i* piál
border *n* határ
border *v.t* szegélyez
bore *v. t* fúr
boredom *n* unalom
born *a* született
borne *a* viselt
borrow *v. t* kölcsönkér
bosom *n* kebel
boss *n* főnök
botany *n* növénytan
botch *v. t* összetákol
both *a* mindkét
both *adv.* mindketten
both *conj* is
bother *v. t* zavar
botheration *n* kellemetlen-
  kedés
bottle *n* üveg
bottler *n* palackozó
bottom *n* fenék
bottom *a* alsó
bottom *adv.* alul
bough *n* faág
boulder *n* szikladarab
bouncer *n* kidobóember
bound *a* összefűzött
boundary *n* határ
bountiful *a* bőséges

bounty *n* pénzadomány
bouquet *n* csokor
bout *n* küzdelem
bow *v. t* meghajol
bow *n* íj
bow *n* meghajlás
bowel *n.* bél
bower *n* lugas
bowl *n* edény
bowl *v.i* görget
box *n* doboz
boxing *n* boksz
boy *n* fiú
boycott *v. t.* bojkottál
boycott *n* bojkott
boyhood *n* gyermekkor
brace *n* merevítő
bracelet *n* karkötő
brag *v. i* kérked
brag *n* hetvenkedő
braille *n* vakírás
brain *n* agy
brake *n* fék
brake *v. t* fékez
branch *n* ág
brand *n* márka
brandy *n* pálinka
brass *n.* sárgaréz
brass *n.* fúvóshangszer
brave *a* bátor
bravery *n* bátorság
brawl *v. i.* civakodik
brawl *n* civakodás
bray *n* szamárbőgés
bray *v. i* iázik
breach *n* megsértés
bread *n* kenyér
breadth *n* szélesség
break *v. t* tör
break *v.i* fékez
break *n* szünet
break *n* törés

break *n* fék
breakage *n* törés
breakdown *n* összeomlás
breakfast *n* reggeli
breakneck *a* nyaktörő
breast *n* mell
breath *n* lélegzet
breathe *v. i.* lélegzik
breeches *n.* bricsesznadrág
breed *v.t* tenyészt
breed *n* fajta
breeze *n* szellő
breviary *n.* zsolozsmáskönyv
brevity *n* tömörség
brew *v. t.* sörtfőz
brewery *n* sörfőzde
bribe *n* kenőpénz
bribe *v. t.* veszteget
brick *n* tégla
bride *n* menyasszony
bridegroom *n.* vőlegény
bridge *n* híd
bridge *v.t.* áthidal
bridle *n* kantár
brief *a.* rövid
brigade *n.* brigád
brigadier *n* dandártábornok
bright *a* fényes
bright *a* okos
brighten *v. t* fényesít
brilliance *n* ragyogás
brilliant *a* ragyogó
brim *n* karima
brine *n* sósvíz
bring *v. t* hoz
brink *n.* széle
brisk *a* fürge
bristle *v.i.* felborzol
bristle *n* sörte
British *a* brit
brittle *a.* törékeny
broad *a* széles

broadcast *n* adás
broadcast *v. t* közvetít
brocade *n* brokát
broccoli *n.* brokkoli
brochure *n* prospektus
broke *a* pénztelen
broker *n* bróker
brood *v. i.* tűnődik
brood *n* madárfiókák
brook *n.* patak
broom *n* seprű
bronze *n.* bronz
bronze *a* bronzszínű
broth *n* csontleves
brothel *n* bordélyház
brother *n* testvér
brotherhood *n* testvériség
brotherly *a* testvéri
brow *n* homlok
brown *a* barna
brown *v.t.* barnít
browse *v.t.* olvasgat
browse *n* böngészés
bruise *n* zúzódás
bruit *n* híresztelés
brush *n* kefe
brush *v. t* lesöpör
brutal *a* brutális
brute *n* állat
brutish *a* bunkó
bubble *n* buborék
bucket *n* vödör
buckle *n* csat
bud *n* rügy
budge *v. i.* mozgat
budget *n* költségvetés
buff *a* barnássárga
buffalo *n.* bivaly
buffoon *n* ripacs
bug *n.* bogár
bugle *n* kürt
build *v. t* épít

build *n* alak
building *n* épület
bulb *n.* villanykörte
bulb *n* hagyma
bulk *n* tömeg
bulky *a* testes
bull *n* bika
bulldog *n* buldog
bull's eye *n* ökörszem
bullet *n* golyó
bulletin *n* közlemény
bullock *n* ökör
bully *n* szájhős
bully *v. t.* terrorizál
bulwark *n* bástya
bumper *n.* lökhárító
bumpy *a* göröngyös
bunch *n* csokor
bundle *n* csomag
bungalow *n* bungaló
bungle *v. t* elfuserál
bungle *n* ügyetlenség
bunk *n* hálóhely
bunker *n* bunker
buoy *n* bója
buoyancy *n* úszóképesség
burden *n* teher
burden *v. t* megterhel
burdensome *a* nehézkes
bureau *n.* hivatal
bureaucracy *n.* bürokrácia
bureaucrat *n* bürokrata
burglar *n* betörő
burglary *n* betörés
burial *n* temetés
burn *v. t* éget
burn *n* égés
burrow *n* odú
burst *v. i.* szétreped
burst *n* szétszakadás
bury *v. t.* eltemet
bus *n* busz

bush *n* bokor
business *n* üzlet
businessman *n* üzletember
bustle *n* nyüzsgés
bustle *v. t* sürög-forog
busy *a* elfoglalt
but *prep* csak
but *conj.* de
butcher *n* mészáros
butcher *v. t* lemészárol
butter *n* vaj
butter *v. t* megvajaz
butterfly *n* pillangó
buttock *n* félfenék
button *n* gomb
button *v. t.* gombol
buy *v. t.* vesz
buyer *n.* vevő
buzz *v. i* zúg
buzz *n.* zúgás
by *prep* mellett
by *adv* közel
bye-bye *interj.* szia
by-election *n* pótválasztás
by-law *n* helyi-rendelet
bypass *n* kerülőút
by-product *n* melléktermék
byre *n* tehénistálló
byword *n* szimbólum

cab *n.* taxi
cabaret *n.* kabaré
cabbage *n.* káposzta
cabin *n.* kabin
cabinet *n.* szekrény
cable *n.* kábel
cable *v. t.* táviratozik
cache *n* rejtekhely

cachet *n* presztízs
cackle *v. i* vihog
cactus *n.* kaktusz
cad *n* gazember
cadet *n.* kadét
cadge *v. i* potyázik
cadmium *n* kadmium
cafe *n.* kávézó
cage *n.* ketrec
cake *n.* torta
calamity *n.* balsors
calcium *n* kalcium
calculate *v. t.* számít
calculator *n* számológép
calculation *n.* számolás
calendar *n.* naptár
calf *n.* borjú
call *v. t.* hív
call *n.* hívás
caller *n* hívó
calligraphy *n* kalligráfia
calling *n.* hívás
callow *a.* zöldfülű
callous *a.* kőszívű
calm *n.* nyugodt
calm *n.* nyugalom
calm *v. t.* lenyugtat
calmative *a.* idegcsillapító
calorie *n.* kalória
calumniate *v. t.* rágalmaz
camel *n.* teve
camera *n.* fényképezőgép
camlet *n* teveszőrszövet
camp *n.* tábor
camp *v. i.* sátoroz
campaign *n.* kampány
camphor *n.* kámfor
can *n.* konzervdoboz
can *v. t.* tartósít
can *v.* tud
canal *n.* csatorna
canard *n* kacsa

cancel v. t. eltöröl
cancellation n törlés
cancer n. rák
candid a. őszinte
candidate n. jelölt
candle n. gyertya
candour n. őszinteség
candy n. cukorka
cane n. nád
cane v. t. megbotoz
canister n. bádogdoboz
cannon n. ágyú
cannonade n. ágyútűz
canon n kánon
canopy n. baldachin
canteen n. menza
canter n ügetés
canter v.i. üget
canton n kanton
cantonment n. szálláskörzet
canvas n. vászon
canvass v. t. korteskedik
cap n. sapka
capability n. képesség
capable a. képes
capacious a. tágas
capacity n. kapacitás
cape n. köpeny
capital n. tőke
capital a. fő
capitalist n. kapitalista
capitulate v. t megad
caprice n. szeszély
capricious a. szeszélyes
Capricorn n Bak
capsicum n paprika
capsize v. i. felbillen
capsule n. kapszula
captain n. kapitány
captaincy n. parancsnokság
caption n. felirat
captivate v. t. meghódít

captive n. fogoly
captive a. fogságban
captivity n. fogság
capture v. t. elfog
capture n. zsákmányolás
car n. autó
carat n. karát
caravan n. lakókocsi
carbide n. karbid
carbon n. szén
card n. kártya
cardamom n. kardámom
cardboard n. karton
cardinal a. legfőbb
cardinal n. bíboros
cardio a. szív
care n. ellátás
care v. i. törődik
career n. pályafutás
careful a óvatos
careless a. gondatlan
caress v. t. cirógat
caress a. cirógatás
cargo n. rakomány
caricature n. karikatúra
carnage n vérontás
carnival n farsang
carol n örömének
carpal a csukócsonti
carpenter n. asztalos
carpentry n. ácsmesterség
carpet n. szőnyeg
carriage n. kocsi
carrier n. szállító
carrot n. sárgarépa
carry v. t. cipel
cart n. kosár
cartage n. fuvardíj
carton n kartondoboz
cartoon n. rajzfilm
cartridge n. töltény
carve v. t. farag

cascade *n.* vízesés
case *n.* ügy
cash *n.* készpénz
cash *v. t.* felvált
cashier *n.* pénztáros
casing *n.* burkolat
cask *n* hordó
casket *n* ékszerládika
cassette *n.* kazetta
cast *v. t.* dob
cast *n.* öntvény
caste *n* kaszt
castigate *v. t.* büntet
casting *n* színészválogatás
cast-iron *n* öntöttvas
castle *n.* kastély
castor oil *n.* ricinusolaj
casual *a.* alkalmi
casualty *n.* sérülés
cat *n.* macska
catalogue *n.* katalógus
cataract *n.* szürkehályog
catch *v. t.* elkap
catch *n.* fogás
categorical *a.* kategorikus
category *n.* kategória
cater *v. i* ellát
caterpillar *n* hernyó
cathedral *n.* székesegyház
catholic *a.* katolikus
cattle *n.* marha
cauliflower *n.* karfiol
causal *a.* okozati
causality *n* kauzalitás
cause *n.* ok
cause *v.t* okoz
causeway *n* móló
caustic *a.* maró
caution *n.* óvatosság
caution *v. t.* figyelmeztet
cautious *a.* óvatos
cavalry *n.* lovasság

cave *n.* barlang
cavern *n.* barlang
cavil *v. t* szőrszálhasogat
cavity *n.* üreg
caw *n.* károgás
caw *v. i.* károg
cease *v. i.* megszűnik
ceaseless *a.* szüntelen
cedar *n.* cedar
ceiling *n.* cédrus
celebrate *v. t.* ünnepel
celebration *n.* ünneplés
celebrity *n* híresség
celestial *a* égi
celibacy *n.* cölibátus
celibate *n.* nőtlen
cell *n.* sejt
cellar *n* pince
cellular *a* sejtes
cement *n.* cement
cement *v. t.* megszilárdít
cemetery *n.* temető
cense *v. t* tömjénez
censer *n* füstölő
censor *n.* cenzor
censor *v. t.* szerkeszt
censorious *a* cenzori
censorship *n.* cenzúra
censure *n.* bírálat
censure *v. t.* elítél
census *n.* népszámlálás
cent *n* cent
centenarian *n* százéves
centenary *n.* centenárium
centennial *a* centenáriumi
center *n* központ
centigrade *a.* Celsius-fok
centipede *n.* százlábú
central *a.* központi
centre *n* centrum
centrifugal *a* centrifugális
centuple *a* százszoros

centuple *v.t.* megszázszoroz
century *n.* század
ceramics *n* kerámia
cereal *n.* gabona
cereal *a* gabona-
cerebral *a* agyi
ceremonial *a.* szertartásos
ceremonious *a.* szertartáskodó
ceremony *n.* ünnepség
certain *a* biztos
certainly *adv.* bizonyára
certainty *n.* bizonyosság
certificate *n.* bizonyítvány
certify *v. t.* igazol
cesspool *n.* emésztőgödör
chain *n* lánc
chair *n.* szék
chairman *n* elnök
chaise *n* cséza
challenge *n.* kihívás
challenge *v. t.* kihív
chamber *n.* kamra
chamberlain *n* kamarás
champion *n.* bajnok
champion *v. t.* támogat
chance *n.* lehetőség
chancellor *n.* kancellár
chancery *n* törvényszék
change *v. t.* változtat
change *v. i.* változik
change *n.* változás
channel *n* csatorna
chant *n* ének
chaos *n.* káosz
chaotic *a.* zavaros
chapel *n.* kápolna
chapter *n.* fejezet
character *n.* karakter
charge *v. t.* vádol
charge *n.* díj
chariot *n* szekér
charitable *a.* jótékony

charity *n.* jótékonyság
charm *n.* báj
charm *v. t.* elbájol
charming *a.* bájos
chart *n.* táblázat
charter *n* okirat
chase *v. t.* üldöz
chase *n.* üldözés
chaste *a.* szemérmes
chastity *n.* szűziesség
chat *n.* csevegés
chat *v. i.* cseveg
chatter *v. i.* csicsereg
chauffeur *n.* sofőr
cheap *a* olcsó
cheapen *v. t.* leszállít
cheat *v. t.* csal
cheat *n.* csalás
check *v. t.* ellenőriz
check *n* ellenőrzés
checkmate *n* sakk-matt
cheek *n* szemtelenség
cheep *v. i* csipog
cheer *n.* éljenzés
cheer *v. t.* felvidul
cheerful *a.* vidám
cheerless *a* mogorva
cheese *n.* sajt
cheesy *a.* sajtos
chemical *a.* kémiai
chemise *n* női-ing
chemist *n.* vegyész
chemistry *n.* kémia
cheque *n.* bankutalvány
cherish *v. t.* kedvel
chess *n.* sakk
chest *n* mellkas
chest *n* láda
chestnut *n.* gesztenye
chew *v. t* rág
chevalier *n* lovag
chicken *n.* csirke

31

chide v. t. korhol
chief a. fő
chieftain n. főnök
child n gyerek
childhood n. gyermekkor
childish a. gyerekes
chill n. hűvösség
chill v. t. lehűt
chilli n. chili
chilly a hűvös
chimney n. kémény
chimpanzee n. csimpánz
chin n. áll
china n. porcelán
chirp v.i. csiripel
chirp n csiripelés
chisel n véső
chisel v. t. vés
chit n. csíra
chivalrous a. lovagias
chivalry n. lovagiasság
chlorine n klór
chloroform n kloroform
chocolate n csokoládé
choice n. választás
choir n kórus
choke v. t. fojt
cholera n. kolera
choose v. t. választ
chop n. szelet
chop v.t. hasogat
chord n. akkord
chorus n. kórus
Christ n. Krisztus
Christendom n. Kereszténység
Christian n Keresztény
Christian a. keresztény
Christianity n. Kereszténység
Christmas n Karácsony
chrome n króm
chronic a. krónikus
chronicle n. krónika

chronology n. kronológia
chuckle n kuncogás
chuckle v. i kuncog
chum n pajtás
church n. templom
churchyard n. temető
churlish n parasztos
churn v. i. köpül
churn n. köpülő
cigar n. szivar
cigarette n. cigaretta
cinema n. mozi
cinnabar n cinóber
cinnamon n fahéj
cipher n. rejtjel
circle n. kör
circuit n. áramkör
circular a kör-alakú
circular n. körlevél
circulate v. i. kering
circulation n keringés
circumference n. körméret
circumspect a. körültekintő
circumstance n körülmény
circus n. cirkusz
cist n sírüreg
citadel n. fellegvár
cite v. t idéz
citizen n polgár
citizenship n polgárság
citric a. citrom-
city n város
civic a polgári
civil a udvarias
civilian a polgári
civilian n polgár
civilisation n. civilizáció
civilise v. t kiművel
civilised a. civilizált
clack n. kattogás
claim n követelés
claim v. t állít

claimant *n* felperes
clamber *v. i* megmászik
clamour *n* lárma
clamour *v. i.* zajong
clamp *n* fogó
clandestine *a.* titkos
clap *v. i.* tapsol
clap *n* taps
clarify *v. t* tisztít
clarification *n* pontosítás
clarion *n.* harsona
clarity *n* világosság
clash *n.* összeütközés
clash *v. t.* összecsap
clasp *n* csat
class *n* osztály
classic *a* klasszikus
classic *n* klasszikus
classical *a* klasszikus
classification *n* osztályozás
classify *v. t* osztályoz
clause *n* záradék
claw *n* karom
clay *n* agyag
clean *a* tiszta
clean *v. t* kitakarít
cleanliness *n* tisztaság
cleanse *v. t* tisztít
clear *a* világos
clearance *n* megtisztítás
clearly *adv* érthetően
cleft *n* repedés
clergy *n* papság
clerical *a* irodai
clerk *n* írnok
clever *a.* okos
click *n.* ketyegés
click *v. i.* csattant
client *n..* ügyfél
cliff *n.* szikla
climate *n.* éghajlat
climax *n.* tetőpont

climb *n.* emelkedés
climb *v.i* mászik
cling *v. i.* ragaszkodik
clinic *n.* klinika
clink *n.* fogda
clink *v. i.* zörög
cloak *n.* köpeny
clock *n.* óra
clod *n.* hant
cloister *n.* kolostor
close *n.* lezárás
close *a.* közeli
close *v. t* zár
closed *a* zárva
closely *adv.* szorosan
closet *n.* szekrény
closure *n.* bezárás
clot *n.* rög
clot *v. t* megalvad
cloth *n* szövet
clothe *v. t* öltöztet
clothes *n.* ruházat
clothing *n* öltözet
cloud *n.* felhő
cloudy *a* felhős
clove *n* szegfűszeg
clown *n* bohóc
club *n* klub
clue *n* nyom
clumsy *a* ügyetlen
cluster *n* fürt
cluster *v. i.* összegyűlik
clutch *n* kuplung
clutter *v. t* telezsúfol
coach *n* edző
coach *n* busz
coachman *n* kocsis
coal *n* szén
coalition *n* koalíció
coarse *a* durva
coast *n* tengerpart
coat *n* kabát

coating *n* bevonat
coax *v. t* csalogat
cobalt *n* kobalt
cobbler *n* suszter
cobra *n* kobra
cobweb *n* pókháló
cocaine *n* kokain
cock *n* kakas
cockle *n* kagyló
cock-pit *n.* pilótafülke
cockroach *n* csótány
coconut *n* kókuszdió
code *n* kód
co-education *n.* koedukáció
coefficient *n.* együttható
co-exist *v. i* együttlétezik
co-existence *n* együttélés
coffee *n* kávé
coffin *n* koporsó
cog *n* fogaskerék
cogent *a* meggyőző
cognate *n* rokon
cognisance *n* megismerés
cohabit *v. t* együttél
coherent *a* összefüggő
cohesive *a* kohéziós
coif *n* főkötő
coin *n* fémpénz
coinage *n* pénzverés
coincide *v. i* egybeesik
coir *n* kókuszrost
coke *n* kokain
cold *a* hideg
cold *n* megfázás
collaborate *v. i* együttműködik
collaboration *n* együttműködés
collapse *v. i* összeomlik
collar *n* gallér
colleague *n* kolléga
collect *v. t* összeszed
collection *n* gyűjtemény
collective *a* kollektív

collector *n* gyűjtő
college *n* főiskola
collide *v. i.* összeütközik
collision *n* összeütközés
collusion *n* összejátszás
colon *n* vastagbél
colon *n* kettőspont
colonel *n.* ezredes
colonial *a* gyarmati
colony *n* gyarmat
colour *n* szín
colour *v. t* színez
column *n* oszlop
coma *n.* kóma
comb *n* fésű
combat *n* küzdelem
combat *v. t.* küzd
combatant *n* harcos
combatant *a.* harcoló
combination *n* kombináció
combine *v. t* egyesít
come *v. i.* érkezik
comedian *n.* komikus
comedy *n.* komédia
comet *n* üstökös
comfit *n.* cukorka
comfort *n.* kényelem
comfort *v. t* vigasztal
comfortable *a* kényelmes
comic *a* tréfás
comic *n* képregény
comical *a* komikus
comma *n* vessző
command *n* parancs
command *v. t* megparancsol
commandant *n* parancsnok
commander *n* parancsnok
commemorate *v. t.*
    megemlékezik
commemoration *n.*
    megemlékezés
commence *v. t* kezdődik

commencement *n* kezdés
commend *v. t* rábíz
commendable *a.* dicséretes
commendation *n* dicséret
comment *v. i* magyaráz
comment *n* megjegyzés
commentary *n* fejtegetés
commentator *n* kommentátor
commerce *n* kereskedelem
commercial *a* kereskedelmi
commiserate *v. t* sajnálkozik
commission *n.* megbízás
commissioner *n.* megbízott
commit *v. t.* elkövet
committee *n* bizottság
commodity *n.* árucikk
common *a.* közös
commoner *n.* közember
commonplace *a.* közhely
commonwealth *n.* nemzetközösség
commotion *n* felbolydulás
communal *a* közösségi
commune *v. t* társalog
commune *n* kommuna
communicate *v. t* közöl
communication *n.* közlés
communiqué *n.* kommuniké
communism *n* kommunizmus
community *n.* közösség
commute *v. t* ingázik
compact *a.* tömörített
compact *n.* púderdoboz
companion *n.* társ
company *n.* társaság
comparative *a* viszonylagos
compare *v. t* összehasonlít
comparison *n* összehasonlítás
compartment *n.* fülke
compass *n* iránytű
compassion *n* szánalom
compel *v. t* kényszerít

compensate *v.t* kárpótol
compensation *n* kártérítés
compete *v. i* versenyez
competence *n* kompetencia
competent *a.* hozzáértő
competition *n.* verseny
competitive *a* versenyképes
compile *v. t* összeállít
complacent *a* öntelt
complain *v. i* panaszkodik
complaint *n* panasz
complaisance *n.* előzékenység
complaisant *a* előzékeny
complement *n* kiegészítés
complement *v.t.* kiegészít
complementary *a* kiegészítő
complete *a* teljes
complete *v. t* befejez
completion *n* befejezés
complex *a* bonyolult
complex *n* csoport
complexion *n* arcszín
compliance *n.* megfelelés
compliant *a* engedékeny
complicate *v. t* bonyolít
complication *n.* bonyodalom
compliment *n.* bók
compliment *v. t* bókol
comply *v. i* teljesít
component *a* összetevő
compose *v. t* összeállít
composition *n* összeállítás
compositor *n* szedő
compost *n* trágya
composure *n.* higgadtság
compound *n* keverék
compound *a* összetett
compound *v. i* megegyezik
comprehend *v. t* megért
comprehension *n* felfogás
comprehensive *a* átfogó
compress *v. t.* összehúzódik

compromise n kompromisszum
compromise v. t kiegyezik
compulsion n kényszer
compulsory a kötelező
compunction n. bűntudat
computation n. számítás
compute v.t. kiszámít
computer n számítógép
comrade n. elvtárs
concave a homorú
conceal v. t. elrejt
concede v.t. elismer
conceit n önteltség
conceive v. t fogan
concentrate v. t összpontosít
concentration n. összpontosítás
concept n elgondolás
conception n fogamzás
concern v. t érint
concern n törődés
concert n. hangverseny
concession n engedmény
conch n. kagyló
conciliate v.t. kibékít
concise a tömör
conclude v. t befejez
conclusion n. következtetés
conclusive a meggyőző
concoct v. t kiagyal
concoction n. készítmény
concord n. egyetértés
concrescence n. összenövés
concrete n beton
concrete a konkrét
concrete v. t betonoz
concubinage n. vadházasság
concubine n ágyastárs
condemn v. t. elítél
condemnation n kárhoztatás
condense v. t sűrít

condition n állapot
conditional a feltételes
condole v. i. részvétel
condolence n részvét
condonation n. megbocsátás
condone v.t. megbocsát
conduct n magatartás
conduct v. t vezet
conductor n kalauz
cone n. kúp
confectioner n cukrász
confectionery n cukrászda
confer v. i tanácskozik
conference n konferencia
confess v. t. bevall
confession n gyónás
confidant n kebelbarát
confide v. i rábíz
confidence n magabiztosság
confident a. magabiztos
confidential a. bizalmas
confine v. t korlátoz
confinement n. korlátozás
confirm v. t megerősít
confirmation n megerősítés
confiscate v. t elkoboz
confiscation n elkobzás
conflict n. konfliktus
conflict v. i ellenkezik
confluence n keresztezés
confluent adj. összefolyó
conformity n. összefolyás
conformity n. alkalmazkodás
confrontation n. szembesítés
confuse v. t összekever
confusion n zűrzavar
confute v.t. cáfol
congenial a egyező
congratulate v. t gratulál
congratulation n gratuláció
congress n kongresszus
conjecture n sejtés

conjecture v. t feltételez
conjugal a házastársi
conjugate v.t. összekapcsol
conjunct adj. összekapcsolt
conjunctiva n. kötőhártya
conjuncture n. összekapcsolás
conjure v.t. varázsol
connect v. t. összeköt
connection n kapcsolat
connive v. i. összejátszik
conquer v. t meghódít
conquest n hódítás
conscience n lelkiismeret
conscientious a lelkiismeretes
conscious a öntudatos
consecrate v.t. megszentel
consecutive adj. egymásutáni
consecutively adv egymásután
consensus n. konszenzus
consent n. beleegyezés
consent v. i beleegyezik
consent v.t. hozzájárul
consequence n következmény
consequent a következetes
conservative a óvatos
conservative n konzervatív
conserve v. t konzervál
consider v. t fontolgat
considerable a tekintélyes
considerate a. tapintatos
consideration n megfontolás
considering prep.
   figyelembe-véve
consign v.t. rábíz
consignment n. szállítmány
consist v. i áll
consistency n. állag
consistent a egyenletes
consolation n vigasz
console v. t vigasztal
consolidate v. t. megszilárdít
consolidation n megszilárdítás

consonance n. gyütthangzás
consonant n. mássalhangzó
consort n. házastárs
conspectus n. áttekintés
conspicuous a. feltűnő
conspiracy n. összeesküvés
conspirator n. összeesküvő
conspire v. i. összeesküszik
constable n rendőr
constant a állandó
constellation n. csillagkép
constipation n. székrekedés
constituency n választókerület
constituent n. alkotóelem
constituent adj. alkotó
constitute v. t alkot
constitution n alkotmány
constrict v.t. szorít
construct v. t. épít
construction n építés
consult v. t konzultál
consultation n konzultáció
consume v. t fogyaszt
consumption n fogyasztás
contact n. érintkezés
contact v. t kapcsol
contagious a fertőző
contain v.t. tartalmaz
contaminate v.t. megfertőz
contemplate v. t fontolgat
contemplation n elmélkedés
contemporary a kortárs
contempt n megvetés
contemptuous a megvető
contend v. i vitatkozik
content a. megelégedett
content v. t eleget-tesz
content n tartalom
contention n állítás
contentment n megelégedés
contest v. t küzd
contest n. verseny

context *n* kontextus
continent *n* kontinens
continental *a* kontinentális
contingency *n.* készenléti
continual *a* folyamatos
continuation *n.* folytatás
continue *v. i.* folytatódik
continuity *n* folytonosság
continuous *a* folyamatos
contour *n* körvonal
contra *pref.* ellen
contraception *n.* fogamzásgátlás
contract *n* szerződés
contract *v. i.* összehúz
contractor *n* vállalkozó
contradict *v. t* ellentmond
contradiction *n* ellentmondás
contrary *a* ellentétes
contrast *v. t* szembeállít
contrast *n* kontraszt
contribute *v. t* hozzájárul
contribution *n* hozzájárulás
control *n* ellenőrzés
control *v. t* ellenőriz
controller *n.* ellenőr
controversy *n* vita
contuse *v.t.* összezúz
contusion *n* zúzódás
conundrum *n.* talány
convene *v. t* összehív
convener *n* összehívó
convenience *n.* kényelem
convenient *a* kényelmes
convent *n* zárda
convention *n.* konvenció
conversation *n* beszélgetés
conversational *a* társalgó
converse *v.t.* társalog
conversion *n* átalakítás
convert *v. t* átalakít
convert *n* áttért

convex *a* domború
convey *v. t.* szállít
conveyance *n* szállítás
convict *v. t.* rábizonyít
convict *n* fegyenc
conviction *n* meggyőződés
convince *v. t* meggyőz
convivial *adj.* kellemes
convocation *n.* összehívás
convoke *v.t.* összehív
convolve *v.t.* összecsavar
coo *n* turbékolás
coo *v. i* turbékol
cook *v. t* főz
cook *n* szakács
cooker *n* tűzhely
cool *a* hűvös
cool *v. i.* lehűl
cooler *n* hűtő
coolie *n* napszámos
co-operate *v. i* együttműködik
co-operation *n* együttműködés
co-operative *a* szövetkezet
co-ordinate *a.* egyenlő
co-ordinate *v. t* koordinál
co-ordination *n* összehangolás
coot *n.* szárcsa
co-partner *n* üzlettárs
cope *v. i* megbirkózik
coper *n.* lócsiszár
copper *n* réz
coppice *n.* cserjés
copulate *v.i.* párosodik
copy *n* másolat
copy *v. t* másol
coral *n* korall
cord *n* zsinór
cordial *a* szívélyes
corbel *n.* gyámkő
core *n.* magtok
coriander *n.* koriander
Corinth *n.* Corinth

38

cork *n.* dugó
cork *a* parafa-
cormorant *n.* kormorán
corn *n* kukorica
cornea *n* szaruhártya
corner *n* sarok
cornet *n.* tölcsér
coronation *n* koronázás
coronet *n.* korona
corporal *a* testi
corporate *a* testületi
corporation *n* vállalat
corps *n* hadtest
corpse *n* hulla
correct *a* helyes
correct *v. t* kijavít
correction *n* helyesbítés
correlate *v.t.* viszonyít
correlation *n.* korreláció
correspond *v. i* felel
correspondence *n.* levelezés
correspondent *n.* levelező
corridor *n.* folyosó
corroborate *v.t.* hitelesít
corrosive *a* maró
corrupt *v. t.* megront
corrupt *a.* megvesztegethető
corruption *n.* korrupció
cosier *n.* kényelmesebb
cosmetic *a.* kozmetikai
cosmetic *n.* kozmetik
cosmic *a* kozmikus
cost *v.t.* kerül
cost *n.* költség
costal *a* bordai
costly *a.* drága
costume *n.* jelmez
cosy *a.* kényelmes
cot *n.* gyermekágy
cottage *n* házikó
cotton *n.* pamut
couch *n.* kanapé

cough *n.* köhögés
cough *v. i.* köhög
council *n.* tanács
councillor *n.* tanácsos
counsel *n.* ügyvéd
counsel *v. t.* tanácsol
counsellor *n.* tanácsadó
count *n.* gróf
count *n.* számolás
count *v. t.* számol
countenance *n.* arckifejezés
counter *n.* pult
counter *adv* ellentétesen
counteract *v.t.* ellenszegül
countercharge *n.*
   ellen-támadás
counterfeit *a.* hamisítvány
counterfeit *v.t.* hamisít
counterfeiter *n.* pénzhamisító
countermand *v.t.* visszarendel
counterpart *n.* partner
countersign *v. t.* ellenjegyez
countess *n.* grófnő
countless *a.* számtalan
country *n.* ország
county *n.* megye
coup *n.* államcsíny
couple *n* pár
couple *v. t* párosít
couplet *n.* kuplé
coupon *n.* szelvény
courage *n.* bátorság
courageous *a.* bátor
courier *n.* futár
course *n.* tanfolyam
court *n.* bíróság
court *n.* pálya
court *n.* udvar
court *v. t.* udvarol
courteous *a.* udvarias
courtesan *n.* kurtizán
courtesy *n.* udvariasság

39

courtier *n.* udvaronc
courtship *n.* udvarlás
courtyard *n.* udvar
cousin *n.* unokatestvér
covenant *n.* megállapodás
cover *v. t.* terjed
cover *n.* fedő
coverlet *n.* ágytakaró
covet *v.t.* megkíván
cow *n.* tehén
cow *v. t.* megszelídít
coward *n.* gyáva
cowardice *n.* gyávaság
cower *v.i.* meglapul
cozy *a* kényelmes
crab *n* rák
crack *n* repedés
crack *v. i* reped
cracker *n* keksz
crackle *v.t.* ropog
cradle *n* bölcső
craft *n* hajó
craftsman *n* mesterember
crafty *a* ravasz
cram *v. t* bemagol
cramming *n.* bemagolás
crane *n* daru
crank *n* fogantyú
crash *v. i* összeütközik
crash *n* csattanás
crass *a.* durva
crate *n.* ketrec
crave *v.t.* sóvárog
craw *n.* begy
crawl *v. t* csúszik
crawl *n* csúszás
craze *n* hóbort
crazy *a* őrült
creak *v. i* nyikorog
creak *n* nyikorgás
cream *n* tejszín
crease *n* ránc

create *v. t* létrehoz
creation *n* teremtés
creative *a* alkotó
creator *n* teremtő
creature *n* élőlény
credible *a* hihető
credit *n* hitel
creditable *a* hitelképes
creditor *n* hitelező
credulity *a* hiszékenység
creed *n.* hitvallás
creek *n.* patak
creep *v. i* lopódzik
creeper *n* kúszónövény
cremate *v. t* hamvaszt
cremation *n* hamvasztás
crest *n* címer
crew *n.* legénység
crib *n.* bölcső
cricket *n* krikett
crime *n* bűncselekmény
crimp *v.t.* göndörít
crimped *a* hullámos-haj
criminal *n* bűnöző
criminal *a* bűnügyi
crimson *a* bíborvörös
cringe *v. i.* megalázkodik
cripple *n* nyomorék
cripple *v.t.* megbénít
crisis *n* válság
crisp *a* ropogós
criterion *n* kritérium
critic *n* kritikus
critical *a* kritikai
critical *a* válságos
criticism *n* kritika
criticise *v. t* elbírál
croak *v.t.* brekeg
croak *n* brekegés
crockery *n.* cserépedény
crocodile *n* krokodil
croesus *n.* Krőzus

crook *a* csaló
crop *n* aratás
cross *v. t* keresztez
cross *n* kereszt
cross *a* ferde
crossing *n.* átkelés
crotchet *n.* horog
crouch *v. i.* lekuporodik
crow *n* varjú
crow *v. i* gügyög
crowd *n* tömeg
crown *n* korona
crown *v. t* megkoronáz
crucial *a.* válságos
crude *a* nyers
cruel *a* kegyetlen
cruelty *n* kegyetlenség
cruise *v.i.* cirkál
cruiser *n* cirkáló
crumb *n* morzsa
crumble *v. t* elmorzsol
crusade *n* keresztes-hadjárat
crush *v. t* szétzúz
crust *n.* kéreg
crutch *n* mankó
cry *n* kiabálás
cry *v. i* kiabál
cryptography *n.* kriptográfia
crystal *n* kristály
cub *n* kölyök
cube *n* kocka
cubical *a* kocka-alakú
cubiform *a.* kocka-alakú
cuckold *n.* megcsalt-férj
cuckoo *n* kakukk
cucumber *n* uborka
cudgel *n* husáng
cue *n* dákó
cuff *n* mandzsetta
cuff *v. t* pofonüt
cuisine *n.* főzésmód
cullet *n.* üvegcserép

culminate *v.i.* kulminál
culpable *a* bűnös
culprit *n* bűnös
cult *n* kultusz
cultivate *v. t* művel
cultural *a* kulturális
culture *n* kultúra
culvert *n.* szennyvízelvezető
cunning *a* ravasz
cunning *n* ravaszság
cup *n.* csésze
cupboard *n* szekrény
Cupid *n* Ámor
cupidity *n* vágy
curable *a* gyógyítható
curative *a* gyógyhatású
curb *n* járdaszegély
curb *v. t* megfékez
curcuma *n.* kurkurma
curd *n* aludttej
cure *n* gyógyít
cure *v. t.* gyógymód
curfew *n* kijárási-tilalom
curiosity *n* kíváncsiság
curious *a* kíváncsi
curl *n.* hajfürt
currant *n.* ribizli
currency *n* valuta
current *n* áram
current *a* jelenlegi
curriculum *n* tanterv
curse *n* átok
curse *v. t* megátkoz
cursory *a* felületes
curt *a* kurta
curtail *v. t* rövidít
curtain *n* függöny
curve *n* görbe
curve *v. t* görbít
cushion *n* párna
cushion *v. t* kipárnáz
custard *n* tejsodó

custodian *n* gondnok
custody *v* őrizet
custom *n.* szokás
customary *a* szokásos
customer *n* vevő
cut *v. t* vág
cut *n* vágás
cuticle *n.* kutikula
cuvette *n.* küvetta
cycle *n* kerékpár
cyclic *a* ciklikus
cyclist *n* kerékpáros
cyclone *n.* ciklon
cylinder *n* henger
cynic *n* cinikus
cypher *n* titkosírás
cypress *n* ciprusfa

dabble *v. i.* kipróbál
dad *n* apu
daddy *n* apuci
daffodil *n.* sárganárcisz
daft *a.* együgyű
dagger *n.* tőr
daily *a* napi
daily *adv.* naponta
daily *n.* mindennap
dainty *a.* kecses
dainty *n.* csemege
dairy *n* tejcsarnok
dairy *a* tejes
dais *n.* emelvény
daisy *n* százszorszép
dale *n* völgy
dam *n* gát
damage *n.* kár
damage *v. t.* megkárosít
dame *n.* hölgy

damn *v. t.* átkozódik
damnation *n.* kárhozat
damp *a* nyirkos
damp *n* pára
damp *v. t.* megnedvesít
damsel *n.* kisasszony
dance *n* tánc
dance *v. t.* táncol
dandelion *n.* pitypang
dandle *v.t.* lógat
dandruff *n* korpa
dandy *n* piperkőc
danger *n.* veszély
dangerous *a* veszélyes
dangle *v. t* lógat
dank *a* nyirkos
dapper *a* elegáns
dare *v. i.* merészel
daring *n.* merészség
daring *a* merész
dark *a* sötét
dark *n* sötétség
darkle *v.i.* elsötétedik
darling *n* kedves
darling *a* szeretett
dart *n.* dárda
dash *v. i.* vágtázik
dash *n* kötőjel
date *n* dátum
date *n* randevú
date *v. t* randevúzik
daub *n.* kence
daub *v. t.* beken
daughter *n* lány
daunt *v. t* megfélemlít
dauntless *a* rettenthetetlen
dawdle *v.i.* cselleng
dawn *n* hajnal
dawn *v. i.* hajnalodik
day *n* nap
daze *n* szédület
daze *v. t* elszédít

dazzle *n* káprázat
dazzle *v. t.* elkápráztat
deacon *n.* segédlelkész
dead *a* halott
deadlock *n* holtpont
deadly *a* halálos
deaf *a* süket
deal *n* alku
deal *v. i* bánik
dealer *n* kereskedő
dealing *n.* foglalkozó
dean *n.* dékán
dear *a* drága
dearth *n* szűkösség
death *n* halál
debar *v. t.* kirekeszt
debase *v. t.* lealáz
debate *n.* vita
debate *v. t.* vitatkozik
debauch *v. t.* kicsapong
debauch *n* dorbézolás
debauchee *n* züllött
debauchery *n* kicsapongás
debility *n* gyengeség
debit *n* tartozás
debit *v. t* terhel
debris *n* törmelék
debt *n* adósság
debtor *n* adós
decade *n* évtized
decadent *a* dekadens
decamp *v. i* tábort-bont
decay *n.* hanyatlás
decay *v. i* rohad
decease *n* halál
decease *v. i* meghal
deceit *n* csalás
deceive *v. t* becsap
december *n* december
decency *n* illem
decennary *n.* tízév
decent *a* illedelmes

deception *n* csalás
decide *v. t* dönt
decillion *n.* decillion
decimal *a* tízes
decimate *v.t.* tizedel
decision *n* döntés
decisive *a* döntő
deck *n* fedélzet
deck *v. t* díszít
declaration *n* nyilatkozat
declare *v. t.* állít
decline *n* hanyatlás
decline *v. t.* hanyatlik
declivous *a.* lankás
decompose *v. t.* szétbomlik
decomposition *n.* felbomlás
decorate *v. t* díszít
decoration *n* díszítés
decorum *n* illendőség
decrease *v. t* csökkent
decrease *n* csökkenés
decree *n* rendelet
decree *v. i* elrendel
decrement *n.* fogás
dedicate *v. t.* dedikál
dedication *n* dedikálás
deduct *v.t.* levon
deed *n* tett
deem *v.i.* vél
deep *a.* mély
deer *n* szarvas
defamation *n* rágalmazás
defame *v. t.* rágalmaz
default *n.* vétség
default *v.i.* vét
defeat *n* vereség
defeat *v. t.* legyőz
defect *n* hiba
defence *n* védelem
defend *v. t* véd
defendant *n* alperes
defensive *a* védekező

43

deference *n* beleegyezés
defiance *n* ellenszegülés
deficit *n* hiány
deficient *a* hibás
defile *v.t.* megbecstelenít
define *v. t* meghatároz
definite *a* határozott
definition *n* meghatározás
deflation *n.* defláció
deflect *v.t.* elterel
deft *a* ügyes
degrade *v. t* lealacsonyít
degree *n* fok
deist *n.* deista
deity *n.* istenség
deject *v. t* elcsüggeszt
dejection *n* csüggedtség
delay *v.t.* feltartóztat
delegate *n* képviselő
delegate *v. t* megbíz
delegation *n* delegáció
delete *v. t* kihúz
deliberate *v. i* meggondol
deliberate *a* szándékos
deliberation *n* megfontolás
delicate *a* gyengéd
delicious *a* finom
delight *n* élvezet
delight *v. t.* elragadtat
deliver *v. t* szállít
delivery *n* kézbesítés
delta *n* delta
delude *v.t.* becsap
delusion *n.* csalódás
demand *n* kereslet
demand *v. t* igényel
demarcation *n.* elhatárolás
dement *v. t.* megbolondít
demented *a* őrült
demerit *n* vétség
democracy *n* demokrácia
democratic *a* demokratikus

demolish *v. t.* lerombol
demon *n.* démon
demonstrate *v. t* bemutat
demonstration *n.* bemutatás
demoralise *v. t.* demoralizál
demur *n* tétovázás
demur *v. t* tétovázik
demurrage *n.* hajóálláspénz
den *n* odú
dengue *n.* dengue-láz
denial *n* tagadás
denote *v.t.* jelez
denounce *v. t* vádol
dense *a* sűrű
density *n* sűrűség
dentist *n* fogorvos
denude *v.t.* levetkőztet
denunciation *n.* besúgás
deny *v. t.* letagad
depart *v. i.* elindul
department *n* osztály
departure *n* indulás
depend *v. i.* függ
dependant *n* függő
dependence *n* függőség
dependent *a* függő
depict *v. t.* ábrázol
deplorable *a* siralmas
deploy *v.t.* felfejlődik
deponent *n.* álszenvedő
deport *v.t.* deportál
depose *v. t* lemondat
deposit *n.* letét
deposit *v. t* befizet
depot *n* raktár
deprecate *v.t.* helytelenít
depreciate *v.t.* becsmérel
depress *v. t* lehangol
depression *n* levertség
deprive *v. t* megfoszt
depth *n* mélység
deputation *n* küldöttség

44

depute v. t felhatalmaz
deputy n helyettes
derail v. t. kisiklat
derive v. t. származik
descend v. i. lemegy
descendant n utód
descent n. leszállás
describe v. t leír
description n leírás
descriptive a leíró
desert v. t. elhagy
desert n sivatag
deserve v. t. megérdemel
design v. t. tervez
design n. tervezés
desirable a kívánatos
desire n vágy
desire v.t óhajt
desirous a sóvárgó
desk n íróasztal
despair n kétségbeesés
despair v. i kétségbeesik
desperate a kétségbeesett
despicable a megvetendő
despise v. t lebecsül
despot n despota
destination n célállomás
destiny n végzet
destroy v. t elpusztít
destruction n pusztítás
detach v. t elválaszt
detachment n elkülönülés
detail n részlet
detail v. t részletez
detain v. t visszatart
detect v. t kiderít
detective a nyomozói
detective n. nyomozó
determination n. meghatározás
determine v. t elhatároz
develop v. t. fejleszt
development n. fejlesztés

deviate v. i eltér
deviation n eltérés
device n eszköz
devil n ördög
devise v. t kitervez
devoid a mentes
devote v. t szán
devotee n híve
devotion n odaadás
devour v. t felfal
dew n. harmat
diabetes n cukorbetegség
diagnose v. t diagnosztizál
diagnosis n diagnózis
diagram n diagram
dial n. óralap
dial v.t. tárcsáz
dialect n tájszólás
dialogue n párbeszéd
diameter n átmérő
diamond n gyémánt
diarrhoea n hasmenés
diary n napló
dice n. dobókocka
dice v. i. kockázik
dictate v. t diktál
dictation n diktálás
dictator n diktátor
dictatorship n diktatúra
diction n beszédmód
dictionary n szótár
dictum n kijelentés
didactic a tanító
die v. i meghal
die n játékkocka
diet n diéta
differ v. i különbözik
difference n különbség
different a különböző
difficult a nehéz
difficulty n nehézség
dig n ásás

dig v.t. ás
digest v. t. megemészt
digest n. kivonat
digestion n emésztés
digit n számjegy
dignify v.t megtisztel
dignity n méltóság
dilemma n dilemma
diligence n szorgalom
diligent a szorgalmas
dilute v. t hígít
diluted a hígított
dim a homályos
dim v. t homályosít
dimension n dimenzió
diminish v. t csökkent
din n zaj
dine v. t. vacsorázik
dinner n vacsora
dip n. bemártás
dip v. t bemárt
diploma n oklevél
diplomacy n diplomácia
diplomat n diplomata
diplomatic a diplomatikus
dire a szörnyű
direct a közvetlen
direct v. t irányít
direction n irány
director n. igazgató
directory n címjegyzék
dirt n kosz
dirty a koszos
disability n fogyatékosság
disable v. t megbénít
disabled a mozgássérült
disadvantage n hátrány
disagree v. i ellenkezik
disagreeable a. kellemetlen
disagreement n. ellentét
disappear v. i eltűnik
disappearance n eltűnés

disappoint v. t. kiábrándít
disapproval n helytelenítés
disapprove v. t helytelenít
disarm v. t leszerel
disarmament n. leszerelés
disaster n katasztrófa
disastrous a szerencsétlen
disc n. lemez
discard v. t eldob
discharge v. t elbocsát
discharge n. elbocsátás
disciple n tanítvány
discipline n fegyelem
disclose v. t kinyilvánít
discomfort n kényelmetlenség
disconnect v. t szétkapcsol
discontent n elégedetlenség
discontinue v. t megszüntet
discord n viszály
discount n kedvezmény
discourage v. t. elbátortalanít
discourse n társalgás
discourteous a udvariatlan
discover v. t felfedez
discovery n. felfedezés
discretion n diszkréció
discriminate v. t.
    megkülönböztet
discrimination n
    megkülönböztetés
discuss v. t. megtárgyal
disdain n lenézés
disdain v. t. lekicsinyel
disease n betegség
disguise n álruha
disguise v. t elrejt
dish n tál
dishearten v. t elcsüggeszt
dishonest a becstelen
dishonesty n.
    tisztesség-telenség
dishonour v. t megszégyenít

dishonour *n* szégyen
dislike *v. t* irtózik
dislike *n* ellenszenv
disloyal *a* hűtlen
dismiss *v. t.* elutasít
dismissal *n* elutasítás
disorder *n* zűrzavar
disparity *n* egyenlőtlenség
dispensary *n* házipatika
disperse *v. t* szétszór
displace *v. t* elmozdít
display *v. t* mutat
display *n* kiállítás
displease *v. t* bosszant
displeasure *n* neheztelés
disposal *n* elrendezés
dispose *v. t* rendelkezik
disprove *v. t* megcáfol
dispute *n* vita
dispute *v. i* vitatkozik
disqualification *n* eltiltás
disqualify *v. t.* kizár
disquiet *n* nyugtalanság
disregard *n* figyelmetlenség
disregard *v. t* semmibevesz
disrepute *n* hírhedtség
disrespect *n* tiszteletlenség
disrupt *v. t* szétválaszt
dissatisfaction *n* elégedetlenség
dissect *v. t* felboncol
dissection *n* boncolás
dissimilar *a* különböző
dissolve *v.t* felold
dissuade *v. t* lebeszél
distance *n* távolság
distant *a* távoli
distil *v. t* csöpögtet
distillery *n* szeszfőzde
distinct *a* megkülönböztethető
distinction *n* megkülönböztetés
distinguish *v. i* megkülönböztet

distort *v. t* eltorzít
distress *n* szorongás
distress *v. t* megszomorít
distribute *v. t* szétoszt
distribution *n* szétosztás
district *n* kerület
distrust *n* bizalmatlanság
disturb *v. t* zavar
ditch *n* árok
ditto *n.* dettó
dive *v. i* búvárkodik
dive *n* zuhanás
diverse *a* változatos
divert *v. t* eltérít
divide *v. t* szétoszt
divine *a* isteni
divinity *n* istenség
division *n* osztály
divorce *n* válás
divorce *v. t* elválik
divulge *v. t* elhíresztel
do *v. t* csinál
docile *a* fogékony
dock *n.* dokk
doctor *n* orvos
doctorate *n* doktorátus
doctrine *n* elmélet
document *n* okmány
dodge *n* kitérés
dodge *v. t* kitér
doe *n* őzsuta
dog *n* kutya
dog *v. t* követ
dogma *n* dogma
dogmatic *a* dogmatikus
doll *n* bábú
dollar *n* dollár
domain *n* birtok
dome *n* kupola
domestic *a* házi
domestic *n* alkalmazott
domicile *n* lakóhely

dominant *a* uralkodó
dominate *v. t* uralkodik
domination *n* uralom
dominion *n* uralom
donate *v. t* adományoz
donation *n.* adomány
donkey *n* szamár
donor *n* adományozó
doom *n* végzet
doom *v. t.* elítél
door *n* ajtó
dose *n* adag
dot *n* pont
dot *v. t* pontot-tesz
double *a* dupla
double *v. t.* megkettőz
double *n* dupla
doubt *v. i* kételkedik
doubt *n* kétség
dough *n* tészta
dove *n* galamb
down *adv* lefelé
down *prep* lent
down *v. t* legyőz
downfall *n* bukás
downpour *n* felhőszakadás
downright *adv* őszintén
downright *a* egyenes
downward *a* leszálló
downward *adv* lefelé
downwards *adv* lefelé
dowry *n* hozomány
doze *n.* szundikálás
doze *v. i* szundikál
dozen *n* tucat
draft *v. t* behív
draft *n* behívó
draftsman *a* fogalmazó
drag *n* dögunalom
drag *v. t* húz
dragon *n* sárkány
drain *n* csatorna

drain *v. t* csatornáz
drainage *n* csatornázás
dram *n* korty
drama *n* dráma
dramatic *a* drámai
dramatist *n* drámaíró
draper *n* textiles
drastic *a* drasztikus
draught *n* vázlat
draw *v.t* rajzol
draw *n* húzás
drawback *n* hátrány
drawer *n* fiók
drawing *n* rajzolás
drawing-room *n* szalon
dread *n* rettegés
dread *v.t* retteg
dreadful *a* szörnyű
dream *n* álom
dream *v. i.* álmodik
drench *v. t* átáztat
dress *n* ruha
dress *v. t* öltöztet
dressing *n* öltözködés
drill *n* fúró
drill *v. t.* fúr
drink *n* ital
drink *v. t* iszik
drip *n* csepp
drip *v. i* csöpög
drive *v. t* vezet
drive *n* hajtás
driver *n* vezető
drizzle *n* szitálás
drizzle *v. i* szitál
drop *n* csepp
drop *v. i* elejt
drought *n* aszály
drown *v.i* megfullad
drug *n* kábítószer
druggist *n* gyógyszerész
drum *n* dob

drum *v.i.* dobol
drunkard *n* iszákos
dry *a* száraz
dry *v. i.* szárít
dual *a* kettős
duck *n.* kacsa
duck *v.i.* elhajol
due *a* esedékes
due *n* követelés
due *adv* megfelelően
duel *n* párbaj
duel *v. i* párbajozik
duke *n* herceg
dull *a* unalmas
dull *v. t.* elbutít
duly *adv* megfelelően
dumb *a* néma
dunce *n* tökfilkó
dung *n* trágya
duplicate *a* megkettőzött
duplicate *n* másolat
duplicate *v. t* megkettőz
duplicity *n* kétszínűség
durable *a* tartós
duration *n* időtartam
during *prep* alatt
dusk *n* szürkület
dust *n* por
dust *v.t.* leporol
duster *n* poroló
dutiful *a* kötelességtudó
duty *n* kötelesség
dwarf *n* törpe
dwell *v. i* lakik
dwelling *n* lakás
dwindle *v. t* csökken
dye *v. t* kiszínez
dye *n* festék
dynamic *a* erőteljes
dynamics *n.* dinamika
dynamite *n* dinamit
dynamo *n* dinamó

dynasty *n* dinasztia
dysentery *n* vérhas

each *a* minden
each *pron.* mindegyik
eager *a* buzgó
eagle *n* sas
ear *n* fül
early *adv* korán
early *a* korai
earn *v. t* megérdemel
earnest *a* megfontolt
earth *n* föld
earthen *a* földi
earthly *a* földi
earthquake *n* földrengés
ease *n* nyugalom
ease *v. t* enyhít
east *n* kelet
east *adv* keleten
east *a* keleti
easter *n* húsvét
eastern *a* keleti
easy *a* könnyű
eat *v. t* eszik
eatable *a* ehető
eatery *n* étkező
ebb *n* apály
ebb *v. i* apad
ebony *n* ébenfa
echo *n* visszhang
echo *v. t* visszhangzik
eclipse *n* fogyatkozás
economic *a* gazdasági
economical *a* gazdaságos
economics *n.* közgazdaságtan
economy *n* gazdaság
edge *n* széle

49

edible *a* ehető
edifice *n* épület
edit *v. t* szerkeszt
edition *n* kiadás
editor *n* szerkesztő
editorial *a* szerkesztőségi
editorial *n* vezércikk
educate *v. t* oktat
education *n* oktatás
efface *v. t* megsemmisít
effect *n* hatás
effect *v. t* megvalósít
effective *a* hatékony
effeminate *a* nőies
efficacy *n* hatékonyság
efficiency *n* eredményesség
efficient *a* hatékony
effigy *n* képmás
effort *n* erőfeszítés
egg *n* tojás
ego *n* ego
egotism *n* beképzeltség
eight *n* nyolc
eighteen *a* tizennyolc
eighty *n* nyolcvan
either *pron.* bármelyik
either *pron.* akármelyik
eject *v. t.* kiad
elaborate *v. t* kidolgoz
elaborate *a* bonyolult
elapse *v. t* eltelik
elastic *a* ruganyos
elbow *n* könyök
elder *a* idősebb
elder *n* presbiter
elderly *a* idős
elect *v. t* választ
election *n* választás
electorate *n* választótestület
electric *a* elektromos
electricity *n* villamos
electrify *v. t* felvillanyoz

elegance *n* elegancia
elegant *a.* elegáns
elegy *n* elégia
element *n* elem
elementary *a* alapfokú
elephant *n* elefánt
elevate *v. t* felemel
elevation *n* emelés
eleven *n* tizenegy
elf *n* manó
eligible *a* választható
eliminate *v. t* kihagy
elimination *n* kiküszöbölés
elope *v. i* megszökik
eloquence *n* ékesszólás
eloquent *a* ékesszóló
else *a* egyéb
else *adv* más
elucidate *v. t* megmagyaráz
elude *v. t* elkerül
elusion *n* kibúvó
elusive *a* kerülő
emancipation *n.* felszabadítás
embalm *v. t* bebalzsamoz
embankment *n* rakpart
embark *v. t* behajóz
embarrass *v. t* megzavar
embassy *n* nagykövetség
embitter *v. t* elkeserít
emblem *n* jelkép
embodiment *n* megtestesítés
embody *v. t.* megtestesít
embolden *v. t.* elbátorít
embrace *v. t.* ölel
embrace *n* ölelés
embroidery *n* hímzés
embryo *n* magzat
emerald *n* smaragd
emerge *v. i* felbukkan
emergency *n* vészhelyzet
eminance *n* kiválóság
eminent *a* előkelő

emissary *n* megbízott
emit *v. t* kibocsát
emolument *n* puhítószer
emotion *n* érzelem
emotional *a* érzelmi
emperor *n* császár
emphasis *n* hangsúly
emphasise *v. t* hangsúlyoz
emphatic *a* hangsúlyos
empire *n* biroladom
employ *v. t* alkalmaz
employee *n* alkalmazott
employer *n* munkaadó
employment *n* foglalkoztatás
empower *v. t* felhatalmaz
empress *n* császárnő
empty *a* üres
empty *v* kiürít
emulate *v. t* utánoz
enable *v. t* felhatalmaz
enact *v. t* alakít
enamel *n* zománc
enamour *v. t* szerelemre-gerjeszt
encase *v. t* beládáz
enchant *v. t* elbűvöl
enchanting *a.* elbűvölő
encircle *v. t.* övez
enclose *v. t* mellékel
enclosure *n.* bekerítés
encompass *v. t* körülvesz
encounter *n.* találkozás
encounter *v. t* találkozik
encourage *v. t* felbátorít
encroach *v. i* betolakodik
encumber *v. t.* terhel
encyclopaedia *n.* enciklopédia
end *v. t* bevégez
end *n.* vég
endanger *v. t.* veszélyeztet
endear *v.t* megkedveltet
endearment *n.* kedveskedés
endeavour *n* törekvés

endeavour *v.i* törekszik
endorse *v. t.* támogat
endow *v. t* adományoz
endurable *a* kibírható
endurance *n.* kitartás
endure *v.t.* elvisel
enemy *n* ellenség
energetic *a* energikus
energy *n.* energia
enfeeble *v. t.* legyengít
enforce *v. t.* végrehajt
engage *v. t* lefoglal
engagement *n.* eljegyzés
engine *n* motor
engineer *n* mérnök
English *n* Angol
engrave *v. t* bevés
engross *v.t* elfoglal
engulf *v.t* eláraszt
enigma *n* talány
enjoy *v. t* élvez
enjoyment *n* élvezet
enlarge *v. t* nagyít
enlighten *v. t.* felvilágosít
enlist *v. t* besoroz
enliven *v. t.* lelkesít
enmity *n* ellenségeskedés
enormous *a* hatalmas
enough *a* elég
enough *adv* eléggé
enrage *v. t* feldühít
enrapture *v. t* elragadtat
enrich *v. t* gazdagít
enrol *v. t* felvesz
enshrine *v. t* ereklyeként-őriz
enslave *v.t.* leigáz
ensue *v.i* következik
ensure *v. t* biztosít
entangle *v. t* belebonyolít
enter *v. t* belép
enterprise *n* vállalkozás
entertain *v. t* szórakoztat

51

entertainment *n.* szórakozás
enthrone *v. t* megkoronáz
enthusiasm *n* lelkesedés
enthusiastic *a* lelkes
entice *v. t.* csábít
entire *a* teljes
entirely *adv* teljesen
entitle *v. t.* feljogosít
entity *n* egység
entomology *n.* rovartan
entrails *n.* zsigerek
entrance *n* bejárat
entrance *v. t.* elbűvöl
entrap *v. t.* tőrbe-csal
entreat *v. t.* könyörög
entreaty *n.* könyörgés
entrust *v. t* megbíz
entry *n* bejárat
enumerate *v. t.* felsorol
envelop *v. t* beborít
envelope *n* boríték
enviable *a* irigylésre-méltó
envious *a* irigy
environment *n.* környezet
envy *v* irigység
envy *v. t* irigyel
epic *n* epikus
epidemic *n* járvány
epigram *n* epigramma
epilepsy *n* epilepszia
epilogue *n* utószó
episode *n* epizód
epitaph *n* sírfelirat
epoch *n* korszak
equal *a* egyenlő
equal *v. t* megegyezik
equal *n* egyenrangú
equality *n* egyenlőség
equalise *v. t.* kiegyenlít
equate *v. t* kiegyenlít
equation *n* egyenlet
equator *n* egyenlítő

equilateral *a* egyenlő-oldalú
equip *v. t* felszerel
equipment *n* felszerelés
equitable *a* igazságos
equity *n* méltányosság
equivalent *a* egyenértékű
equivocal *a* kétértelmű
era *n* korszak
eradicate *v. t* kipusztít
erase *v. t* töröl
erect *v. t* felállít
erect *a* álló
erection *n* erekció
erode *v. t* kimar
erosion *n* kimarás
erotic *a* erotikus
err *v. i* téved
errand *n* küldetés
erroneous *a* hibás
error *n* hiba
erupt *v. i* kinő
eruption *n* kitörés
escape *n* menekülés
escape *v.i* megmenekül
escort *n* kíséret
escort *v. t* kikísér
especially *adv.* különösképpen
essay *n.* értekezés
essay *v. t.* megpróbál
essayist *n* esszéista
essence *n* lényeg
essential *a* alapvető
establish *v. t.* megalapít
establishment *n* intézmény
estate *n* birtok
esteem *n* tisztelet
esteem *v. t* tisztel
estimate *n.* becslés
estimate *v. t* felbecsül
estimation *n* becslés
etcetera *conj* satöbbi
eternal *a* örökös

52

eternity n örökkévalóság
ether n éter
ethical a etikai
ethics n. etika
etiquette n etikett
etymology n. etimológia
eunuch n eunuch
evacuate v. t kiürít
evacuation n kiürítés
evade v. t elkerül
evaluate v. t kiértékel
evaporate v. i párolog
evasion n kibúvó
evasive a. kerülő
even a egyenletes
even a páros
even v. t kiegyenlít
even adv még
evening n este
event n esemény
eventually adv. végülis
ever adv valaha
evergreen a örökzöld
everlasting a. örökkévaló
every a minden
evict v. t kikerget
eviction n kilakoltatás
evidence n bizonyíték
evident a. nyilvánvaló
evil n gonoszság
evil a gonosz
evoke v. t megidéz
evolution n evolúció
evolve v.t fejlődik
ewe n anyajuh
exact a pontos
exaggerate v. t. túloz
exaggeration n. túlzás
exalt v. t magasztal
examination n. vizsgálat
examine v. t megvizsgál
examinee n vizsgázó

examiner n vizsgáztató
example n példa
excavate v. t. kiás
excavation n. kiásás
exceed v.t felülmúl
excel v.i túltesz
excellence n. kiválóság
excellency n kegyelmesség
excellent a. kiváló
except v. t kiemel
except prep kivéve
exception n kivétel
excess n többlet
excess a több
exchange n csere
exchange v. t kicserél
excise n jövedék
excite v. t felizgat
exclaim v.i felkiált
exclamation n felkiáltás
exclude v. t kizár
exclusive a kizárólagos
excommunicate v. t. kiközösít
excursion n. kirándulás
excuse v.t menteget
excuse n kifogás
execute v. t kivégez
execution n kivégzés
executioner n. hóhér
exempt v. t. kizár
exempt a mentes
exercise n. gyakorlat
exercise v. t gyakorol
exhaust v. t. kimerít
exhibit n. kiállítás
exhibit v. t kiállít
exhibition n. kiállítás
exile n. száműzetés
exile v. t száműz
exist v.i létezik
existence n lét
exit n. kijárat

expand v.t. kiterjed
expansion n. terjeszkedés
expect v. t elvár
expectation n. várakozás
expedient a célszerű
expedite v. t. siettet
expedition n expedíció
expel v. t. kiutasít
expend v. t költ
expenditure n kiadás
expense n. költség
expensive a drága
experience n tapasztalat
experience v. t. átél
experiment n kísérlet
expert a szakértő
expert n szakértő
expire v.i. lejár
expiry n lejárat
explain v. t. megmagyaráz
explanation n magyarázat
explicit a. kifejezett
explode v. t. felrobban
exploit n hőstett
exploit v. t kizsákmányol
exploration n felderítés
explore v.t felderít
explosion n. robbanás
explosive n. robbanószer
explosive a robbanó
exponent n exponens
export n kivitel
export v. t. exportál
expose v. t megvilágít
express v. t. kifejez
express a expressz
express n expressz
expression n. kifejezés
expressive a. kifejező
expulsion n. kiutasítás
extend v. t meghosszabbít
extent n. kiterjedés

external a külső
extinct a kihalt
extinguish v.t elfojt
extol v. t. magasztal
extra a rendkívüli
extra adv szokatlanul
extract n kivonat
extract v. t kivon
extraordinary a. rendkívüli
extravagance n különködés
extravagant a különc
extreme a szélső
extreme n túlzás
extremist a szélsőséges
exult v. i ujjong
eye n szem
eyeball n szemgolyó
eyelash n szempilla
eyelet n fűzőlyuk
eyewash n szemmosó

fable n. mese
fabric n szövet
fabricate v.t kitalál
fabrication n gyártás
fabulous a mesés
facade n homlokzat
face n arc
face v.t szembenéz
facet n csiszolt-felület
facial a arc-
facile a könnyed
facilitate v.t megkönnyít
facility n adottság
facsimile n hasonmás
fact n tény
faction n klikk
factious a széthúzó

factor *n* tényező
factory *n* gyár
faculty *n* kar
fad *n* divat
fade *v.i* halványul
faggot *n* nyaláb
fail *v.i* megbukik
failure *n* kudarc
faint *a* gyenge
faint *n.* ájulás
faint *v.i* elájul
faintly *adv.* halványan
fair *a* szőke
fair *a* igazságos
fair *n.* vásár
fairly *adv.* meglehetősen
fairy *n* tündér
faith *n* hit
faithful *a* hűséges
falcon *n* sólyom
fall *v.i.* esik
fall *n* bukás
fallacy *n* tévedés
fallow *n* ugar
false *a* hamis
falter *v.i* dadog
fame *n* hírnév
familiar *a* ismerős
family *n* család
famine *n* éhínség
famous *a* híres
fan *n* ventilátor
fanatic *a* rajongó
fanatic *n* rajongó
fancy *n* szeszély
fancy *v.t* elképzel
fantastic *a* fantasztikus
far *adv.* messze
far *a* távoli
farce *n* komédia
fare *n* díj
fare *n.* koszt

farewell *n* búcsú
farewell *interj.* viszlát
farm *n* tanya
farmer *n* földműves
fascinate *v.t* elbűvöl
fascination *n.* varázs
fashion *n* divat
fashionable *a* divatos
fast *a* gyors
fast *adv* gyorsan
fast *n* böjt
fast *v.i* böjtöl
fasten *v.t* rögzít
fat *a* kövér
fat *n* zsír
fatal *a* halálos
fate *n* sors
father *n* apa
fathom *v.t* kifürkész
fathom *n* öl
fatigue *n* fáradtság
fatigue *v.t* fáraszt
fault *n* hiba
faulty *a* hibás
fauna *n* állatvilág
favour *n* szívesség
favour *v.t* pártfogol
favourable *a* kedvező
favourite *a* kedvenc
favourite *n* kedvenc
fear *n* félelem
fear *v.i* fél
fearful *a.* félelmetes
feasible *a* megvalósítható
feast *n* lakoma
feast *v.i* lakmározik
feat *n* tett
feather *n* madártoll
feature *n* vonás
February *n* Február
federal *a* szövetségi
federation *n* államszövetség

fee n díj
feeble a gyenge
feed v.t táplál
feed n etetés
feel v.t érez
feeling n érzés
feign v.t tettet
felicitation n. jókívánság
felicity n boldogság
fell v.t kivág
fellow n fickó
female a női
female n nő
feminine a nőies
fence n kerítés
fence v.t vív
fend v.t megvéd
ferment n erjedés
ferment v.t erjeszt
fermentation n erjedés
ferocious a kegyetlen
ferry n komp
ferry v.t átkel
fertile a termékeny
fertility n termékenység
fertilise v.t trágyáz
fertiliser n trágya
fervent a heves
fervour n buzgalom
festival n fesztivál
festive a ünnepi
festivity n ünnepség
festoon n füzérdíszítés
fetch v.t elhoz
fetter n béklyó
fetter v.t béklyóz
feud n. viszály
feudal a feudális
fever n láz
few a kevés
fiasco n fiaskó
fibre n rost

fickle a ingatag
fiction n fikció
fictitious a kitalált
fiddle n hegedű
fiddle v.i hegedül
fidelity n hűség
fie interj ejnye
field n mező
fiend n ördög
fierce a vad
fiery a tüzes
fifteen n tizenöt
fifty n. ötven
fig n füge
fight n harc
fight v.t harcol
figment n koholmány
figurative a jelképes
figure n számjegy
figure v.t gondol
file n reszelő
file v.t reszel
file n ügyirat
file v.t iktat
file n sor
file v.i. sorol
fill v.t tölt
film n film
film v.t megfilmesít
filter n szűrő
filter v.t szűr
filth n kosz
filthy a mocskos
fin n uszony
final a utolsó
finance n pénzügy
finance v.t finanszíroz
financial a pénzügyi
financier n bankár
find v.t talál
fine n pénzbírság
fine v.t megbírságol

fine *a* finom
finger *n* ujj
finger *v.t* megtapint
finish *v.t* befejez
finish *n* vég
finite *a* véges
fir *n* fenyő
fire *n* tűz
fire *v.t* tüzel
firm *a* kemény
firm *n.* cég
first *a* első
first *n* legelső
first *adv* először
fiscal *a* kincstári
fish *n* hal
fish *v.i* halászik
fisherman *n* halász
fissure *n* repedés
fist *n* ököl
fistula *n* fekély
fit *v.t* megfelel
fit *a* megfelelő
fit *n* roham
fitful *a* szeszélyes
fitter *n* szerelő
five *n* öt
fix *v.t* rögzít
fix *n* szorultság
flabby *a* petyhüdt
flag *n* zászló
flagrant *a* botrányos
flame *n* láng
flame *v.i* lángol
flannel *n* flanel
flare *v.i* ég
flare *n* fellobbanás
flash *n* villanás
flash *v.t* villant
flask *n* kulacs
flat *a* lapos
flat *n* lakás

flatter *v.t* hízeleg
flattery *n* hízelgés
flavour *n* zamat
flaw *n* hiba
flea *n.* bolha
flee *v.i* menekül
fleece *n* gyapjú
fleece *v.t* megnyúz
fleet *a.* gyors
fleet *n* flotta
flesh *n* hús
flexible *a* rugalmas
flicker *n* lobbanás
flicker *v.t* lobban
flight *n* repülés
flimsy *a* vékony
fling *v.t* hajít
flippancy *n* komolytalanság
flirt *n* flört
flirt *v.i* flörtöl
float *v.i* lebeg
float *v.t.* lebegtet
flock *n* nyáj
flock *v.i* összecsődül
flog *v.t* korbácsol
flood *n* árvíz
flood *v.t* eláraszt
floor *n* emelet
floor *v.t* padlóz
flora *n* növényvilág
florist *n* virágárus
flour *n* liszt
flourish *v.i* virágzik
flow *n* folyás
flow *v.i* folyik
flower *n* virág
flowery *a* virágos
fluent *a* folyékony
fluid *a* cseppfolyós
fluid *n* folyadék
flush *v.i* leöblít
flush *n* áradás

flute *n* fuvola
flutter *n* szárnycsapkodás
flutter *v.t* csapkod
fly *n* légy
fly *v.i* repül
foam *n* hab
foam *v.t* habzik
focal *a* gyújtóponti
focus *n* fókusz
focus *v.t* összpontosít
fodder *n* takarmány
foe *n* ellenség
fog *n* köd
foil *n* fólia
foil *v.t* megakadályoz
fold *n* szeres
fold *v.t* összehajt
foliage *n* lombozat
follow *v.t* követ
follower *n* követő
following *a* következő
folly *n* butaság
foment *v.t* borogat
fond *a* gyöngéd
fondle *v.t* dédelget
food *n* élelmiszer
fool *n* bolond
foolish *a* dilis
foolscap *n* fogalmazópapír
foot *n* láb
for *prep* miatt
for *conj.* mert
forbid *v.t* megtilt
force *n* erő
force *v.t* kényszerít
forceful *a* erőteljes
forcible *a* erőszakos
forearm *n* alsókar
forearm *v.t* felfegyverez
forecast *n* előrejelzés
forecast *v.t* előrelát
forefather *n* előd

forefinger *n* mutatóujj
forehead *n* homlok
foreign *a* külföldi
foreigner *n* külföldi
foreknowledge *n.* sejtés
foreleg *n* mellsőláb
forelock *n* üstök
foreman *n* művezető
foremost *a* legelső
forenoon *n* délelőtt
forerunner *n* előfutár
foresee *v.t* előrelát
foresight *n* előrelátás
forest *n* erdő
forestall *v.t* megelőz
forester *n* erdész
forestry *n* erdészet
foretell *v.t* megjósol
forethought *n* előrelátás
forever *adv* örökké
forewarn *v.t* figyelmeztet
foreword *n* előszó
forfeit *v.t* eljátszik
forfeit *n* bírság
forfeiture *n* elkobzás
forge *n* kovácsműhely
forge *v.t* kovácsol
forgery *n* hamisítvány
forget *v.t* elfelejt
forgetful *a* feledékeny
forgive *v.t* megbocsát
forgo *v.t* lemond
forlorn *a* elhagyatott
form *n* alak
form *v.t.* alakít
formal *a* hivatalos
format *n* formátum
formation *n* kialakítás
former *a* korábbi
former *pron* előbbi
formerly *adv* korábban
formidable *a* félelmetes

formula *n* minta
formulate *v.t* fogalmaz
forsake *v.t.* elhagy
forswear *v.t.* esküszik
fort *n.* erőd
forte *n.* forte
forth *adv.* tovább
forthcoming *a.* közelgő
forthwith *adv.* azonnal
fortify *v.t.* megerősít
fortitude *n.* lelkierő
fortnight *n.* kéthét
fortress *n.* erőd
fortunate *a.* szerencsés
fortune *n.* szerencse
forty *n.* negyven
forum *n.* fórum
forward *a.* előrehaladó
forward *adv* előre
forward *v.t* előmozdít
fossil *n.* fosszilis
foster *v.t.* felnevel
foul *a.* aljas
found *v.t.* alapít
foundation *n.* alapítvány
founder *n.* alapító
foundry *n.* öntöde
fountain *n.* szökőkút
four *n.* négy
fourteen *n.* tizennégy
fowl *n.* szárnyas
fowler *n.* madarász
fox *n.* róka
fraction *n.* frakció
fracture *n.* törés
fracture *v.t* eltör
fragile *a.* törékeny
fragment *n.* töredék
fragrance *n.* illat
fragrant *a.* illatos
frail *a.* gyenge
frame *v.t.* összeállít

frame *n* keret
franchise *n.* választójog
frank *a.* őszinte
frantic *a.* őrjöngő
fraternal *a.* testvéri
fraternity *n.* testvériesség
fratricide *n.* testvérgyilkosság
fraud *n.* csalás
fraudulent *a.* csaló
fraught *a.* megrakott
fray *n* verekedés
free *a.* szabad
free *v.t* megszabadít
freedom *n.* szabadság
freeze *v.i.* fázik
freight *n.* fuvar
French *a.* francia
French *n* francia
frenzy *n.* őrület
frequency *n.* gyakoriság
frequent *n.* gyakori
fresh *a.* friss
fret *v.t.* bosszant
friction *n.* dörzsölés
Friday *n.* péntek
fridge *n.* hűtőgép
friend *n.* barát
fright *n.* rémület
frighten *v.t.* megijeszt
frigid *a.* fagyos
frill *n.* fodor
fringe *n.* rojt
fringe *v.t* szegélyez
frivolous *a.* könnyelmű
frock *n.* ruha
frog *n.* béka
frolic *n.* ficánkolás
frolic *v.i.* ficánkol
from *prep.* alapján
front *n.* front
front *a* mellső
front *v.t* szembenéz

frontier *n.* határ
frost *n.* fagy
frown *n.* ráncolás
frown *v.i* ráncol
frugal *a.* takarékos
fruit *n.* gyümölcs
fruitful *a.* gyümölcsöző
frustrate *v.t.* meghiúsít
frustration *n.* csalódottság
fry *v.t.* süt
fry *n* apróhal
fuel *n.* üzemanyag
fugitive *a.* menekülő
fugitive *n.* szökevény
fulfil *v.t.* végrehajt
fulfilment *n.* végrehajtás
full *a.* teli
full *adv.* teljesen
fullness *n.* telítettség
fully *adv.* teljesen
fumble *v.i.* tapogat
fun *n.* mulatság
function *n.* tevékenység
function *v.i* működik
functionary *n.* közhivatalnok
fund *n.* alap
fundamental *a.* alapvető
funeral *n.* temetés
fungus *n.* gombaféle
funny *n.* vicces
fur *n.* szőrme
furious *a.* dühös
furl *v.t.* becsavar
furnace *n.* kemence
furnish *v.t.* berendez
furniture *n.* bútor
furrow *n.* bevágás
further *adv.* messzebb
further *a* további
further *v.t* támogat
fury *n.* düh

fuse *v.t.* megolvad
fuse *n* biztosíték
fusion *n.* összeolvadás
fuss *n.* szóváltás
fuss *v.i* babrál
futile *a.* haszontalan
futility *n.* haszontalanság
future *a.* jövőbeli
future *n* jövő

gabble *v.i.* hadar
gadfly *n.* bögöly
gag *v.t.* felpeckel
gag *n.* tréfa
gaiety *n.* vidámság
gain *v.t.* nyer
gain *n* nyereség
gainsay *v.t.* ellentmond
gait *n.* járásmód
galaxy *n.* galaxis
gale *n.* szélvihar
gallant *a.* bátor
gallant *n* vitéz
gallantry *n.* vitézség
gallery *n.* galéria
gallon *n.* gallon
gallop *n.* galopp
gallop *v.t.* vágtázik
gallows *n.* akasztófa
galore *adv.* bőven
galvanise *v.t.* galvanizál
gamble *v.i.* fogad
gamble *n* fogadás
gambler *n.* kártyás
game *n.* játék
gander *n.* gúnár
gang *n.* banda
gangster *n.* gengszter

gap *n* rés
gape *v.i.* ásítozik
garage *n.* garázs
garb *n.* ruha
garb *v.t* öltözik
garbage *n.* szemét
garden *n.* kert
gardener *n.* kertész
gargle *n.* toroköblögetés
gargle *v.i.* gargarizál
garland *n.* virágfüzér
garland *v.t.* megkoszorúz
garlic *n.* fokhagyma
garment *n.* ruha
garter *n.* harisnyakötő
gas *n.* gáz
gasket *n.* tömítés
gasp *n.* zihálás
gasp *v.i* zihál
gassy *a.* szénsavas
gastric *a.* gyomori
gate *n.* kapu
gather *v.t.* gyűlik
gaudy *a.* tarka
gauge *n.* nyomtáv
gauge *v.t.* megmér
gauntlet *n.* páncélkesztyű
gay *a.* vidám
gay *a.* meleg
gaze *v.t.* bámul
gaze *n* tekintet
gazette *n.* hírlap
gear *n.* sebesség
geld *v.t.* herél
gem *n* drágakő
gender *n.* nem
general *n.* tábornok
general *a.* általános
generally *adv.* általában
generate *v.t.* létrehoz
generation *n.* generáció
generator *n.* generátor

generosity *n.* bőkezűség
generous *a.* bőkezű
genius *n.* zseni
gentle *a.* kedves
gentleman *n.* úriember
gentry *n.* köznemesség
genuine *a.* valódi
geographer *n.* földrajztudós
geographical *a.* földrajzi
geography *n.* földrajz
geological *a.* geológiai
geologist *n.* geológus
geology *n.* geológia
geometrical *a.* mértani
geometry *n.* geometria
germ *n.* baktérium
germicide *n.* csíraölő
germinate *v.i.* csírázik
germination *n.* csírázás
gerund *n.* gerundium
gesture *n.* gesztus
get *v.t.* kap
ghastly *a.* rettenetes
ghost *n.* szellem
giant *n.* óriás
giant *a.* óriási
gibbon *n.* gibbon
gibe *v.i.* gúnyolódik
gibe *n* gúnyolódás
giddy *a.* szédülő
gift *n.* ajándék
gifted *a.* tehetséges
gigantic *a.* gigantikus
giggle *v.i.* vihog
gild *v.t.* bearanyoz
gilt *a.* aranyozott
gimlet *n.* kézifúró
ginger *n.* gyömbér
giraffe *n.* zsiráf
gird *v.t.* övez
girder *n.* gerenda
girdle *n.* övzsinór

girdle *v.t* övez
girl *n.* lány
girlish *a.* lányos
gist *n.* lényeg
give *v.t.* ad
glacier *n.* gleccser
glad *a.* örvendő
gladden *v.t.* megörvendeztet
glamour *n.* ragyogás
glance *n.* pillantás
glance *v.i.* pillant
gland *n.* mirigy
glare *n.* verőfény
glare *v.i* rikít
glass *a.* üveg
glass *n.* pohár
glaucoma *n.* zöldhályog
glaze *v.t.* zománcoz
glaze *n* zománc
glazier *n.* üveges
glee *n.* vígság
glide *n.* csúszás
glide *v.t.* csúszik
glider *n.* vitorlázó
glimpse *n.* pillantás
glimpse *v.t.* megpillant
glitter *v.i.* fénylik
glitter *n* csillámlás
global *a.* globális
globe *n.* földgömb
gloom *n.* sötétség
gloomy *a.* komor
glorification *n.* dicsőítés
glorify *v.t.* dicsőít
glorious *a.* dicső
glory *n.* dicsőség
gloss *n.* máz
glossary *n.* szójegyzék
glossy *a.* fényes
glove *n.* kesztyű
glow *v.i.* izzik
glow *n* izzás

glowing *a.* izzó
glucose *n.* glukóz
glue *n.* ragasztó
glue *v.t.* ragaszt
glut *n* árubőség
glutton *n.* nagyevő
gluttony *n.* falánkság
glycerine *n.* glicerin
go *v.i.* megy
goad *n.* ösztöke
goad *v.t* noszogat
goal *n.* cél
goat *n.* kecske
gobble *n.* zabál
goblet *n.* serleg
god *n.* isten
goddess *n.* istennő
godhead *n.* istenség
godly *a.* istenes
godown *n.* slukk
godsend *n.* szerencs
goggles *n.* védőszemüveg
gold *n.* arany
golden *a.* aranysárga
goldsmith *n.* aranyműves
golf *n.* golf
gong *n.* gong
good *a.* jó
goodbye *interj.* viszontlátásra
goodbye *n.* búcsú
goodness *n.* jóság
goodwill *n.* jóakarat
goose *n.* liba
gooseberry *n.* egres
gorgeous *a.* pompás
gorilla *n.* gorilla
gospel *n.* spirituálé
Gospel *n.* Evangélium
gossip *n.* pletyka
gossip *v.l.* pletykázik
gourd *n.* tök
gout *n.* köszvény

govern v.t. kormányoz
governance n. kormányzás
governess n. nevelőnő
government n. kormány
governor n. kormányzó
gown n. köntös
grab v.t. kikap
grace n. kecsesség
graceful a. kecses
gracious a. szívélyes
gradation n. fokozat
grade n. fok
grade v.t osztályoz
gradual a. fokozatos
graduate v.i. diplomázik
graduate n diplomás
graft n. oltóág
graft v.t olt
grain n. gabona
grammar n. nyelvtan
grammarian n. nyelvtaníró
gramme n. gramm
gramophone n. gramofon
granary n. magtár
grand a. nagy
grandeur n. nagyság
grant v.t. engedélyez
grant n támogatás
grape n. szőlő
graph n. grafikon
graphic a. rajzolt
grapple n. dulakodás
grapple v.i. megragad
grasp v.t. megfog
grasp n megértés
grass n fű
grassy a. füves
grate n. rostély
grate v.t csikorog
grateful a. hálás
gratification n. kielégítés
gratis adv. ingyen

gratitude n. hála
gratuity n. borravaló
grave n. sír
grave a. komoly
gravitate v.i. vonzódik
gravitation n. gravitáció
gravity n. komolyság
gravity n. gravitáció
graze v.i. legel
graze n horzsolás
grease n zsír
grease v.t zsíroz
greasy a. zsíros
great a kiváló
greed n. mohóság
greedy a. mohó
Greek n. görög
Greek a görög
green a. zöld
green n. golfpálya
greenery n. lomb
greens n. zöldek
greet v.t. üdvözöl
grenade n. gránát
grey a. szürke
greyhound n. agár
grief n. gyász
grievance n. panasz
grieve v.t. gyászol
grievous a. keserves
grind v.i. darál
grinder n. darálógép
grip v.t. megragad
grip n fogás
groan v.i. nyög
groan n nyögés
grocer n. szatócs
grocery n. közért
groom n. vőlegény
groom v.t kikefél
groove n. horony
groove v.t hornyol

grope *v.t.* tapogat
gross *n.* tömeg
gross *a* bruttó
grotesque *a.* groteszk
ground *n.* talaj
group *n.* csoport
group *v.t.* csoportosít
grow *v.t.* növeszt
grower *n.* termelő
growl *v.i.* morog
growl *n* morgás
growth *n.* növekedés
grudge *v.t.* sajnál
grudge *n* ellenszenv
grumble *v.i.* morog
grunt *n.* röfögés
grunt *v.i.* röfög
guarantee *n.* garancia
guarantee *v.t* szavatol
guard *v.i.* őriz
guard *n.* őr
guardian *n.* gyám
guava *n.* gujávafa
guerilla *n.* gerilla
guess *n.* találgatás
guess *v.i* találgat
guest *n.* vendég
guidance *n.* irányítás
guide *v.t.* irányít
guide *n.* idegenvezető
guild *n.* céh
guile *n.* ravaszság
guilt *n.* bűnösség
guilty *a.* vétkes
guise *n.* megjelenés
guitar *n.* gitár
gulf *n.* öböl
gull *n.* sirály
gullet *n* nyelőcső
gulp *n.* korty
gulp *v.i.* lenyel

gum *n.* íny
gun *n.* puska
gust *n.* szélroham
gutter *n.* ereszcsatorna
guttural *a.* torokhangú
gymnasium *n.* tornaterem
gymnast *n.* tornász
gymnastic *a.* torna-
gymnastics *n.* torna

haberdasher *n.* rőfös
haberdashery *n.* rövidáru
habit *n.* szokás
habitable *a.* lakható
habitat *n.* élőhely
habitation *n.* lakóhely
habituate *v. t.* látogat
hack *v.t.* vág
hag *n.* boszorkány
haggard *a.* szikár
haggle *v.i.* alkudozik
hail *n.* jégeső
hail *v.i* kiált
hail *v.t* üdvözöl
hair *n* haj
hale *a.* egészséges
half *n.* fél
half *a* fél
hall *n.* előszoba
hallmark *n.* fémjel
hallow *v.t.* megszentel
hallow *n.* szent
halt *v. t.* megállít
halt *v.t.* megáll
halt *n* megállás
halve *v.t.* felez
hamlet *n.* falucska
hammer *n.* kalapács

hammer v.t kalapál
hand n kéz
hand v.t átad
handbill n. röplap
handbook n. kézikönyv
handcuff n. bilincs
handcuff v.t bilincsel
handful n. marék
handful adv. maréknyi
handicap v.t. akadályoz
handicap n hátrány
handicraft n. kézművesség
handiwork n. kézimunka
handkerchief n. zsebkendő
handle n. fogantyú
handle v.t kezel
handsome a. jóképű
handy a. alkalmas
hang v.t. felakaszt
hanker v.i. vágyakozik
haphazard a. rendszertelen
haphazardly adv. rend-
szertelenül
happen v.t. történik
happening n. esemény
happiness n. boldogság
happy a. boldog
harass v.t. zaklat
harassment n. zaklatás
harbour n. kikötő
harbour v.t horgonyoz
hard a. kemény
harden v.t. megkeményít
hardihood n. elszántság
hardly adv. alig
hardship n. nehézség
hardy adj. edzett
hare n. vadnyúl
harm n. kár
harm v.t sért
harmonious a. harmonikus
harmonium n. harmónium

harmony n. összhang
harness n. hám
harness v.t felkantároz
harp n. hárfa
harsh a. durva
harvest n. szüret
harvester n. aratógép
haste n. sietség
hasten v.i. siet
hasty a. sietős
hat n. kalap
hatchet n. szekerce
hate n. gyűlölet
hate v.t. gyűlöl
haughty a. gőgös
haunt v.t. kísért
haunt n törzshely
have v.t. bír
haven n. menedékhely
havoc n. zűrzavar
hawk n sólyom
hawker n házaló
hawthorn n. galagonya
hay n. széna
hazard n. veszély
hazard v.t veszélyeztet
haze n. köd
hazy a. ködös
he pron. ő
head n. fej
head v.t vezet
headache n. ejfájás
heading n. cím
headlong adv. meggondol-
atlanul
headstrong a. akaratos
heal v.i. gyógyít
health n. egészség
healthy a. egészséges
heap n. rakás
heap v.t halomba-rak
hear v.t. hall

65

hearsay *n.* mendemonda
heart *n.* szív
hearth *n.* tűzhely
heartily *adv.* szívélyesen
heat *n.* hő
heat *v.t* fűt
heave *v.i.* zihál
heaven *n.* menny
heavenly *a.* mennyei
hedge *n.* sövény
heed *v.t.* figyel
heed *n* figyelem
heel *n.* sarok
hefty *a.* nehéz
height *n.* magasság
heighten *v.t.* magasít
heinous *a.* kegyetlen
heir *n.* örökös
hell *a.* pokol
helm *n.* kormányrúd
helmet *n.* sisak
help *v.t.* segítség
help *n* segít
helpful *a.* segítőkész
helpless *a.* tehetetlen
helpmate *n.* segítőtárs
hemisphere *n.* félgömb
hemp *n.* kender
hen *n.* tyúk
hence *adv.* ezentúl
henceforth *adv.* ezentúl
henceforward *adv.* ezután
henchman *n.* szolga
henpecked *a.* papucs-férj
her *pron.* neki
her *a* övé
herald *n.* hírnök
herald *v.t* előrejelez
herb *n.* fűszer
herculean *a.* herkulesi
herd *n.* csorda
herdsman *n.* gulyás

here *adv.* itt
hereabouts *adv.* környéken
hereafter *adv.* jövőben
hereditary *a* örökletes
heredity *n.* örökség
heritable *a.* öröklődő
heritage *n.* hagyaték
hermit *n.* remete
hermitage *n.* remetelak
hernia *n.* sérv
hero *n.* hős
heroic *a.* hősies
heroine *n.* hősnő
heroism *n.* hősiesség
herring *n.* hering
hesitant *a.* habozó
hesitate *v.i.* habozik
hesitation *n.* habozás
hew *v.t.* vagdal
heyday *n.* tetőfok
hibernation *n.* téliálom
hiccup *n.* csuklás
hiccup *v.l.* csuklik
hide *n.* bőr
hide *v.t* elrejt
hideous *a.* undok
hierarchy *n.* rangsor
high *a.* magas
highly *adv.* magasan
Highness *n.* Fenség
highway *n.* országút
hilarious *a.* vidám
hilarity *n.* vidámság
hill *n.* domb
hillock *n.* dombocska
him *pron.* neki
hinder *v.t.* megakadályoz
hindrance *n.* akadály
hint *n.* célzás
hint *v.i* céloz
hip *n* csípő
hire *n.* bérlet

hire v.t bérel
hireling n. bérenc
his pron. övé
hiss n sziszegés
hiss v.i sziszeg
historian n. történész
historic a. történelmi
historical a. történelmi
history n. történelem
hit v.t. megüt
hit n ütés
hitch n. rántás
hither adv. ide
hitherto adv. eddig
hive n. kaptár
hoarse a. rekedt
hoax n. álhír
hoax v.t rászed
hobby n. időtöltés
hockey n. hoki
hoist v.t. emel
hold n. megtartás
hold v.t fog
hole n lyuk
hole v.t kilyukaszt
holiday n. szabadság
hollow a. üres
hollow n. mélyedés
hollow v.t kiváj
Holocaust n. Holocaust
holy a. szent
homage n. hódolat
home n. otthon
homicide n. emberölés
homoeopath n. homeopata
homeopathy n. homeopátia
homogenous a. homogén
honest a. őszinte
honesty n. becsületesség
honey n. méz
honeycomb n. méhsejt
honeymoon n. mézeshetek

honorarium n. tiszteletdíj
honorary a. tiszteletbeli
honour n. becsület
honour v. t becsül
honourable a. tiszteletreméltó
hood n. csuklya
hoodwink v.t. félrevezet
hoof n. pata
hook n. horog
hooligan n. huligán
hoot n. huhogás
hoot v.i huhog
hop v. i ugrál
hop n komló
hope v.t. remél
hope n remény
hopeful a. reménykedő
hopeless a. reménytelen
horde n. horda
horizon n. horizont
horn n. kürt
hornet n. lódarázs
horrible a. borzasztó
horrify v.t. megrémít
horror n. borzalom
horse n. ló
horticulture n. kertészet
hose n. slag
hosiery n. harisnya
hospitable a. vendégszerető
hospital n. kórház
hospitality n. vendégszeretet
host n. házigazda
hostage n. túsz
hostel n. turistaszálló
hostile a. ellenséges
hostility n. ellenségeskedés
hot a. forró
hotchpotch n. összevisszaság
hotel n. szálloda
hound n. vadászkutya
hour n. óra

house *n* ház
house *v.t* elhelyez
how *adv.* hogyan
however *adv.* viszont
however *conj* bármennyire
howl *v.t.* ordít
howl *n* üvöltés
hub *n.* kerékagy
hubbub *n.* hangzavar
huge *a.* hatalmas
hum *v. i* zümmög
hum *n* zümmögés
human *a.* emberi
humane *a.* emberséges
humanitarian *a* humanitárius
humanity *n.* emberiség
humanise *v.t.* emberrétesz
humble *a.* alázatos
humdrum *a.* sivár
humid *a.* nyirkos
humidity *n.* nyirkosság
humiliate *v.t.* megaláz
humiliation *n.* megalázás
humility *n.* alázatosság
humourist *n.* humorista
humorous *a.* tréfás
humour *n.* jókedv
hunch *n.* előérzet
hundred *n.* száz
hunger *n* éhség
hungry *a.* éhes
hunt *v.t.* vadászik
hunt *n* vadászat
hunter *n.* vadász
huntsman *n.* vadászlegény
hurdle *n.* gát
hurdle *v.t* gátat-fut
hurl *v.t.* odahajít
hurrah *interj.* hurrá
hurricane *n.* hurrikán
hurry *v.t.* siet
hurry *n* sietés

hurt *v.t.* megsért
hurt *v.i.* fáj
hurt *n* sérülés
husband *n* férj
husbandry *n.* állattartás
hush *n* csend
hush *v.t.* lecsendesít
husk *n.* héj
husky *a.* rekedt
hut *n.* kunyhó
hyena *n.* hiéna
hybrid *a.* hibrid
hybrid *n* keverék
hydrogen *n.* hidrogén
hygiene *n.* higiénia
hygienic *a.* higiénikus
hymn *n.* zsolozsma
hyperbole *n.* túlzás
hypnotism *n.* hipnózis
hypnotise *v.t.* hipnotizál
hypocrisy *n.* képmutatás
hypocrite *n.* álszent
hypocritical *a.* álszent
hypothesis *n.* hipotézis
hypothetical *a.* hipotetikus
hysteria *n.* hisztéria
hysterical *a.* hisztérikus

I *pron.* én
ice *n.* jég
iceberg *n.* úszó-jéghegy
icicle *n.* jégcsap
icy *a.* jeges
idea *n.* ötlet
ideal *a.* ideális
ideal *n* eszmény
idealism *n.* idealizmus
idealist *n.* idealista

idealistic a. idealista
idealise v.t. eszményít
identical a. azonos
indentification n. azonosító
identify v.t. azonosít
identity n. identitás
idiocy n. hülyeség
idiom n. idióma
idiomatic a. nyelvi
idiot n. idióta
idiotic a. hülye
idle a. tétlen
idleness n. tétlenség
idler n. semmittevő
idol n. bálvány
idolater n. bálványimádó
if conj. ha
ignoble a. alantas-származású
ignorance n. tudatlanság
ignorant a. tudatlan
ignore v.t. mellőz
ill a. beteg
ill adv. rosszul
illegal a. illegális
illegibility n. olvashatatlanság
illegible a. olvashatatlan
illegitimate a. törvénytelen
illicit a. tiltott
illiteracy n. írástudatlanság
illiterate a. írástudatlan
illness n. betegség
illogical a. logikátlan
illuminate v.t. felvilágosít
illumination n. megvilágítás
illusion n. káprázat
illustrate v.t. ábrázol
illustration n. illusztrálás
image n. kép
imagery n. ábrázolás
imaginary a. képzeletbeli
imagination n. képzelet
imaginative a. ötletes

imagine v.t. elképzel
imitate v.t. utánoz
imitation n. utánzás
imitator n. utánzó
immaterial a. lényegtelen
immature a. éretlen
immaturity n. éretlenség
immeasurable a. mérhetetlen
immediate a közvetlen
immemorial a. időtlen
immense a. óriási
immensity n. hatalmasság
immerse v.t. bemerít
immersion n. merítés
immigrant n. bevándorló
immigrate v.i. bevándorol
immigration n. bevándorlás
imminent a. fenyegető
immodest a. szerénytelen
immodesty n. elbizakodottság
immoral a. erkölcstelen
immorality n. erkölcstelenség
immortal a. halhatatlan
immortality n. halhatatlanság
immortalise v.t. megörökít
immovable a. mozdíthatatlan
immune a. immúnis
immunity n. immunitás
immunise v.t. mentesít
impact n. becsapódás
impart v.t. átad
impartial a. pártatlan
impartiality n. pártatlanság
impassable a. járhatatlan
impasse n. holtpont
impatience n. türelmetlenség
impatient a. türelmetlen
impeach v.t. bevádol
impeachment n. kétség-
  bevonás
impede v.t. akadályoz
impediment n. akadály

impenetrable *a.* áthatolhatatlan
imperative *a.* szükségszerű
imperfect *a.* tökéletlen
imperfection *n.* tökéletlenség
imperial *a.* császári
imperialism *n.* imperializmus
imperil *v.t.* veszélyeztet
imperishable *a.*
  elpusztíthatatlan
impersonal *a.* személytelen
impersonate *v.t.*
  megszemélyesít
impersonation *n.*
  megszemélyesítés
impertinence *n.* szemtelenség
impertinent *a.* szemtelen
impetuosity *n.* hevesség
impetuous *a.* heves
implement *n.* szerszám
implement *v.t.* végrehajt
implicate *v.t.* belekever
implication *n.* belekeveredés
implicit *a.* beleértett
implore *v.t.* könyörög
imply *v.t.* beleért
impolite *a.* udvariatlan
import *v.t.* importál
import *n.* jelentés
importance *n.* fontosság
important *a.* fontos
impose *v.t.* rátesz
imposing *a.* impozáns
imposition *n.* kivetés
impossibility *n.* lehetetlenség
impossible *a.* lehetetlen
impostor *n.* szélhámos
imposture *n.* csalás
impotence *n.* impotencia
impotent *a.* tehetetlen
impoverish *v.t.* elszegényít
impracticability *n.*
  kezelhetetlenség

impracticable *a.*
  megvalósíthatatlan
impractical *a.* kivihetetlen
impress *v.t.* benyom
impression *n.* benyomás
impressive *a.* hatásos
imprint *v.t.* vés
imprint *n.* impresszium
imprison *v.t.* bebörtönöz
improper *a.* helytelen
impropriety *n.* illetlenség
improve *v.t.* megjavít
improvement *n.* javulás
imprudence *n.* meggondol-
  atlanság
imprudent *a.* meggondolatlan
impulse *n.* ösztönzés
impulsive *a.* ösztönző
impunity *n.* büntetlenség
impure *a.* tisztátlan
impurity *n.* szennyeződés
impute *v.t.* betud
in *a* bent-lévő
inability *n.* képtelenség
inaccurate *a.* pontatlan
inaction *n.* tétlenség
inactive *a.* inaktív
inadmissible *a.*
  elfogadhatatlan
inanimate *a.* élettelen
inapplicable *a.*
  alkalmazhatatlan
inattentive *a.* figyelmetlen
inaudible *a.* halk
inaugural *a.* székfoglaló
inauguration *n.* felavatás
inauspicious *a.* baljóslatú
inborn *a.* veleszületett
inbred *a* beltenyésztett
incalculable *a.*
  kiszámíthatatlan
incapable *a.* alkalmatlan

incapacity *n.* munkaképtelenség
incarnate *a.* megtestesült
incarnate *v.t.* megtestesít
incarnation *n.* megtestesülés
incense *v.t.* feldühít
incense *n.* tömjén
incentive *n.* ösztönzés
inception *n.* kezdet
inch *n.* hüvelyk
incident *n.* incidens
incidental *a.* véletlen
incite *v.t.* ösztönöz
inclination *n.* hajlam
incline *v.i.* hajlik
include *v.t.* tartalmaz
inclusion *n.* belefoglalás
inclusive *a.* beleértett
incoherent *a.* összefüggéstelen
income *n.* jövedelem
incomparable *a.* hasonlíthatatlan
incompetent *a.* alkalmatlan
incomplete *a.* befejezetlen
inconsiderate *a.* tapintatlan
inconvenient *a.* kényelmetlen
incorporate *v.t.* megtestesít
incorporate *a.* egyesült
incorporation *n.* egyesítés
incorrect *a.* hibás
incorrigible *a.* javíthatatlan
incorruptible *a.* megvesztegethetetlen
increase *v.t.* növel
increase *n* növekedés
incredible *a.* hihetetlen
increment *n.* növekedés
incriminate *v.t.* vádol
incubate *v.i.* lappang
inculcate *v.t.* lelkére-köt
incumbent *n.* plébános
incumbent *a* háruló

incur *v.i.* felmerül
incurable *a.* gyógyíthatatlan
indebted *a.* eladósodott
indecency *n.* illetlenség
indecent *a.* illetlen
indecision *n.* határozatlanság
indeed *adv.* valóban
indefensible *a.* védhetetlen
indefinite *a.* határozatlan
indemnity *n.* kártalanítás
independence *n.* függetlenség
independent *a.* független
indescribable *a.* leírhatatlan
index *n.* index
Indian *a.* Indiai
indicate *v.t.* mutat
indication *n.* jelzés
indicative *a.* indikatív
indicator *n.* kijelző
indict *v.t.* vádol
indictment *n.* vádirat
indifference *n.* közömbösség
indifferent *a.* közömbös
indigenous *a.* bennszülött
indigestible *a.* emészthetetlen
indigestion *n.* gyomorrontás
indignant *a.* felháborodott
indignation *n.* felháborodás
indigo *n.* indigó
indirect *a.* közvetett
indiscipline *n.* fegyelmezetlenség
indiscreet *a.* tapintatlan
indiscretion *n.* tapintatlanság
indiscriminate *a.* összevissza
indispensable *a.* elengedhetetlen
indisposed *a.* gyengélkedő
indisputable *a.* vitathatatlan
indistinct *a.* határozatlan
individual *a.* egyedi

individualism n. individualizmus
individuality n. egyéniség
indivisible a. oszthatatlan
indolent a. lusta
indomitable a. megszelídíthetetlen
indoor a. beltéri
indoors adv. házban
induce v.t. rábír
inducement n. indíték
induct v.t. behív
induction n. beiktatás
indulge v.t. elkényeztet
indulgence n. engedékenység
indulgent a. engedékeny
industrial a. ipari
industrious a. szorgalmas
industry n. ipar
ineffective a. hatástalan
inert a. élettelen
inertia n. élettelenség
inevitable a. elkerülhetetlen
inexact a. pontatlan
inexorable a. kérlelhetetlen
inexpensive a. olcsó
inexperience n. tapasztalatlanság
inexplicable a. megmagyarázhatatlan
infallible a. csalhatatlan
infamous a. becstelen
infamy n. becstelenség
infancy n. csecsemőkor
infant n. csecsemő
infanticide n. gyermekgyilkosság
infantile a. gyermekes
infantry n. gyalogság
infatuate v.t. rajong
infatuation n. rajongás
infect v.t. megfertőz

infection n. fertőzés
infectious a. fertőző
infer v.t. következtet
inference n. következtetés
inferior a. alárendelt
inferiority n. alsóbbrendűség
infernal a. pokoli
infinite a. végtelen
infinity n. végtelenség
infirm a. beteg
infirmity n. gyengeség
inflame v.t. meggyújt
inflammable a. gyúlékony
inflammation n. gyulladás
inflammatory a. gyulladásos
inflation n. infláció
inflexible a. hajthatatlan
inflict v.t. okoz
influence n. befolyás
influence v.t. befolyásol
influential a. befolyásos
influenza n. influenza
influx n. beáramlás
inform v.t. tájékoztat
informal a. informális
information n. információ
informative a. tájékoztató
informer n. besúgó
infringe v.t. megszeg
infringement n. megszegés
infuriate v.t. felbosszant
infuse v.t. betölt
infusion n. infúzió
ingrained a. beleivódott
ingratitude n. hálátlanság
ingredient n. alkotórész
inhabit v.t. lakik
inhabitable a. lakható
inhabitant n. lakos
inhale v.i. belélegez
inherent a. rejlő
inherit v.t. örököl

inheritance *n.* öröklés
inhibit *v.t.* meggátol
inhibition *n.* gátlás
inhospitable *a.* barátságtalan
inhuman *a.* embertelen
inimical *a.* ellenséges
inimitable *a.* utánozhatatlan
initial *a.* kezdeti
initial *n.* kezdőbetű
initiate *v.t.* kezdeményez
initiative *n.* kezdeményezés
inject *v.t.* befecskendez
injection *n.* injekció
injudicious *a.* meggondolatlan
injunction *n.* parancs
injure *v.t.* megsebesít
injurious *a.* káros
injury *n.* sérülés
injustice *n.* igazságtalanság
ink *n.* tinta
inkling *n.* sejtelem
inland *a.* szárazföldi
inland *n.* belföld
inmate *n.* fogolytárs
inmost *a.* legbelső
inn *n.* fogadó
innate *a.* veleszületett
inner *a.* belső
innermost *a.* legbelsőbb
innings *n.* megbízatási-idő
innocence *n.* ártatlanság
innocent *a.* ártatlan
innovate *v.t.* újít
innovation *n.* innováció
innovator *n.* újító
innumerable *a.* számtalan
inoculate *v.t.* beolt
inoculation *n.* oltás
inoperative *a.* hatástalan
inopportune *a.* időszerűtlen
input *n.* bemenet
inquest *n.* nyomozás

inquire *v.t.* érdeklődik
inquiry *n.* vizsgálat
inquisition *n.* inkvizíció
inquisitive *a.* kíváncsi
insane *a.* őrült
insanity *n.* őrület
insatiable *a.* kielégíthetetlen
inscribe *v.t.* bevés
inscription *n.* dedikáció
insect *n.* rovar
insecticide *n.* rovarirtó
insecure *a.* bizonytalan
insecurity *n.* bizonytalanság
insensibility *n.* érzéketlenség
insensible *a.* öntudatlan
inseparable *a.* elválaszthatatlan
insert *v.t.* betesz
insertion *n.* beszúrás
inside *n.* belső
inside *prep.* bent
inside *a* belső
inside *adv.* benn
insight *n.* éleselméjűség
insignificance *n.* jelenték-telenség
insignificant *a.* jelentéktelen
insincere *a.* őszintétlen
insincerity *n.* kétszínűség
insinuate *v.t.* célozgat
insinuation *n.* célozgatás
insipid *a.* ízetlen
insipidity *n.* íztelenség
insist *v.t.* ragaszkodik
insistence *n.* ragaszkodás
insistent *a.* ragaszkodó
insolence *n.* szemtelenség
insolent *a.* szemtelen
insoluble *a.* oldhatatlan
insolvency *n.* fizetéskép-telenség
insolvent *a.* fizetésképtelen

inspect v.t. ellenőriz
inspection n. ellenőrzés
inspector n. ellenőr
inspiration n. ihlet
inspire v.t. megihlet
instability n. instabilitás
install v.t. bevezet
installation n. bevezetés
instalment n. részletfizetés
instance n. példa
instant n. pillanat
instant a. azonnali
instantaneous a. pillanatnyi
instantly adv. rögtön
instigate v.t. kezdeményez
instigation n. felbujtás
instil v.t. sugalmaz
instinct n. ösztön
instinctive a. ösztönös
institute n. intézet
institution n. intézmény
instruct v.t. oktat
instruction n. oktatás
instructor n. oktató
instrument n. hangszer
instrumental a. hangszeres
instrumentalist n.
   hangszerjátékos
insubordinate a. fegyel-
   mezetlen
insubordination n. fegyelem-
   sértés
insufficient a. elégtelen
insular a. szűklátókörű
insularity n. szűklátókörűség
insulate v.t. szigetel
insulation n. szigetelés
insulator n. szigetelő
insult n. sértés
insult v.t. megsért
insupportable a. kibírhatatlan
insurance n. biztosítás

insure v.t. biztosít
insurgent a. felkelő
insurgent n. felkelő
insurmountable a.
   leküzdhetetlen
insurrection n. felkelés
intact a. ép
intangible a. megfoghatatlan
integral a. lényeges
integrity n. becsületesség
intellect n. ész
intellectual a. észbeli
intellectual n. értelmiségi
intelligence n. értelem
intelligent a. értelmes
intelligentsia n. értelmiség
intelligible a. érthető
intend v.t. szándékozik
intense a. erős
intensify v.t. erősödik
intensity n. intenzitás
intensive a. intenzív
intent n. szándék
intent a. elszánt
intention n. szándék
intentional a. szándékos
intercept v.t. feltartóztat
interception n. feltartóztatás
interchange n. csere
interchange v. kicserél
intercourse n. közösülés
interdependence n.
   egymásrautaltság
interdependent a.
   egymásrautalt
interest n. kamat
interest n. érdek
interested a. érdekelt
interesting a. érdekes
interfere v.i. beavatkozik
interference n. beavatkozás
interim a átmeneti

interior *a.* belső
interior *n.* belföld
interjection *n.* közbevetés
interlude *n.* közjáték
intermediary *n.* közvetítő
intermediate *a.* közbeeső
interminable *a.* végtelen
intermingle *v.t.* összevegyül
intern *v.t.* gyakornok
internal *a.* belső
international *a.* nemzetközi
interplay *n.* kölcsönhatás
interpret *v.t.* tolmácsol
interpreter *n.* tolmács
interrogate *v.t.* kikérdez
interrogation *n.* kihallgatás
interrogative *a.* kérdő
interrogative *n* kérdőjel
interrupt *v.t.* félbeszakít
interruption *n.* félbeszakítás
intersect *v.t.* kereszteződik
intersection *n.* útkereszteződés
interval *n.* szünet
intervene *v.i.* beavatkozik
intervention *n.* beavatkozás
interview *n.* interjú
interview *v.t.* megbeszélés
intestinal *a.* bél-
intestine *n.* bél
intimacy *n.* intimacy
intimate *a.* meghitt
intimate *v.t.* közöl
intimation *n.* sejtetés
intimidate *v.t.* megfélemlít
intimidation *n.* megfélemlítés
into *prep.* be
intolerable *a.* tűrhetetlen
intolerance *n.* türelmetlenség
intolerant *a.* türelmetlen
intoxicant *n.* mámorító
intoxicate *v.t.* mámorít
intoxication *n.* mámor

intransitive *a. (verb)* tárgyatlan
intrepid *a.* rettenthetetlen
intrepidity *n.* elszántság
intricate *a.* bonyolult
intrigue *v.t.* ármánykodik
intrigue *n* cselszövés
intrinsic *a.* lényeges
introduce *v.t.* bevezet
introduction *n.* bevezetés
introductory *a.* bevezető
introspect *v.i.* önelemez
introspection *n.* önelemzés
intrude *v.t.* tolakodik
intrusion *n.* behatolás
intuition *n.* intuíció
intuitive *a.* intuitív
invade *v.t.* betör
invalid *a.* érvénytelen
invalid *n* hadirokkant
invalidate *v.t.* érvénytelenít
invaluable *a.* felbecsülhetetlen
invasion *n.* invázió
invective *n.* szidás
invent *v.t.* feltalál
invention *n.* találmány
inventive *a.* találékony
inventor *n.* feltaláló
invert *v.t.* elforgat
invest *v.t.* befektet
investigate *v.t.* nyomoz
investigation *n.* nyomozás
investment *n.* beruházás
invigilate *v.t.* felügyel
invigilation *n.* felügyelés
invigilator *n.* vizsgabiztos
invincible *a.* győzhetetlen
inviolable *a.* sérthetetlen
invisible *a.* láthatatlan
invitation *v.* meghívás
invite *v.t.* meghív
invocation *n.* megszólítás

75

invoice *n.* számla
invoke *v.t.* hivatkoz
involve *v.t.* beburkol
inward *a.* belső
inwards *adv.* befelé
irate *a.* dühös
ire *n.* harag
Irish *a.* ír
Irish *n.* ír
irksome *a.* bosszantó
iron *n.* vas
iron *v.t.* vasal
ironic *a.* ironikus
irony *n.* irónia
irradiate *v.i.* beragyog
irrational *a.* irracionális
irreconcilable *a.* kibékíthetetlen
irrecoverable *a.* pótolhatatlan
irrefutable *a.* megcáfolhatatlan
irregular *a.* szabálytalan
irregularity *n.* szabálytalanság
irrelevant *a.* lényegtelen
irrespective *a.* független
irresponsible *a.* felelőtlen
irrigate *v.t.* öntöz
irrigation *n.* öntözés
irritable *a.* ingerlékeny
irritant *a.* izgató
irritate *v.t.* idegesít
irritation *n.* irritáció
irruption *n.* beöntés
island *n.* sziget
isle *n.* sziget
isobar *n.* izobár
isolate *v.t.* elkülönít
isolation *n.* elkülönítés
issue *v.t.* kiad
issue *n.* kiadvány
it *pron.* az
Italian *a.* olasz

Italian *n.* olasz
italic *a.* dőlt
italics *n.* dőlt
itch *n.* viszketés
itch *v.i.* viszket
item *n.* tétel
itemise *v.t.* részletez
ivory *n.* elefántcsont
ivy *n.* borostyán

jab *v.t.* döf
jabber *v.t.* fecseg
jack *n.* emelőrúd
jack *v.t.* emel
jackal *n.* sakál
jacket *n.* dzseki
jade *n.* jadekő
jail *n.* börtön
jailer *n.* börtönőr
jam *n.* lekvár
jam *v.t.* beszorul
jar *n.* korsó
jargon *n.* zsargon
jasmine, jessamine *n.* jázmin
jaundice *n.* sárgaság
jaundiced *adj.* elkeseredett
javelin *n.* gerely
jaw *n.* állkapocs
jay *n.* szajkómadár
jealous *a.* féltékeny
jealousy *n.* féltékenység
jeans *n.* farmernadrág
jeer *v.i.* gúnyolódik
jelly *n.* zselé
jeopardise *v.t.* veszélyeztet
jeopardy *n.* veszély
jerk *n.* faszkalap

jerkin *n.* zeke
jerky *a.* rázkódó
jersey *n.* pulóver
jest *n.* tréfa
jest *v.i.* megtréfál
jet *n.* sugárhajtómű
Jew *n.* Zsidó
jewel *n.* drágakő
jewel *n.* ékszer
jeweller *n.* ékszerész
jewellery *n.* ékszerek
jingle *n.* csilingelés
jingle *v.i.* csilingel
job *n.* munka
jobber *n.* őzsdeügynök
jocular *a.* vidám
jog *v.t.* meglök
join *v.t.* csatlakozik
joiner *n.* asztalos
joint *n.* ízület
jointly *adv.* közösen
joke *n.* tréfa
joke *v.i.* tréfál
joker *n.* tréfacsináló
jollity *n.* vidámság
jolly *a.* vidám
jolt *n.* zökkenés
jolt *v.t.* zökken
jostle *n.* lökdösés
jostle *v.t.* tolakodik
jot *n.* pont
jot *v.t.* jegyez
journal *n.* folyóirat
journalism *n.* újságírás
journalist *n.* újságíró
journey *n.* utazás
journey *v.i.* utazik
jovial *a.* kedélyes
joviality *n.* vidámság
joy *n.* öröm
joyful, joyous *a.* jókedvű

jubilant *a.* ujjongó
jubilation *n.* öröm
jubilee *n.* jubileum
judge *n.* bíró
judge *v.t.* megítél
judgement *n.* ítélet
judicature *n.* bíróság
judicial *a.* bírósági
judiciary *n.* bírói
judicious *a.* értelmes
jug *n.* kancsó
juggle *v.t.* zsonglőrködik
juggler *n.* zsonglőr
juice *n* lé
juicy *a.* lédús
jumble *n.* zűrzavar
jumble *v.t.* összezagyvál
jump *n.* ugrás
jump *v.i* ugrik
junction *n.* csomópont
juncture *n.* helyzet
jungle *n.* dzsungel
junior *a.* ifjabb
junior *n.* alárendelt
junk *n.* hulladék
jupiter *n.* Jupiter
jurisdiction *n.* joghatóság
jurisprudence *n.* jogtudomány
jurist *n.* jogász
juror *n.* esküdt
jury *n.* zsűri
juryman *n.* esküdt
just *a.* igazságos
just *adv.* éppen
justice *n.* igazságosság
justifiable *a.* indokolt
justification *n.* indokolás
justify *v.t.* indokol
justly *adv.* igazságosan
jute *n.* juta
juvenile *a.* fiatalkori

77

keen *a.* lelkes
keenness *n.* lelkesség
keep *v.t.* tart
keeper *n.* őr
keepsake *n.* emléktárgy
kennel *n.* kutyaól
kerchief *n.* kendő
kernel *n.* mag
kerosene *n.* kerozin
ketchup *n.* ketchup
kettle *n.* vízforraló
key *n.* kulcs
kick *n.* rúgás
kick *v.t.* rúg
kid *n.* kölyök
kidnap *n.* emberrabol
kidnap *v.t.* emberrablás
kidney *n.* vese
kill *v.t.* megöl
kill *n.* ölés
kiln *n.* kemence
kin *n.* rokon
kind *n.* fajta
kind *a* kedves
kindergarten ; *n.* óvoda
kindle *v.t.* meggyújt
kindly *adv.* kedvesen
king *n.* király
kingdom *n.* királyság
kinship *n.* rokonság
kiss *n.* csók
kiss *v.t.* csókol
kit *n.* készlet
kitchen *n.* konyha
kite *n.* papírsárkány
kith *n.* barátok
kitten *n.* cica
knave *n.* bubi
knavery *n.* gazság

knee *n.* térd
kneel *v.i.* térdel
knife *n.* kés
knight *n.* lovag
knight *v.t.* lovaggá-üt
knit *v.t.* köt
knock *v.t.* knock
knot *n.* csomó
knot *v.t.* csomót-köt
know (subject) *v.t.* tud
know (person) *v.t.* ismer
knowledge *n.* tudás

label *n.* címke
label *v.t.* osztályoz
labial *a.* labiális
laboratory *n.* laboratórium
laborious *a.* fáradságos
labour *n.* munka
labour *v.i.* dolgozik
laboured *a.* erőltetett
labourer *n.* munkás
labyrinth *n.* labirintus
lac *n* lakkgumi
lace *n.* csipke
lace *v.t.* befűz
lacerate *v.t.* széttép
lachrymose *a.* könnyfakasztó
lack *n.* hiány
lack *v.t.* hiányol
lackey *n.* inas
lacklustre *a.* fénytelen
laconic *a.* lakonikus
lactate *v.i.* laktát
lactose *n.* laktóz
lacuna *n.* hézag
lacy *a.* csipkés
lad *n.* fiú

ladder *n.* létra
laden *a* megterhelt
ladle *n.* merítőkanál
ladle *v.t.* összelapátol
lady *n.* hölgy
lag *v.i.* hátramarad
laggard *n.* lusta-ember
lagoon *n.* lagúna
lair *n.* odú
lake *n.* tó
lama *n.* láma
lamb *n.* bárány
lambaste *v.t.* elagyabugyál
lame *a.* sánta
lame *v.t.* lesántít
lament *v.i.* sirat
lament *n* gyászének
lamentable *a.* siralmas
lamentation *n.* siránkozás
lambkin *n.* jerkebárány
laminate *v.t.* laminál
lamp *n.* lámpa
lampoon *n.* gúnyirat
lampoon *v.t.* kigúnyol
lance *n.* lándzsa
lancer *n.* pikás
lancet *a.* gerely
land *n.* föld
land *v.i.* leszáll
landing *n.* leszállás
landscape *n.* táj
lane *n.* sáv
language *n.* nyelv
languish *v.i.* bánkódik
lank *a.* karcsú
lantern *n.* lámpa
lap *n.* kör
lapse *v.i.* múlás
lapse *n* elmúlik
lard *n.* zsír
large *a.* nagy
largesse *n.* ajándék

lark *n.* pacsirta
lascivious *a.* buja
lash *n* korbácsolás
lash *n* szempilla
lass *n.* leány
last *a.* utolsó
last *adv.* legutoljára
last *v.i.* tart
last *n* legutóbbi
lastly *adv.* végül
lasting *a.* tartós
latch *n.* kilincs
late *a.* késő
late *adv.* későn
lately *adv.* nemrég
latent *a.* lappangó
lath *n.* léc
lathe *n.* esztergapad
lathe *v.t.* esztergályoz
lather *n.* szappanhab
latitude *n.* szélesség
latrine *n.* latrina
latter *a.* utóbb
lattice *n.* rács
laud *v.t.* dicsér
laud *n* dicséret
laudable *a.* dicséretreméltó
laugh *n.* nevetés
laugh *v.i* nevet
laughable *a.* nevetséges
laughter *n.* nevetés
launch *v.t.* vízrebocsájt
launch *n.* indítás
launder *v.t.* tisztít
laundress *n.* mosónő
laundry *n.* mosoda
laurel *n.* babér
laureate *a.* díjas
laureate *n* díjnyertes
lava *n.* láva
lavatory *n.* mosdó
lavender *n.* levendula

lavish *a.* túláradó
lavish *v.t.* elkényeztet
law *n.* törvény
lawful *a.* törvényes
lawless *a.* törvényellenes
lawn *n.* pázsit
lawyer *n.* ügyvéd
lax *a.* laza
laxative *n.* hashajtó
laxative *a* hashajtó
laxity *n.* lazaság
lay *v.t.* fektet
lay *a.* laikus
lay *n* dal
layer *n.* réteg
layman *n.* laikus
laze *v.i.* lustálkodik
laziness *n.* lustaság
lazy *n.* lusta
lea *n.* rét
leach *v.t.* átszűr
lead *n.* vezetés
lead *v.t.* vezet
lead *n.* ólom
leaden *a.* ólomszínű
leader *n.* vezető
leadership *n.* vezetés
leaf *n.* levél
leaflet *n.* szórólap
leafy *a.* leveles
league *n.* liga
leak *n.* lék
leak *v.i.* folyik
leakage *n.* szivárgás
lean *n.* sovány
lean *v.i.* dől
leap *v.i.* ugrik
leap *n* ugrás
learn *v.i.* tanul
learned *a.* művelt
learner *n.* tanuló
learning *n.* tanulás

lease *n.* bérlet
lease *v.t.* kibérel
least *a.* legkisebb
least *adv.* legkevésbé
leather *n.* bőr
leave *n.* szabadság
leave *v.t.* elhagy
lecture *n.* előadás
lecture *v.i.* előad
lecturer *n.* előadó
ledger *n.* főkönyv
lee *n.* szélmentes-oldal
leech *n.* pióca
leek *n.* póréhagyma
left *a.* bal
left *n.* baloldal
leftist *n* baloldali
leg *n.* láb
legacy *n.* örökség
legal *a.* jogi
legality *n.* törvényesség
legalise *v.t.* törvényesít
legend *n.* legenda
legendary *a.* legendás
leghorn *n.* livorno
legible *a.* olvasható
legibly *adv.* olvashatóan
legion *n.* légió
legionary *n.* légiós
legislate *v.i.* törvényt-hoz
legislation *n.* törvényhozás
legislative *a.* törvényhozói
legislator *n.* törvényhozó
legislature *n.* törvényhozás
legitimacy *n.* törvényesség
legitimate *a.* jogos
leisure *n.* szabadidő
leisure *a* szabad
leisurely *a.* kényelmes
leisurely *adv.* nyugodtan
lemon *n.* citrom
lemonade *n.* limonádé

lend v.t. kölcsönad
length n. hossz
lengthen v.t. hosszabbít
lengthy a. hosszadalmas
lenience n. elnézés
leniency n. engedékenység
lenient a. elnéző
lens n. lencse
lentil n. lencse
Leo n. Oroszlán
leonine a oroszlán-
leopard n. leopárd
leper n. leprás
leprosy n. lepra
leprous a. leprás
less a. kisebb
less adv. kevesebb
less prep. kevésbé
lessee n. bérlő
lessen v.t csökken
lesser a. kevesebb
lesson n. lecke
lest conj. nehogy
let v.t. enged
lethal a. halálos
lethargic a. levert
lethargy n. fásultság
letter n levél
letter n betű
level n. szint
level a vízszintes
level v.t. kiegyenlít
lever n. fogantyú
lever v.t. emel
leverage n. tőkeáttétel
levity n. könnyűség
levy v.t. felszámít
levy n. illeték
lewd a. erkölcstelen
lexicography n. lexikográfia
lexicon n. szótár
liability n. felelősség

liable a. felelős
liaison n. kapcsolat
liar n. hazug
libel n. rágalmazás
libel v.t. megrágalmaz
liberal a. liberális
liberalism n. liberalizmus
liberality n. nagyvonalúság
liberate v.t. felszabadít
liberation n. felszabadulás
liberator n. felszabadító
libertine n. szabados
liberty n. szabadság
librarian n. könyvtáros
library n. könyvtár
licence n. igazolvány
license v.t. feljogosít
licensee n. engedélyes
licentious a. kicsapongó
lick v.t. nyal
lick n nyalás
lid n. fedél
lie v.i. fekszik
lie v.i hazudik
lie n hazugság
lien n. zálogjog
lieu n. helyett
lieutenant n. hadnagy
life n élet
lifeless a. élettelen
lifelong a. élethossziglan
lift n. felvonó
lift v.t. emel
light n. fény
light a könnyű
light v.t. világít
light v.t. gyújt
lighten v.i. enyhül
lighter n. öngyújtó
lightly adv. könnyen
lightening n. könnyítés
lightning n. villámlás

lignite *n.* barnaszén
like *a.* hasonló
like *adv.* ahogy
like *v.t.* szeret
like *prep* mint
likelihood *n.* valószínűség
likely *a.* valószínű
liken *v.t.* összehasonlít
likeness *n.* hasonlóság
likewise *adv.* ugyancsak
liking *n.* szeretet
lilac *n.* halványlila
lily *n.* liliom
limb *n.* végtag
limber *a* hajlékony
limber *n* legallyazó
lime *n.* mész
lime *v.t* meszez
lime *n.* zöldcitrom
limelight *n.* rivaldafény
limit *n.* határ
limit *v.t.* korlátoz
limitation *n.* korlátozás
limited *a.* korlátozott
limitless *a.* határtalan
line *n.* sor
line *n.* vonal
line *v.t.* vonalaz
lineage *n.* leszármazás
linen *n.* len
linger *v.i.* habozik
lingo *n.* zsargon
lingual *a.* nyelvi
linguist *n.* nyelvész
linguistic *a.* nyelvészeti
linguistics *n.* nyelvészet
lining *n* bélés
link *n.* kapcsolat
link *v.t* csatlakozik
linseed *n.* lenmag
lintel *n.* fejgerenda
lion *n* oroszlán

lioness *n.* nőstény-oroszlán
lip *n.* ajak
lips *n.pl.* ajkak
liquefy *v.t.* felenged
liquid *a.* folyékony
liquid *n* folyadék
liquidate *v.t.* felszámol
liquidation *n.* felszámolás
liquor *n.* szesz
lisp *v.t.* selypít
lisp *n* selypítés
list *n.* lista
list *v.t.* besorol
listen *v.i.* hallgat
listener *n.* hallgató
listless *a.* kedvetlen
lists *n.* listák
literacy *n.* olvasottság
literal *a.* szószerint
literal *adv.* szószerinti
literary *a.* irodalmi
literate *a.* írástudó
literature *n.* irodalom
litigant *n.* pereskedő
litigate *v.t.* perel
litigation *n.* pereskedés
litre *n.* liter
litter *n.* szemét
litter *v.t.* szemetel
litterateur *n.* irodalmár
little *a.* kis
little *adv.* kevéssé
littoral *a.* tengerpart
liturgical *a.* liturgikus
live *v.i.* él
live *a.* élő
livelihood megélhetés
lively *a.* élénk
liver *n.* máj
livery *n.* inasruha
living *a.* élő
living *n* életmód

lizard *n.* gyík
load *n.* terhelés
load *v.t.* töltet
loadstar *n.* vezércsillag
loadstone *n.* mágnes
loaf *n.* cipó
loaf *v.i.* csatangol
loafer *n.* henyélő
loan *n.* hitel
loan *v.t.* kölcsönad
loath *a.* kelletlen
loathe *v.t.* utál
loathsome *a.* utálatos
lobby *n.* előcsarnok
lobby *v.t.* lobbizik
lobe *n.* fülcimpa
lobster *n.* homár
local *a.* local
locale *n.* helyszín
locality *n.* helység
localise *v.t.* lokalizál
locate *v.t.* elhelyez
location *n.* elhelyezés
lock *n.* zár
lock *v.t* bezár
lock *n* hajfürt
locker *n.* öltözőszekrény
locket *n.* kapocs
locomotive *n.* mozdony
locus *n.* fekvés
locust *n.* sáska
locution *n.* szólás
lodge *n.* házikó
lodge *v.t.* elszállásol
lodging *n.* szállás
loft *n.* padlásszoba
lofty *a.* magas
log *n.* farönk
logarithm *n.* logaritmus
loggerheads *n.* vita
logic *n.* logika
logical *a.* logikus

logician *n.* logikatanár
loin *n.* ágyék
loiter *v.i.* lézeng
loll *v.i.* lustálkodik
lollipop *n.* nyalóka
lone *a.* egyedülálló
loneliness *n.* magányosság
lonely *a.* magányos
lonesome *a.* magányos
long *a.* hosszú
long *adv* sokáig
long *v.i* sóvárog
longevity *n.* hosszúélet
longing *a.* vágyakozó
longing *n.* vágyakozás
longitude *n.* hosszúság
look *v.i* néz
look *n* tekintet
look *interj.* nézze
loom *n* szövőszék
loom *v.i.* dereng
loop *n.* hurok
loophole *n.* kiút
loose *a.* laza
loose *v.t.* kioldoz
loosen *v.t.* meglazít
loot *n.* zsákmány
loot *v.i.* kirabol
lop *v.t.* levág
lord *n.* úr
lordly *a.* méltóságteljes
lordship *n.* uradalom
lore *n.* tudomány
lorry *n.* teherautó
lose *v.t.* veszít
loss *n.* veszteség
lot *n.* telek
lot *n* sors
lotion *n.* testápoló
lottery *n.* sorsjáték
lotus *n.* lótusz
loud *a.* hangos

lounge *v.i.* ácsorog
lounge *n.* társalgó
louse *n.* tetű
lovable *a.* szeretetreméltó
love *n* szerelem
love *v.t.* szeret
lovely *a.* kedves
lover *n.* szerető
loving *a.* szerető
low *a.* alacsony
low *adv.* alacsonyan
lower *v.t.* lehajt
lower *a.* alacsonyabb
lowliness *n.* alázatosság
lowly *a.* alázatos
loyal *a.* hű
loyalist *n.* lojalista
loyalty *n.* hűség
lubricant *n.* kenőanyag
lubricate *v.t.* olajoz
lubrication *n.* olajozás
lucent *a.* ragyogó
lucerne *n.* lámpa
lucid *a.* érthető
lucidity *n.* érthetőség
luck *n.* szerencse
luckily *adv.* szerencsére
luckless *a.* peches
lucky *a.* szerencsés
lucrative *a.* jövedelmező
lucre *n.* nyerészkedés
luggage *n.* poggyász
lukewarm *a.* langyos
lull *v.t.* lecsendesít
lull *n.* szélcsend
lullaby *n.* bölcsődal
luminary *n.* tudós
luminous *a.* fénylő
lump *n.* csomó
lump *v.t.* összehord
lunacy *n.* őrültség
lunar *a.* hold-

lunatic *n.* holdkóros
lunatic *a.* bolond
lunch *n.* ebéd
lunch *v.i.* ebédel
lung *n* tüdő
lunge *n.* tőrdöfés
lunge *v.i* támad
lurch *n.* megdőlés
lurch *v.i.* tántorog
lure *n.* csali
lure *v.t.* csalogat
lurk *v.i.* bujkál
luscious *a.* zamatos
lush *a.* buja
lust *n.* kéjelgés
lustful *a.* kéjsóvár
lustre *n.* fénylés
lustrous *a.* fénylő
lusty *a.* kéjes
lute *n.* lant
luxuriance *n.* túltengés
luxuriant *a.* buja
luxurious *a.* fényűző
luxury *n.* luxus
lynch *v.t.* lincsel
lyre *n.* líra
lyric *a.* lírikus
lyric *n.* lírai-költemény
lyrical *a.* lírai
lyricist *n.* lírikus

ma *n.* anyu
macabre *a.* kísérteties
mace *n* buzogány
macerate *v.t.* elámaszt
machine *n* gép
machinery *n* gépezet
macho *a.* macho

mackerel *n* makréla
mad *a.* őrült
madam *n.* madám
madden *v.t.* megőrjít
madness *n* őrültség
magazine *n* folyóirat
maggot *n* kukac
magic *n* varázslat
magical *a.* varázslatos
magician *n.* bűvész
magisterial *a.* hatósági
magistracy *n.* bírósági-hivatal
magistrate *n.* rendőrbíró
magnanimity *n.* nagylelkűség
magnanimous *a.* nagylelkű
magnate *n.* mágnás
magnet *n.* mágnes
magnetic *a.* mágneses
magnetism *n.* mágnesesség
magnificent *a.* nagyszerű
magnify *v.t.* nagyobbít
magnitude *n.* nagyság
magpie *n.* szarka
mahogany *n.* mahagóni-fa
mahout *n.* elefántápoló
maid *n.* szobalány
maiden *n.* lány
maiden *a* lánykori
mail *n.* posta
mail *v.t.* felad
mail *n* páncél
main *a* legfontosabb
main *n* erő
mainly *adv.* főleg
mainstay *n.* oszlop
maintain *v.t.* fenntart
maintenance *n.* karbantartás
maize *n.* kukorica
majestic *a.* fenséges
majesty *n.* felség
major *a.* fontos
major *n* őrnagy

majority *n.* többség
make *v.t.* csinál
make *n* márka
maker *n.* alkotó
malady *n.* betegség
malaria *n.* malária
maladroit *a.* ügyetlen
malaise *n.* gyengélkedés
malcontent *a.* elégedetlen
malcontent *n* elégedetlenkedő
male *a.* hím
male *n* férfi
malediction *n.* átok
malefactor *n.* gonosztevő
maleficent *a.* rossz
malice *n.* rosszakarat
malicious *a.* rosszindulatú
malign *v.t.* becsmérel
malign *a* rosszindulatú
malignancy *n.* rosszindulat
malignant *a.* rosszakaratú
malignity *n.* rosszindulat
malleable *a.* képlékeny
mallow *n* mályva
malnutrition *n.* alultápláltság
malpractice *n.* szabálytalanság
malt *n.* maláta
maltreatment *n.* kínzás
mamma *n.* mama
mammal *n.* emlős
mammary *a.* tőgy
mammon *n.* mammon
mammoth *n.* mamut
mammoth *a* mamut-
man *n.* férfi
man *n.* ember
man *v.t.* vezet
manage *v.t.* kezel
manageable *a.* kezelhető
management *n.* vezetés
manager *n.* menedzser
managerial *a.* vezetői

mandate *n.* megbízás
mandatory *a.* kötelező
mane *n.* sörény
manful *a.* bátor
manganese *n.* mangán
manger *n.* jászol
mangle *v.t.* mángorló
mango *n* mangó
manhandle *v.t.* megtépáz
manhole *n.* búvónyílás
manhood *n.* férfiasság
mania *n* mánia
maniac *n.* mániás
manicure *n.* manikűr
manifest *a.* nyilvánvaló
manifest *v.t.* kimutat
manifestation *n.* megnyilvánulás
manifesto *n.* kiáltvány
manifold *a.* sokfajta
manipulate *v.t.* manipulál
manipulation *n.* manipuláció
mankind *n.* emberiség
manlike *a.* férfias
manliness *n* férfiasság
manly *a.* férfias
manna *n.* manna
mannequin *n.* manöken
manner *n.* mód
mannerism *n.* mesterkéltség
mannerly *a.* udvarias
manoeuvre *n.* manőver
manoeuvre *v.i.* manőverez
manor *n.* kastély
manorial *a.* urasági
mansion *n.* kastély
mantelpiece *n.* kandallópárkány
mantle *n* köpönyeg
mantle *v.t* eltakar
manual *a.* kézi
manual *n* kézikönyv

manufacture *v.t.* gyárt
manufacture *n* gyártás
manufacturer *n* gyártó
manumission *n.* felszabadítás
manumit *v.t.* felszabadít
manure *n.* trágya
manure *v.t.* trágyáz
manuscript *n.* kézirat
many *a.* sok
map *n* térkép
map *v.t.* feltérképez
mar *v.t.* elront
marathon *n.* maraton
maraud *v.i.* fosztogat
marauder *n.* fosztogató
marble *n.* márvány
march *n* menet
march *n.* március
march *v.i* menetel
mare *n.* kanca
margarine *n.* margarin
margin *n.* szegély
marginal *a.* lapszéli
marigold *n.* körömvirág
marine *a.* tengeri
mariner *n.* tengerész
marionette *n.* marionett
marital *a.* házassági
maritime *a.* tengeri
mark *n.* jel
mark *v.t* jelez
marker *n.* jelző
market *n* piac
market *v.t* értékesít
marketable *a.* piacképes
marksman *n.* mesterlövész
marmalade *n.* narancslekvár
maroon *n.* gesztenyebarna
maroon *a* gesztenyebarna
maroon *v.t* számkivet
marriage *n.* házasság
marriageable *a.* házasulandó

86

marry v.t. házasít
Mars n Mars
marsh n. mocsár
marshal n marsall
marshal v.t elrendez
marshy a. mocsaras
marsupial n. erszényes-állat
mart n. csarnok
marten n. nyest
martial a. katonai
martinet n. fegyelmező
martyr n. vértanú
martyrdom n. vértanúság
marvel n. csoda
marvel v.i csodálkozik
marvellous a. csodálatos
mascot n. talizmán
masculine a. férfias
mash n. pép
mash v.t összezúz
mask n. maszk
mask v.t. álcáz
mason n. kőműves
masonry n. kőművesség
masquerade n. álöltözet
mass n. tömeg
mass v.i összehalmozódik
massacre n. mészárlás
massacre v.t. mészárol
massage n. masszázs
massage v.t. masszíroz
masseur n. masszőr
massive a. nagy
massy a. súlyos
mast n. árboc
master n. gazda
master v.t. uralkodik
masterly a. mesteri
masterpiece n. remekmű
mastery n. uralom
masticate v.t. rág
masturbate v.i. onanizál

mat n. lábtörlő
matador n. matador
match n. mérkőzés
match v.i. összeillik
match n gyufa
matchless a. páratlan
mate n. társ
mate v.t. pároztat
mate n cimbora
material a. anyagi
material n anyag
materialism n. anyagelvűség
materialise v.t. megvalósít
maternal a. anyai
maternity n. anyaság
mathematical a. matematikai
mathematician n. matematikus
mathematics n matematika
matinee n. délutáni-előadás
matriarch n. matriarka
matricidal a. anyagyilkos
matricide n. anyagyilkosság
matriculate v.t. beiratkozik
matriculation n. beiratkozás
matrimonial a. házassági
matrimony n. házasság
matrix n mátrix
matron n. családanya
matter n. ügy
matter v.i. fontolgat
mattock n. bontócsákány
mattress n. matrac
mature a. érett
mature v.i megérik
maturity n. érettség
maudlin a érzelgős
maul n. sulyok
maul v.t marcangol
maunder v.t. kószál
mausoleum n. mauzóleum
mawkish a. édeskés
maxim n. aforizma

maximise v.t. maximál
maximum a. maximális
maximum n csúcsérték
May n. Május
may v lehet
mayor n. polgármester
maze n. labirintus
me pron. engem
mead n. mézesbor
meadow n. rét
meagre a. csekély
meal n. étkezés
mealy a. lisztes
mean a. fukar
mean a. átlagos
mean n. átlag
mean v.t jelent
meander v.i. kóborol
meaning n. jelentés
meaningful a. jelentőségteljes
meaningless a. értelmetlen
meanness n. fukarság
means n erőforrások
meanwhile adv. közben
measles n rubeóla
measurable a. mérhető
measure n. mérték
measure v.t megmér
measureless a. mértéktelen
measurement n. mérés
meat n. hús
mechanic n. szerelő
mechanic a mechanikai
mechanical a. mechanikai
mechanics n. mechanika
mechanism n. szerkezet
medal n. érem
medallist n. éremgyűjtő
meddle v.i. babrál
medieval a. középkori
median a. középső
mediate v.i. közvetít

mediation n. közvetítés
mediator n. közvetítő
medical a. egészségügyi
medicament n. gyógyszer
medicinal a. gyógyhatású
medicine n. orvostudomány
medico n. orvos
mediocre a. középszerű
mediocrity n. középszerűség
meditate v.t. elmélkedik
meditation n. elmélkedés
meditative a. elmélkedő
medium n közep
medium a közepes
meek a. szerény
meet n. találkozó
meet v.t. találkozik
meeting n. találkozás
megalith n. megalit
megalithic a. megalitikus
megaphone n. megafon
melancholia n. búskomorság
melancholic a. búskomor
melancholy n. búskomorság
melancholy adj búskomor
melee n. csetepaté
meliorate v.t. megjavít
mellow a. érett
melodious a. dallamos
melodrama n. melodráma
melodramatic a. melodrámai
melody n. dallam
melon n. dinnye
melt v.i. elolvad
member n. tag
membership n. tagság
membrane n. hártya
memento n. emlékeztető
memoir n. emlékirat
memorable a. emlékezetes
memorandum n memorandum
memorial n. emlékmű

memorial *a* emlékes
memory *n.* emlék
menace *n* fenyegetés
menace *v.t* fenyeget
mend *v.t.* javít
mendacious *a.* hazudozó
menial *a.* alantas
menial *n* szolga
meningitis *n.* agyhártyagyulladás
menopause *n.* klimax
menses *n.* menstruáció
menstrual *a.* menstruációs
menstruation *n.* menstruáció
mental *a.* szellemi
mentality *n.* mentalitás
mention *n.* említés
mention *v.t.* említ
mentor *n.* útmutató
menu *n.* étlap
mercantile *a.* kereskedelmi
mercenary *a.* zsoldos
merchandise *n.* áru
merchant *n.* kereskedő
merciful *a.* irgalmas
merciless *adj.* könyörtelen
mercurial *a.* mozgékony
mercury *n.* higany
mercy *n.* irgalom
mere *a.* puszta
merge *v.t.* beolvad
merger *n.* fúzió
meridian *a.* délkör
merit *n.* érdem
merit *v.t* megérdemel
meritorious *a.* érdemes
mermaid *n.* sellő
merman *n.* férfisellő
merriment *n.* vidámság
merry *a* vidám
mesh *n.* háló
mesh *v.t* behálóz

mesmerism *n.* delejesség
mesmerise *v.t.* delejez
mess *n.* rendetlenség
mess *v.i* bepiszkít
message *n.* üzenet
messenger *n.* hírnök
messiah *n.* Messiás
Messrs *abbrev.* Urak
metabolism *n.* anyagcsere
metal *n.* fém
metallic *a.* fémes
metallurgy *n.* kohászat
metamorphosis *n.* metamorfózis
metaphor *n.* metafora
metaphysical *a.* metafizikai
metaphysics *n.* metafizika
mete *v.t* szétoszt
meteor *n.* meteor
meteoric *a.* meteorikus
meteorologist *n.* meteorológus
meteorology *n.* meteorológia
meter *n.* méter
method *n.* módszer
methodical *a.* módszeres
metre *n.* méter
metric *a.* metrikus
metrical *a.* időmértékes
metropolis *n.* világváros
metropolitan *a.* nagyvárosi
mettle *n.* vérmérséklet
mettlesome *a.* tüzes
mew *v.i.* becsuk
mew *n.* kalitka
mezzanine *n.* félemelet
mica *n.* csillámpala
microbiology *n* mikrobiológi
microfilm *n.* mikrofilm
micrometer *n.* mikrométer
microphone *n.* mikrofon
microscope *n.* mikroszkóp

microscopic a.
mikroszkopikus
microwave n. mikrohullám
mid a. középen
midday n. dél
middle a. középső
middle n középpont
middleman n. közvetítő
middling a. közepes
midget n. törpe
midland n. belországi
midnight n. éjfél
midriff n. rekeszizom
midst adv középen
midsummer n. nyárközép
mid-way a félúton
midwife n. szülésznő
might n. hatalom
mighty a. hatalmas
migraine n. migrén
migrant n. migráns
migrate v.i. vándorol
migration n. migráció
milch a. tejelő
mild a. enyhe
mildew n. penész
mile n. mérföld
mileage n. mérföldteljesítmén
milestone n. mérföldkő
milieu n. miliő
militant a. harcos
militant n aktivista
military a. katonai
military n katonaság
militate v.i. harcol
militia n. milícia
milk n. tej
milk v.t. megfej
milky a. tejes
mill n. malom
mill v.t. darál
millennium n. évezred

miller n. molnár
millet n. köles
milliner n. kalaposnő
millinery n. női-kalapszalon
million n. millió
millionaire n. milliomos
millipede n. százlábú
mime n. pantomim
mime v.i némajátékkal-utánoz
mimesis n. mimikri
mimic a. utánzó
mimic n némajátékos
mimic v.t utánoz
mimicry n mimika
minaret n. mecset-tornya
mince v.t. ledarál
mind n. elme
mind v.t. figyel
mindful a. figyelmes
mindless a. gondatlan
mine pron. enyém
mine n bánya
miner n. bányász
mineral n. ásvány
mineral a ásványi
mineralogist n. minearológus
mineralogy n. ásványtan
mingle v.t. keveredik
miniature n. miniatűr
miniature a. kisméretű
minim n. minim
minimal a. minimális
minimise v.t. lekicsinyel
minimum n. minimum
minimum a minimális
minion n. kegyenc
minister n. miniszter
minister v.i. segít
ministry n. minisztérium
mink n. nyérc
minor a. jelentéktelen
minor n kiskorú

90

minority *n.* kisebbség
minster *n.* katedrális
mint *n.* pénzverde
mint *n* menta
mint *v.t.* ver
minty *a* mentolos
minus *prep.* nélkül
minus *a* kevesebb
minus *n* mínusz
minuscule *a.* apró
minute *a.* apró
minute *n.* perc
minutely *adv.* percenként
minx *n.* kokett
miracle *n.* csoda
miraculous *a.* csodálatos
mirage *n.* délibáb
mire *n.* mocsár
mire *v.t.* bemocskol
mirror *n* tükör
mirror *v.t.* visszatükröz
mirth *n.* vidámság
mirthful *a.* vidám
misadventure *n.* balszerencse
misalliance *n.* helytelen-
szövetség
misanthrope *n.* embergyűlölő
misapplication *n.* helytelen-
alkalmazás
misapprehend *v.t.* félreért
misapprehension *n* félreértés
misappropriate *v.t.* sikkaszt
misappropriation *n.* hűtlen-
kezelés
misbehave *v.i.* neveletlenkedik
misbehaviour *n.* neveletlenség
misbelief *n.* tévhit
miscalculate *v.t.* téved
miscalculation *n.* tévedés
miscall *v.t.* becsmérel
miscarriage *n.* elveszés
miscarry *v.i.* elvetél

miscellaneous *a.* különféle
miscellany *n.* egyveleg
mischance *n.* balszerencse
mischief *n* csíny
mischievous *a.* csintalan
misconceive *v.t.* félreért
misconception *n.* félreértés
misconduct *n.* neveletlenség
misconstrue *v.t.* félremagyaráz
miscreant *n.* gonosztevő
misdeed *n.* gaztett
misdemeanour *n.* vétség
misdirect *v.t.* rosszul-címez
misdirection *n.* tévedés
miser *n.* fösvény
miserable *a.* nyomorult
miserly *a.* fukar
misery *n.* boldogtalanság
misfire *v.i.* gyújtáskihagy
misfit *n.* kallódó-ember
misfortune *n.* balszerencse
misgive *v.t.* félelmet-ébreszt
misgiving *n.* aggodalom
misguide *v.t.* félrevezet
mishap *n.* baleset
misjudge *v.t.* lebecsül
mislead *v.t.* félrevezet
mismanagement *n.* rossz-
irányítás
mismatch *v.t.* eltér
misnomer *n.* helytelen-
elnevezés
misplace *v.t.* elhány
misprint *n.* nyomdahiba
misprint *v.t.* sajtóhibát-vét
misrepresent *v.t.* hamisan-leír
misrule *n.* rossz-közigazgatás
miss *n.* kisasszony
miss *n.* céltévesztés
miss *v.i.* hiányzik
miss *v.t.* elmulaszt
missile *n.* rakéta

mission *n.* küldetés
missionary *n.* hittérítő
missive *n.* levél
missus *n..* asszony
mist *n.* köd
mistake *n.* hiba
mistake *v.t.* téved
mister *n.* úr
mistletoe *n.* fagyöngy
mistreat *v.t.* rosszul-kezel
mistress *n.* úrnő
mistrust *n.* bizalmatlanság
mistrust *v.t.* gyanakodik
misty *a.* ködös
misunderstand *v.t.* félreért
misunderstanding *n.* félreértés
misuse *n.* visszaélés
misuse *v.t.* visszaél
mite *n.* atka
mite *n* kisgyerek
mitigate *v.t.* enyhít
mitigation *n.* enyhítés
mitre *n.* püspöksüveg
mitten *n.* ujjatlan-kesztyű
mix *v.i* kever
mixture *n.* keverék
moan *v.i.* kesereg
moan *n.* nyögés
moat *n.* várárok
moat *v.t.* körülárkol
mob *n.* csőcselék
mob *v.t.* tolong
mobile *a.* mozgatható
mobility *n.* mozgékonyság
mobilise *v.t.* mozgósít
mock *v.i.* gúnyol
mock *adj* utánzott
mockery *n.* csúfolódás
modality *n.* módozat
mode *n.* mód
model *n.* minta

model *v.t.* mintáz
moderate *a.* mérsékelt
moderate *v.t.* mérsékel
moderation *n.* mérséklet
modern *a.* korszerű
modernity *n.* korszerűség
modernise *v.t.* korszerűsít
modest *a.* szerény
modesty *n* szerénység
modicum *n.* kis-mennyiség
modification *n.* módosítás
modify *v.t.* módosít
modulate *v.t.* szabályoz
moil *n* robotolás
moist *a.* nedves
moisten *v.t.* megnedvesít
moisture *n.* nedvesség
molar *n.* zápfog
molar *a* záp-
molasses *n* melasz
mole *n.* anyajegy
mole *n* vakond
molecular *a.* molekuláris
molecule *n.* molekula
molest *v.t.* zaklat
molestation *n.* zaklatás
molten *a.* olvadt
moment *n.* pillanat
momentary *a.* pillanatnyi
momentous *a.* jelentős
momentum *n.* lendület
monarch *n.* uralkodó
monarchy *n.* monarchia
monastery *n.* kolostor
monasticism *n* szerzetesség
Monday *n.* hétfő
monetary *a.* pénzügyi
money *n.* pénz
monger *n.* kereskedő
mongoose *n.* indiai-menyét
mongrel *a* korcs
monitor *n.* felügyelő

monitory *a.* figyelmeztető
monk *n.* szerzetes
monkey *n.* majom
monochromatic *a.* egyszínű
monocle *n.* monokli
monocular *a.* félszemű
monody *n.* monódia
monogamy *n.* egynejűség
monogram *n.* névjel
monograph *n.* monográfia
monogynous *a.* egynejű
monolatry *n.* egyistenhit
monolith *n.* monolit
monologue *n.* monológ
monopolist *n.* monopolista
monopolise *v.t.* monopolizál
monopoly *n.* monopólium
monosyllable *n.* egytagú-szó
monosyllabic *a.* egytagos
monotheism *n.* egyistenhit
monotheist *n.* monoteista
monotonous *a.* monoton
monotony *n* egyhangúság
monsoon *n.* monszun
monster *n.* szörnyeteg
monstrous *a.* szörnyű
month *n.* hónap
monthly *a.* havi
monthly *adv* havonként
monthly *n* havilap
monument *n.* emlékmű
monumental *a.* hatalmas
moo *v.i* bőg
mood *n.* hangulat
moody *a.* mélabús
moon *n.* hold
moor *n.* kikötés
moor *v.t* kiköt
moorings *n.* hajókötél
moot *n.* vita
mop *n.* mosogatórongy
mop *v.t.* felmos

mope *v.i.* szomorkodik
moral *a.* erkölcsi
moral *n.* erkölcs
morale *n.* közszellem
moralist *n.* moralista
morality *n.* erény
moralise *v.t.* moralizál
morbid *a.* kóros
morbidity *n* morbiditás
more *a.* több
more *adv* inkább
moreover *adv.* ráadásul
morgue *n.* hullaház
moribund *a.* haldokló
morning *n.* reggel
moron *n.* idióta
moronic *a* gügye
morose *a.* mogorva
morphia *n.* morfin
morrow *n.* holnap
morsel *n.* morzsa
mortal *a.* halálos
mortal *n* élő-ember
mortality *n.* halálozás
mortar *v.t.* habarcs
mortgage *n.* jelzálog
mortgage *v.t.* elzálogosít
mortgagee *n.* jelzálog-
tulajdonos
mortgagor *n.* jelzálogos-adós
mortify *v.t.* sanyargat
mortuary *n.* halottasház
mosaic *n.* mozaik
mosque *n.* mecset
mosquito *n.* szúnyog
moss *n.* moha
most *a.* legtöbb
most *adv.* nagyon
most *n* legtöbb
mote *n.* porszemecske
motel *n.* motel
moth *n.* ruhamoly

mother *n* anya
mother *v.t.* anyaként-gondoz
motherhood *n.* anyaság
motherlike *a.* anyai
motherly *a.* anyai
motif *n.* motívum
motion *n.* mozgás
motion *v.i.* int
motionless *a.* mozdulatlan
motivate *v.t.* motivál
motivation *n.* motiváció
motive *n.* indíték
motley *a.* tarkabarka
motor *n.* motor
motor *v.i.* hajt
motorist *n.* autós
mottle *n.* folt
motto *n.* jelmondat
mould *n.* öntőforma
mould *v.t.* kiönt
mould *n* penész
mouldy *a.* penészes
moult *v.i.* vedlik
mound *n.* dombocska
mount *n.* állvány
mount *v.t.* felmászik
mount *n* domb
mountain *n.* hegy
mountaineer *n.* hegymászó
mountainous *a.* hegyvidéki
mourn *v.i.* gyászol
mourner *n.* gyászoló
mournful *n.* gyászos
mourning *n.* gyász
mouse *n.* egér
moustache *n.* bajusz
mouth *n.* száj
mouth *v.t.* nyomatékkal-beszél
mouthful *n.* falat
movable *a.* mozgatható
movables *n.* ingóságok
move *n.* mozgás

move *v.t.* mozog
movement *n.* mozgalom
mover *n.* mozgató
movies *n.* filmek
mow *v.t.* lenyír
much *n* sok
much *adv* sokkal
mucilage *n.* nyálka
muck *n.* szar
mucous *a.* nyálkás
mucus *n.* nyálka
mud *n.* sár
muddle *n.* zűrzavar
muddle *v.t.* összezavar
muffle *v.t.* bebugyolál
muffler *n.* hangtompító
mug *n.* bögre
muggy *a.* fülledt
mulatto *n.* mulatt
mulberry *n.* eperfa
mule *n.* öszvér
mulish *a.* csökönyös
mull *n.* mullszövet
mull *v.t.* töpreng
mullah *n.* mullah
mullion *n.* ablakborda
multifarious *a.* sokféle
multiform *n.* sokalakú
multilateral *a.* többoldalú
multiparous *a.* többször
multiple *a.* többszörös
multiple *n* többes
multiped *n.* soklábú
multiplex *a.* multiplex
multiplicand *n.* szorzandó
multiplication *n.* szorzás
multiplicity *n.* sokféleség
multiply *v.t.* sokszorosít
multitude *n.* sokaság
mum *a.* néma
mum *n* anyu
mumble *v.i.* motyog

mummer *n.* némajátékos
mummy *n.* múmia
mummy *n* anyu
mumps *n.* mumpsz
munch *v.t.* rágcsál
mundane *a.* földi
municipal *a.* községi
municipality *n.* város
munificent *a.* adakozó
muniment *n.* okirat
munitions *n.* lőszer
mural *a.* fali
mural *n.* falfestmény
murder *n.* gyilkosság
murder *v.t.* gyilkol
murderer *n.* gyilkos
murderous *a.* gyilkos
murmur *n.* moraj
murmur *v.t.* morog
muscle *n.* izom
muscovite *n.* muszka
muscular *a.* izmos
muse *v.i.* eltűnődik
muse *n* múzsa
museum *n.* múzeum
mush *n.* kása
mushroom *n.* gomba
music *n.* zene
musical *a.* zenei
musician *n.* zenész
musk *n.* pézsma
musket *n.* puska
musketeer *n.* muskétás
muslin *n.* muszlin
must *v.* kell
must *n.* penész
must *n* must
mustache *n.* bajusz
mustang *n.* musztáng
mustard *n.* mustár
muster *v.t.* gyülekezik
muster *n* mustra

musty *a.* dohos
mutation *n.* mutáció
mutative *a.* mutációs
mute *a.* néma
mute *n.* néma-ember
mutilate *v.t.* megrongál
mutilation *n.* csonkítás
mutinous *a.* lázadó
mutiny *n.* lázadás
mutiny *v. i* fellázad
mutter *v.i.* motyog
mutton *n.* ürühús
mutual *a.* kölcsönös
muzzle *n.* szájkosár
muzzle *v.t* felpeckel
my *a.* én
myalgia *n.* izomfájás
myopia *n.* myopia
myopic *a.* rövidlátó
myosis *n.* myosis
myriad *n.* tízezer
myriad *a* miriád
myrrh *n.* mirha
myrtle *n.* mirtusz
myself *pron.* én-magam
mysterious *a.* titokzatos
mystery *n.* rejtély
mystic *a.* titokzatos
mystic *n* misztikus
mysticism *n.* miszticizmus
mystify *v.t.* elámít
myth *n.* mítosz
mythical *a.* mitikus
mythological *a.* mitológiai
mythology *n.* mitológia

nab *v.t.* elcsíp
nabob *n.* nábob

nadir *n.* mélypont
nag *n.* gebe
nag *v.t.* zsémbel
nail *n.* köröm
nail *n.* szeg
nail *v.t.* szegez
naive *a.* naiv
naivete *n.* ártatlanság
naivety *n.* naivitás
naked *a.* meztelen
name *n.* név
name *v.t.* elnevez
namely *adv.* azaz
namesake *n.* névrokon
nap *v.i.* szunyókál
nap *n.* szundikálás
nap *n* sziesztá
nape *n.* tarkó
napkin *n.* szalvéta
narcissism *n.* önimádat
narcissus *n* nárcisz
narcosis *n.* narkózis
narcotic *n.* kábító
narrate *v.t.* mesél
narration *n.* elmondás
narrative *n.* elmesélés
narrative *a.* elbeszélő
narrator *n.* narrátor
narrow *a.* keskeny
narrow *v.t.* szűkít
nasal *a.* orr
nasal *n* orr
nascent *a.* keletkező
nasty *a.* utálatos
natal *a.* születési
nation *n.* nemzet
national *a.* nemzeti
nationalism *n.* nacionalizmus
nationalist *n.* nacionalista
nationality *n.* nemzetiség
nationalisation *n.* államosítás
nationalise *v.t.* államosít

native *a.* bennszülött
native *n* bennszülött
nativity *n.* születés
natural *a.* természetes
naturalist *n.* természettudós
naturalise *v.t.* honosít
naturally *adv.* természetesen
nature *n.* természet
naughty *a.* csintalan
nausea *n.* hányinger
nautical *a.* tengeri
naval *a.* haditengerészeti
nave *n.* templomhajó
navigable *a.* hajózható
navigate *v.i.* hajózik
navigation *n.* navigáció
navigator *n.* navigátor
navy *n.* haditengerészet
nay *adv.* sőt
neap *a.* apad
near *a.* közeli
near *prep.* közel
near *adv.* majdnem
near *v.i.* közeledik
nearly *adv.* csaknem
neat *a.* rendes
nebula *n.* ködfolt
necessary *a* szükséges
necessitate *v.t.* követel
necessity *n.* szükség
neck *n.* nyak
necklace *n.* nyaklánc
necklet *n.* gyöngysor
necromancer *n.* halottidéző
necropolis *n.* temetkezőhely
nectar *n.* nektár
need *n.* igény
need *v.t.* megkíván
needful *a.* szűkölködő
needle *n.* tű
needless *a.* fölösleges
needs *adv.* igények

96

needy *a.* szűkölködő
nefandous *a.* kimondhatatlan
nefarious *a.* aljas
negation *n.* tagadás
negative *a.* negatív
negative *n.* tagadás
negative *v.t.* ellenez
neglect *v.t.* elhanyagol
neglect *n* elhanyagolás
negligence *n.* gondatlanság
negligent *a.* gondatlan
negligible *a.* elhanyagolható
negotiable *a.* átruházható
negotiate *v.t.* tárgyal
negotiation *n.* tárgyalás
negotiator *n.* tárgyaló
negress *n.* négernő
negro *n.* néger
neigh *v.i.* nyerít
neigh *n.* nyerítés
neighbour *n.* szomszéd
neighbourhood *n.*
  szomszédság
neighbourly *a.* jószomszédi
neither *conj.* sem
nemesis *n.* végzet
neolithic *a.* neolit
neon *n.* neon
nephew *n.* unokaöcs
nepotism *n.* nepotizmus
Neptune *n.* Neptun
nerve *n.* ideg
nerveless *a.* tehetetlen
nervous *a.* ideges
nescience *n.* tudatlanság
nest *n.* fészek
nest *v.t.* fészket-rak
nether *a.* alsó
nestle *v.i.* fészkel
nestling *n.* madárfióka
net *n.* háló
net *a* nettó

nettle *n.* csalán
nettle *v.t.* ingerel
network *n.* hálózat
neurologist *n.* ideggyógyász
neurology *n.* ideggyógyászat
neurosis *n.* idegbetegség
neuter *a.* semleges
neuter *n* semleges-nem
neutral *a.* semleges
neutralise *v.t.* semlegesít
neutron *n.* neutron
never *adv.* soha
nevertheless *conj.*
  mindamellett
new *a.* új
news *n.* hír
next *a.* következő
next *adv.* azután
nib *n.* tollhegy
nibble *v.t.* rágcsál
nibble *n* rágcsálás
nice *a.* kedves
nicety *n.* kényesség
niche *n.* fülke
nick *n.* bevágás
nick *v.t.* lop
nickel *n.* nikkel
nickname *n.* becenév
nicotine *n.* nikotin
niece *n.* unokahúg
niggard *n.* zsugori
niggardly *a.* zsugori
nigh *adv.* majdnem
nigh *prep.* közel
night *n.* éjszaka
nightingale *n.* fülemüle
nightly *adv.* éjszakai
nightmare *n.* lidércnyomás
nightie *n.* hálóing
nihilism *n.* nihilizmus
nil *n.* nulla
nimble *a.* fürge

nimbus *n.* világítófelhő
nine *n.* kilenc
nineteen *n.* tizenkilenc
nineteenth *a.* tizenkilencedik
ninetieth *a.* kilencvenedik
ninth *a.* kilencedik
ninety *n.* kilencven
nip *n.* becsípés
nip *v.t* becsíp
nipple *n.* mellbimbó
nitrogen *n.* nitrogén
no *a.* nincs
no *adv.* nem
no *n* nem
nobility *n.* nemesség
noble *a.* nemes
noble *n.* nemesember
nobleman *n.* nemesember
nobody *pron.* senki
nocturnal *a.* éjszakai
nod *v.i.* bólint
node *n.* csomópont
noise *n.* zaj
noisy *a.* zajos
nomad *n.* nomád
nomadic *a.* nomád
nomenclature *n.* nómenklatúra
nominal *a.* névleges
nominate *v.t.* jelöl
nomination *n.* jelölés
nominee *n* jelölt
non-alignment *n.* nem-összehangolás
nonchalance *n.* közönyösség
nonchalant *a.* közönyös
none *pron.* semmi
none *adv.* semmiképpen
nonentity *n.* senki
nonetheless *adv.* mindazonáltal
nonpareil *a.* páratlan
nonpareil *n.* páratlan

nonplus *v.t.* meghökkent
nonsense *n.* hülyeség
nonsensical *a.* abszurd
nook *n.* sarok
noon *n.* dél
noose *n.* hurok
noose *v.t.* meghurkol
nor *conj* sem
norm *n.* norma
norm *n.* minta
normal *a.* rendes
normalcy *n.* normális-állapot
normalise *v.t.* szabványosít
north *n.* észak
north *a* északi
north *adv.* északra
northerly *a.* északi
northerly *adv.* északfelé
northern *a.* északi
nose *n.* orr
nose *v.t* kiszaglász
nosegay *n.* virágcsokor
nosey *a.* kotnyeles
nostalgia *n.* nosztalgia
nostril *n.* orrlyuk
nostrum *n.* csodaszer
not *adv.* nem
notability *n.* előkelőség
notable *a.* jelentős
notary *n.* jegyző
notation *n.* jelölés
notch *n.* bemetszés
note *n.* jegyzet
note *n.* hangjegy
note *v.t.* jegyzetel
noteworthy *a.* figyelemreméltó
nothing *n.* semmi
nothing *adv.* sincs
notice *n.* értesítés
notice *v.t.* észrevesz
notification *n.* bejelentés
notify *v.t.* bejelent

notion *n.* elképzelés
notional *a.* képzeletbeli
notoriety *n.* hírhedtség
notorious *a.* hírhedt
notwithstanding *prep.* ellenére
notwithstanding *adv.* dacára
notwithstanding *conj.* jóllehet
nought *n.* nulla
noun *n.* főnév
nourish *v.t.* táplál
nourishment *n.* táplálék
novel *a.* újszerű
novel *n* regény
novelette *n.* kisregény
novelist *n.* regényíró
novelty *n.* újdonság
november *n.* november
novice *n.* újonc
now *adv.* most
now *conj.* hát
nowhere *adv.* sehol
noxious *a.* kártékony
nozzle *n.* szórófej
nuance *n.* árnyalat
nubile *a.* házasulandó
nuclear *a.* nukleáris
nucleus *n.* atommag
nude *a.* meztelen
nude` *n* akt
nudity *n.* meztelenség
nudge *n.* meglökés
nudge *v.t.* lök
nugget *n.* aranyrög
nuisance *n.* kellemetlenség
null *a.* érvénytelen
nullification *n.* megsemmisítés
nullify *v.t.* megsemmisít
numb *a.* zsibbadt
number *n.* szám
number *v.t.* beszámoz
numberless *a.* számtalan

numeral *a.* számbeli
numeral *n.* számjegy
numerator *n.* számláló
numerical *a.* számszerinti
numerous *a.* számos
nun *n.* apáca
nunnery *n.* apácazárda
nuptial *a.* lakodalmas
nuptials *n.* lakodalom
nurse *n.* ápolónő
nurse *v.t* ápol
nursery *n.* óvoda
nurture *n.* gondozás
nurture *v.t.* gondoz
nut *n* dió
nutrition *n.* táplálkozás
nutritious *a.* tápláló
nutritive *a.* tápláló
nuzzle *v.t.* szaglász
nylon *n.* nejlon
nymph *n.* nimfa

oak *n.* tölgy
oar *n.* evezős
oarsman *n.* evezős
oasis *n.* oázis
oat *n.* zab
oath *n.* eskü
obduracy *n.* makacsság
obdurate *a.* makacs
obedience *n.* engedelmesség
obedient *a.* engedelmes
obeisance *n.* tiszteletadás
obesity *n.* elhízottság
obey *v.t.* engedelmeskedik
obituary *a.* gyászjelentés
object *n.* céltárgy
object *v.t.* tiltakozik

objection *n.* tiltakozás
objectionable *a.* kifogásolható
objective *n.* célkitűzés
objective *a.* objektív
oblation *n.* áldozat
obligation *n.* kötelezettség
obligatory *a.* kötelező
oblige *v.t.* kötelez
oblique *a.* ferde
obliterate *v.t.* kitöröl
obliteration *n.* kitörlés
oblivion *n.* feledés
oblivious *a.* feledékeny
oblong *a.* hosszúkás
oblong *n.* téglalap
obnoxious *a.* ellenszenves
obscene *a.* trágár
obscenity *n.* trágárság
obscure *a.* homályos
obscure *v.t.* elrejt
obscurity *n.* homály
observance *n.* megtartás
observant *a.* figyelmes
observation *n.* megfigyelés
observatory *n.* obszervatórium
observe *v.t.* megfigyel
obsess *v.t.* megszáll
obsession *n.* megszállottság
obsolete *a.* elavult
obstacle *n.* akadály
obstinacy *n.* makacsság
obstinate *a.* makacs
obstruct *v.t.* akadályoz
obstruction *n.* akadály
obstructive *a.* akadályozó
obtain *v.t.* szerez
obtainable *a.* megszerezhető
obtuse *a.* tompa
obvious *a.* nyilvánvaló
occasion *n.* alkalom
occasional *a.* alkalmi

occasionally *adv.* alkalmanként
occident *n.* nyugat
occidental *a.* nyugati
occult *a.* okkult
occupancy *n.* birtoklás
occupant *n.* birtokos
occupation *n.* foglalkozás
occupier *n.* bérlő
occupy *v.t.* megszáll
occur *v.i.* előfordul
occurrence *n.* esemény
ocean *n.* óceán
oceanic *a.* óceáni
octagon *n.* nyolcszög
octave *n.* oktáv
October *n.* október
octogenarian *a.* nyolcvanéves
octogenarian *a* nyolcvanéves
octroi *n.* helyi-adó
ocular *a.* szemi
oculist *n.* szemorvos
odd *a.* páratlan
odd *a.* furcsa
oddity *n.* furcsaság
odds *n.* esély
ode *n.* óda
odious *a.* undok
odium *n.* gyalázat
odorous *a.* szagos
odour *n.* szag
offence *n.* sértés
offend *v.t.* sért
offender *n.* szabálysértő
offensive *a.* támadó
offensive *n* támadás
offer *v.t.* kínál
offer *n* kínálat
offering *n.* ajánlat
office *n.* hivatal
officer *n.* tiszt
official *a.* hivatalos

100

official *n* tisztviselő
officially *adv.* hivatalosan
officiate *v.i.* ténykedik
officious *a.* fontoskodó
offset *v.t.* kiegyenlít
offset *n* hajtás
offshoot *n.* sarjadás
offspring *n.* ivadék
oft *adv.* gyakran
often *adv.* gyakran
ogle *v.t.* kacsingat
ogle *n* kacsintás
oil *n.* olaj
oil *v.t* olajoz
oily *a.* olajos
ointment *n.* kenőcs
old *a.* régi
old *a.* öreg
oligarchy *n.* oligarchia
olive *n.* olajbogyó
olympiad *n.* Olimpia
omega *n.* omega
omelette *n.* omlett
omen *n.* ómen
ominous *a.* baljóslatú
omission *n.* kihagyás
omit *v.t.* kihagy
omnipotence *n.* mindenhatóság
omnipotent *a.* mindenható
omnipresence *n.* mindenütt-jelenvalóság
omnipresent *a.* mindenütt-jelenvaló
omniscience *n.* mindentudás
omniscient *a.* mindentudó
on *prep.* on
on *adv.* on
once *adv.* egyszer
one *a.* egy
one *pron.* egyik
oneness *n.* egység

onerous *a.* súlyos
onion *n.* hagyma
on-looker *n.* néző
only *a.* egyetlen
only *adv.* csak
only *conj.* hanem
onomatopoeia *n.* hangután-zószó
onomatopoeic *a.* hangutánzó
onrush *n.* roham
onset *n.* kezdet
onslaught *n.* támadás
onus *n.* felelősség
onward *a.* előrehaladó
onwards *adv.* tovább
ooze *n.* szivárgás
ooze *v.i.* szivárog
opacity *n.* átlátszatlanság
opal *n.* opál
opaque *a.* átlátszatlan
open *a.* nyitott
open *v.i.* nyílik
open *v.t.* kinyit
opening *n.* nyitás
openly *adv.* nyíltan
opera *n.* opera
operate *v.t.* működik
operation *n.* műtét
operative *a.* működő
operator *n.* kezelő
opine *v.t.* vél
opinion *n.* vélemény
opium *n.* ópium
opponent *n.* ellenfél
opportune *a.* időszerű
opportunism *n.* opportunizmus
opportunity *n.* alkalom
oppose *v.t.* ellenez
opposite *a.* ellentétes
opposite *adv.* szemben
opposition *n.* ellenzék
oppress *v.t.* elnyom

oppression *n.* elnyomás
oppressive *a.* elnyomó
oppressor *n.* zsarnok
opt *v.i.* választ
optic *a.* látási
optician *n.* látszerész
optimism *n.* optimizmus
optimist *n.* optimista
optimistic *a.* derűlátó
optimum *n.* legjobb
optimum *a* optimális
option *n.* opció
optional *a.* választható
opulence *n.* bőség
opulent *a.* dúsgazdag
oracle *n.* jóslat
oracular *a.* jóslatszerű
oral *a.* orális
orally *adv.* szóban
orange *n.* narancs
orange *a* narancssárga
oration *n.* szónoklat
orator *n.* szónok
oratorical *a.* szónoki
oratory *n.* ékesszólás
orb *n.* gömb
orbit *n.* keringés
orbit *v.t.* kering
orchard *n.* gyümölcsöskert
orchestra *n.* zenekar
orchestral *a.* zenekari
ordeal *n.* megpróbáltatás
order *n.* rend
order *v.t* rendel
orderly *a.* rendes
orderly *n.* küldönc
ordinance *n.* utasítás
ordinarily *adv.* szokványosan
ordinary *a.* általában
ordnance *n.* lőszer
ore *n.* érc
organ *n.* orgona

organ *n.* szerv
organic *a.* szerves
organism *n.* szervezet
organisation *n.* szervezet
organise *v.t.* szervez
orient *n.* napkelet
orient *v.t.* tájékozódik
oriental *a.* keleti
oriental *n* keleti-ember
orientate *v.t.* tájékozódik
origin *n.* származás
original *a.* eredeti
original *n* eredeti
originality *n.* eredetiség
originate *v.t.* származik
originator *n.* kezdeményező
ornament *n.* díszítmény
ornament *v.t.* díszít
ornamental *a.* díszítő
ornamentation *n.* díszítés
orphan *n.* árva
orphan *v.l* árvánmarad
orphanage *n.* árvaház
orthodox *a.* ortodox
orthodoxy *n.* ortodoxia
oscillate *v.i.* rezeg
oscillation *n.* rezgés
ossify *v.t.* elcsontosít
ostracise *v.t.* kiközösít
ostrich *n.* strucc
other *a.* más
other *pron.* másik
otherwise *adv.* másképp
otherwise *conj.* egyébként
otter *n.* vidra
Ottoman *n.* ottomán
ounce *n.* uncia
our *pron.* mi
ours *pron.* mienk
oust *v.t.* elűz
out *a.* külső
out *adv.* kifelé

outbid v.t. túllicitál
outbreak n. kitörés
outburst n. kirobbanás
outcast n. száműzött
outcast a kitaszított
outcome n. eredmény
outcry n. felháborodás
outdated a. elavult
outdo v.t. lepipál
outdoor a. szabadtéri
outer a. külső
outfit n. felszerelés
outfit v.t felszerel
outgrow v.t. túlnő
outhouse n. melléképület
outing n. kirándulás
outlandish a. különös
outlaw n. betyár
outlaw v.t kitaszít
outline n. vázlat
outline v.t. körvonalaz
outlive v.i. túlél
outlook n. kilátás
outmoded a. idejétmúlt
outnumber v.t. túlerőben-van
outpatient n. járóbeteg
outpost n. előőrs
output n. teljesítmény
outrage n. felháborodás
outrage v.t. felháborodik
outright adv. nyíltan
outright a nyílt
outrun v.t. leköröz
outset n. indulás
outshine v.t. elhomályosít
outside a. külső
outside n kinn
outside adv kívül
outside prep kívül
outsider n. kívülálló
outsize a. túlméretezett
outskirts n.pl. külvárosok

outspoken a. őszinte
outstanding a. kiemelkedő
outward a. külső
outward adv kifelé
outwards adv kifelé
outwardly adv. külsőleg
outweigh v.t. felülmúl
outwit v.t. rászed
oval a. ovális
oval n ovál
ovary n. petefészek
ovation n. ováció
oven n. sütő
over prep. át
over adv felül
over n túllövés
overact v.t. túloz
overall n. munkaköpeny
overall a átfogó
overawe v.t. megfélemlít
overboard a. túlzott
overburden v.t. túlterhel
overcast a. felhős
overcharge v.t. túlfizettet
overcharge n túlterhelés
overcoat n. felsőkabát
overcome v.t. legyőz
overdo v.t. túloz
overdose n. túladagolás
overdose v.t. túladagol
overdraft n. hiteltúllépés
overdraw v.t. túlkarikíroz
overdue a. megkésett
overhaul v.t. kivizsgál
overhaul n. kivizsgálás
overhear v.t. kihallgat
overjoyed a elragadtatott
overlap v.t. túlfed
overlap n átfedés
overleaf adv. túloldalon
overload v.t. túlterhel
overload n tehertöbblet

overlook v.t. lenéz
overnight adv. estétől-reggelig
overnight a éjszakai
overpower v.t. legyőz
overrate v.t. túlbecsül
overrule v.t. elutasít
overrun v.t átfut
oversee v.t. felügyel
overseer n. felügyelő
overshadow v.t. beárnyékol
oversight n. elnézés
overt a. nyílt
overtake v.t. megelőz
overthrow v.t. megbuktat
overthrow n megbuktatás
overtime adv. túlórán
overtime n túlóra
overture n. nyitány
overwhelm v.t. elborít
overwork n. túlmunka
owe v.t tartozik
owl n. bagoly
own a. saját
own v.t. birtokol
owner n. tulajdonos
ownership n. tulajdon
ox n. ökör
oxygen n. oxigén
oyster n. osztriga

pa n. apa
pace n lépés
pace v.i. kilép
pacific a. békés
Pacific n Csendes-óceán
pacify v.t. kibékít
pack n. csomag
pack v.t. csomagol

package n. csomagolás
packet n. tasak
packing n. csomagolás
pact n. egyezmény
pad n. párna
pad v.t. kipárnáz
padding n. párnázás
paddle v.i. evez
paddle n lapát
paddy n. hántolatlan
page n. oldal
page v.t. lapszámoz
pageant n. parádé
pageantry n. pompa
pagoda n. pagoda
pail n. vödör
pain n. fájdalom
pain v.t. fáj
painful a. fájdalmas
painstaking a. fáradhatatlan
paint n. festék
paint v.t. fest
painter n. festő
painting n. festmény
pair n. pár
pair v.t. párosít
pal n. haver
palace n. palota
palanquin n. gyaloghintó
palatable a. ízletes
palatal a. palatális
palate n. szájpadlás
palatial a. fejedelmi
pale n. palánk
pale a sápadt
pale v.i. elsápaszt
palette n. paletta
palm n. tenyér
palm v.t. megfog
palm n. pálma
palmist n. tenyérjós
palmistry n. tenyérjóslás

palpable *a.* kézzelfogható
palpitate *v.i.* lüktet
palpitation *n.* dobogás
palsy *n.* bénulás
paltry *a.* csekély
pamper *v.t.* elkényeztet
pampered *a* elkényeztetett
pamphlet *n.* röpirat
pamphleteer *n.* röpiratíró
panacea *n.* csodaszer
pandemonium *n.* zűrzavar
pane *n.* ablaktábla
panegyric *n.* dicshimnusz
panel *n.* fatábla
panel *v.t.* táblákra-oszt
pang *n.* gyötrelem
panic *n.* pánik
panorama *n.* körkép
pant *v.i.* liheg
pant *n.* lihegés
pantaloon *n.* pantaleone
pantheism *n.* panteizmus
pantheist *n.* panteista
panther *n.* párduc
pantomime *n.* pantomim
pantry *n.* spájz
papacy *n.* pápaság
papal *a.* pápai
paper *n.* papír
par *n.* par
parable *n.* példázat
parachute *n.* ejtőernyő
parachutist *n.* ejtőernyős
parade *n.* parádé
parade *v.t.* parádézik
paradise *n.* paradicsom
paradox *n.* paradoxon
paradoxical *a.* paradox
paraffin *n.* kőolaj
paragon *n.* mintakép
paragraph *n.* paragrafus
parallel *a.* párhuzamos

parallel *v.t.* párhuzamosan-
  helyez
parallelism *n.* párhuzamosság
parallelogram *n.*
  paralelogramma
paralyse *v.t.* megbénít
paralysis *n.* bénulás
paralytic *a.* béna
paramount *n.* legfőbb
paramour *n.* szerető
paraphernalia *n. pl*
  női-szabadvagyon
paraphrase *n.* parafrázis
paraphrase *v.t.* körülír
parasite *n.* parazita
parcel *n.* csomag
parcel *v.t.* feloszt
parch *v.t.* szárít
pardon *v.t.* megbocsát
pardon *n.* közkegyelem
pardonable *a.* megbocsátható
parent *n.* szülő
parentage *n.* származás
parental *a.* szülői
parenthesis *n.* zárójel
parish *n.* plébánia
parity *n.* egyenlőség
park *n.* liget
park *v.t.* parkol
parlance *n.* beszéd
parley *n.* tárgyalás
parley *v.i* alkudozik
parliament *n.* országgyűlés
parliamentarian *n.*
  országgyűlési-képviselő
parliamentary *a.* országgyűlési
parlour *n.* társalgó
parody *n.* paródia
parody *v.t.* parodizál
parole *n.* becsületszó
parole *v.t.* szabadlábra-helyez
parricide *n.* szülőgyilkos

parrot *n.* papagáj
parry *v.t.* elhárít
parry *n.* kivédés
parson *n.* lelkész
part *n.* rész
part *v.t.* elválaszt
partake *v.i.* megoszt
partial *a.* részleges
partiality *n.* részrehajlás
participate *v.i.* részt-vesz
participant *n.* résztvevő
participation *n.* részvétel
particle *a.* részecske
particular *a.* különös
particular *n.* körülmény
partisan *n.* partizán
partisan *a.* partizán
partition *n.* felosztás
partition *v.t.* feloszt
partner *n.* társ
partnership *n.* társaság
party *n.* buli
party *v.i.* bulizik
pass *v.i.* átmegy
pass *n* igazolvány
passage *n.* átjárás
passenger *n.* utas
passion *n.* szenvedély
passionate *a.* szenvedélyes
passive *a.* passzív
passport *n.* útlevél
past *a.* elmúlt
past *n.* múlt
past *prep.* mellett
paste *n.* paszta
paste *v.t.* ragaszt
pastel *n.* pasztellkréta
pastel *a* pasztell
pastime *n.* időtöltés
pastoral *a.* vidéki
pasture *n.* legelő
pasture *v.t.* lelegel

pat *v.t.* vereget
pat *n* veregetés
pat *adv* kellő-pillanatban
patch *v.t.* megfoltoz
patch *n* tapasz
patent *n* szabadalom
patent *v.t.* szabadalmaztat
patented *a.* szabadalmazott
paternal *a.* apai
path *n.* ösvény
pathetic *a.* szánalmas
pathos *n.* pátosz
patience *n.* türelem
patient *a.* türelmes
patient *n* beteg
patricide *n.* apagyilkos
patrimony *n.* apai-örökség
patriot *n.* hazafi
patriotic *a.* hazafias
partiotism *n.* hazaszeretet
patrol *v.i.* járőröz
patrol *n* őrjárat
patron *n.* pártoló
patronage *n.* pártfogás
patronise *v.t.* pártfogol
pattern *n.* minta
paucity *n.* szűkösség
pauper *n.* koldus
pause *n.* szünet
pause *v.i.* szünetet-tart
pave *v.t.* kikövez
pavement *n.* járda
pavilion *n.* pavilon
paw *n.* mancs
paw *v.t.* mancsával-megfog
pay *v.t.* fizet
pay *n* fizetés
payable *a.* kifizetendő
payee *n.* kedvezményezett
payment *n.* fizetés
pea *n.* borsó
peace *n.* béke

peaceable a. békeszerető
peaceful a. békés
peach n. őszibarack
peacock n. páva
peahen n. pávatyúk
peak n. csúcs
pear n. körte
pearl n. gyöngyszem
peasant n. paraszt
peasantry n. parasztság
pebble n. kavics
peck n. csípés
peck v.i. megcsíp
peculiar a. különös
peculiarity n. sajátosság
pecuniary a. anyagi
pedagogue n. pedagógus
pedagogy n. pedagógia
pedal n. pedál
pedal v.t. pedáloz
pedant n. fontoskodó
pedantic n. fontoskodó
pedantry n. fontoskodás
pedestal n. talapzat
pedestrian n. gyalogos
pedigree a. fajtiszta
pedigree n származás
peel v.t. hámoz
peel n. héj
peep v.i. kukucskál
peep n kukucskálás
peer n. főnemes
peer a egyenrangú
peerless a. páratlan
peg n. cövek
peg v.t. faszeggel-erősít
pelf n. gazdagság
pell-mell adv. hebehurgyán
pen n. toll
pen v.t. ír
penal a. büntető
penalise v.t. megbüntet

penalty n. büntetés
pencil n. ceruza
pencil v.t. ceruzával-megjelöl
pending prep. alatt
pending a elintézetlen
pendulum n. inga
penetrate v.t. behatol
penetration n. behatolás
penis n. hímvessző
penniless a. pénztelen
penny n. penny
pension n. nyugdíj
pension v.t. nyugdíjba-megy
pensioner n. nyugdíjas
pensive a. gondolkodó
pentagon n. ötszög
peon n. küldönc
people n. nép
people v.t. benépesít
pepper n. bors
pepper v.t. megborsoz
per prep. által
perambulator n. gyermekkocsi
perceive v.t. érzékel
perceptible adj észrevehető
percent a. százalékos
percentage n. százalék
perception n. észlelés
perceptive a. érzékelő
perch n. fogas
perch n. kakasülő
perch v.i. ráhelyez
perennial a. örök
perennial n. évelő-növény
perfect a. tökéletes
perfect v.t. tökéletesít
perfection n. tökéletesség
perfidy n. hitszegés
perforate v.t. kilyukaszt
perforce adv. szükségképpen
perform v.t. előad
performance n. előadás

performer *n.* előadó
perfume *n.* parfüm
perfume *v.t.* parfümöz
perhaps *adv.* talán
peril *n.* veszély
peril *v.t.* veszélyeztet
perilous *a.* veszedelmes
period *n.* időszak
periodical *n.* folyóirat
periodical *a.* időszakos
periphery *n.* periféria
perish *v.i.* elpusztul
perishable *a.* romlandó
perjure *v.i.* hamisan-tanúskodik
perjury *n.* hamis-eskü
permanence *n.* tartósság
permanent *a.* állandó
permissible *a.* megengedhető
permission *n.* engedély
permit *v.t.* engedélyez
permit *n.* igazolvány
permutation *n.* permutáció
pernicious *a.* ártalmas
perpendicular *a.* függőleges
perpendicular *n.* függőón
perpetual *a.* örökös
perpetuate *v.t.* megörökít
perplex *v.t.* megzavar
perplexity *n.* zavar
persecute *v.t.* gyötör
persecution *n.* üldözés
perseverance *n.* kitartás
persevere *v.i.* kitart
persist *v.i.* folytatódik
persistence *n.* állhatatosság
persistent *a.* állhatatos
person *n.* személy
personage *n.* személyiség
personal *a.* személyes
personality *n.* személyiség
personification *n.* megszemélyesítés

personify *v.t.* megtestesít
personnel *n.* személyzet
perspective *n.* kilátás
perspiration *n.* izzadság
perspire *v.i.* izzad
persuade *v.t.* rábeszél
persuasion *n.* rábeszélés
pertain *v.i.* vonatkozik
pertinent *a.* vonatkozó
perturb *v.t.* háborgat
perusal *n.* átolvasás
peruse *v.t.* átolvas
pervade *v.t.* áthat
perverse *a.* perverz
perversion *n.* fajtalanság
perversity *n.* perverzitás
pervert *v.t.* megront
pessimism *n.* pesszimizmus
pessimist *n.* pesszimista
pessimistic *a.* pesszimisztikus
pest *n.* pestis
pesticide *n.* rovarirtószer
pestilence *n.* dögvész
pet *n.* kisállat
pet *v.t.* dédelget
petal *n.* virágszirom
petition *n.* kérelem
petition *v.t.* kér
petitioner *n.* kérvényező
petrol *n.* benzin
petroleum *n.* kőolaj
petticoat *n.* alsószoknya
petty *a.* kicsinyes
petulance *n.* ingerlékenység
petulant *a.* ingerlékeny
phantom *n.* fantom
pharmacy *n.* gyógyszertár
phase *n.* szakasz
phenomenal *a.* tüneményes
phenomenon *n.* tünemény
phial *n.* üvegcse
philanthropic *a.* filantróp

philanthropist *n.* emberbarát
philanthropy *n.* filantrópia
philological *a.* nyelvészeti
philologist *n.* filológus
philology *n.* filológia
philosopher *n.* filozófus
philosophical *a.* filozófiai
philosophy *n.* filozófia
phone *n.* telefon
phonetic *a.* fonetikus
phonetics *n.* fonetika
phosphate *n.* foszfát
phosphorus *n.* foszfor
photo *n* fénykép
photograph *v.t.* fényképez
photograph *n* fénykép
photographer *n.* fényképész
photographic *a.* fényképészeti
photography *n.* fényképezés
phrase *n.* kifejezés
phrase *v.t.* kifejez
phraseology *n.* kifejezésmód
physic *n.* orvostudomány
physic *v.t.* orvosol
physical *a.* fizikai
physician *n.* orvos
physicist *n.* fizikus
physics *n.* fizika
physiognomy *n.* arcvonás
physique *n.* testalkat
pianist *n.* zongorista
piano *n.* zongora
pick *v.t.* csipked
pick *n.* csákány
picket *n.* cövek
picket *v.t.* körülcövekel
pickle *n.* pác
pickle *v.t* pácol
picnic *n.* piknik
pictorical *a.* képi
picture *n.* kép
picture *v.t.* elképzel

picturesque *a.* szemléletes
piece *n.* darab
piece *v.t.* darabol
pierce *v.t.* szúr
piety *n.* kegyesség
pig *n.* disznó
pigeon *n.* galamb
pigmy *n.* törpe
pile *n.* halom
pile *v.t.* halmaz
piles *n.* aranyér
pilfer *v.t.* elcsen
pilgrim *n.* zarándok
pilgrimage *n.* zarándoklat
pill *n.* tabletta
pillar *n.* oszlop
pillow *n* párna
pillow *v.t.* lepihentet
pilot *n.* pilóta
pilot *v.t.* kormányoz
pimple *n.* pattanás
pin *n.* tű
pin *v.t.* összetűz
pinch *v.t.* csíp
pinch *n.* csípés
pine *n.* fenyőfa
pine *v.i.* emésztődik
pineapple *n.* ananász
pink *n.* rózsaszín
pink *a* rózsaszínű
pinkish *a.* rózsaszínes
pinnacle *n.* csúcs
pioneer *n.* úttörő
pioneer *v.t.* utat-tör
pious *a.* istenfélő
pipe *n.* cső
pipe *v.i* alácsövez
piquant *a.* pikáns
piracy *n.* kalózkodás
pirate *n.* kalóz
pirate *v.t* kisajátít
pistol *n.* pisztoly

piston *n.* dugattyú
pit *n.* gödör
pit *v.t.* kimagoz
pitch *n.* hangmagasság
pitch *v.t.* dob
pitcher *n.* kancsó
piteous *a.* siralmas
pitfall *n.* verem
pitiable *a.* szánalmas
pitiful *a.* könyörületes
pitiless *a.* könyörtelen
pitman *n.* bányász
pittance *n.* alamizsna
pity *n.* szánalom
pity *v.t.* megszán
pivot *n.* tengely
placard *n.* plakát
place *n.* hely
place *v.t.* elhelyez
placid *a.* békés
plague *a.* pestis
plague *v.t.* gyötör
plain *a.* egyszerű
plain *n.* síkság
plaintiff *n.* felperes
plan *n.* terv
plan *v.t.* tervez
plane *n.* repülőgép
plane *v.t.* simít
plane *a.* sima
plane *n* síklap
planet *n.* bolygó
planetary *a.* földi
plank *n.* palánk
plank *v.t.* deszkáz
plant *n.* növény
plant *v.t.* ültet
plant *n* üzem
plantain *n.* útifű
plantation *n.* ültetvény
plaster *n.* vakolat
plaster *v.t.* begipszel

plate *n.* tányér
plateau *n.* fennsík
platform *n.* emelvény
platonic *a.* plátói
platoon *n.* szakasz
play *n.* játék
play *v.i.* játszik
player *n.* játékos
plea *n.* védőbeszéd
plead *v.i.* kifogásol
pleader *n.* védőügyvéd
pleasant *a.* kellemes
pleasantry *n.* vidámság
please *v.t.* tetszik
please *interj.* kérem
pleasure *n.* öröm
plebiscite *n.* népszavazás
pledge *n.* ígéret
pledge *v.t.* megígér
plentiful *a.* bőséges
plenty *n.* bőség
plight *n.* helyzet
plod *v.i.* vánszorog
plot *n.* telek
plot *v.t.* összebeszél
plough *n.* eke
plough *v.i* szánt
ploughman *n.* szántóvető
pluck *v.t.* tép
pluck *n* bátorság
plug *n.* dugó
plug *v.t.* bedugaszol
plum *n.* szilva
plumber *n.* vízvezeték-szerelő
plunder *v.t.* kirabol
plunder *n* zsákmány
plunge *v.t.* belemárt
plunge *n* fejesugrás
plural *a.* többes-szám
plurality *n.* pluralitás
plus *a.* plusz
plus *n* összeadás

ply *v.t.* alkalmaz
ply *n* hajtás
pneumonia *n.* tüdőgyulladás
pocket *n.* zseb
pocket *v.t.* zsebre-tesz
pod *n.* hüvely
poem *n.* vers
poet *n.* költő
poetess *n.* költőnő
poetic *a.* költői
poetics *n.* költészettan
poetry *n.* költészet
poignacy *n.* él
poignant *a.* megrendítő
point *n.* pont
point *v.t.* mutat
poise *v.t.* rak
poise *n* egyensúly
poison *n.* méreg
poison *v.t.* megmérgez
poisonous *a.* mérges
poke *v.t.* bök
poke *n.* bökés
polar *n.* sark
pole *n.* pólus
police *n.* rendőrség
policeman *n.* rendőr
policy *n.* politika
polish *v.t.* fényesít
polish *n* fényezés
Polish *a.* lengyel
polite *a.* udvarias
politeness *n.* udvariasság
politic *a.* politikus
political *a.* politikai
politician *n.* politikus
politics *n.* politika
polity *n.* államvezetés
poll *n.* szavazás
poll *v.t.* leszavazat
pollen *n.* virágpor
pollute *v.t.* szennyez

pollution *n.* környezetszennyezés
polo *n.* póló
polygamous *a.* többnejű
polygamy *n.* poligámia
polyglot *n.* soknyelvű
polyglot *a.* többnyelvű
polytechnic *a.* politechnikai
polytechnic *n.* műegyetem
polytheism *n.* többistenhit
polytheist *n.* többistenhitű
polytheistic *a.* többistenhitű
pomp *n.* pompa
pomposity *n.* nagyképűsködés
pompous *a.* nagyképű
pond *n.* tavacska
ponder *v.t.* latolgat
pony *n.* póniló
poor *a.* szegény
pop *v.i.* pukkan
pop *n* pukkanás
pope *n.* pápa
poplar *n.* nyárfa
poplin *n.* puplin
populace *n.* lakosság
popular *a.* népszerű
popularity *n.* népszerűség
popularise *v.t.* népszerűsít
populate *v.t.* benépesít
population *n.* népesség
populous *a.* népes
porcelain *n.* porcelán
porch *n.* tornác
pore *n.* pórus
pork *n.* sertéshús
porridge *n.* zabkása
port *n.* kikötő
portable *a.* hordozható
portage *n.* szállítás
portal *n.* bejárat
portend *v.t.* előrejelez
porter *n.* hordár

portfolio *n.* irattáska
portico *n.* csarnok
portion *n* adag
portion *v.t.* eloszt
portrait *n.* arckép
portraiture *n.* arcképfestés
portray *v.t.* lefest
portrayal *n.* ábrázolás
pose *v.i.* feltesz
pose *n.* testtartás
position *n.* helyzet
position *v.t.* elhelyez
positive *a.* pozitív
possess *v.t.* birtokol
possession *n.* tulajdonjog
possibility *n.* lehetőség
possible *a.* lehetséges
post *n.* posta
post *v.t.* felállít
post *n* állás
post *v.t.* postára-ad
postage *n.* postaköltség
postal *a.* postai
post-date *v.t.* későbbre-keltez
poster *n.* plakát
posterity *n.* utókor
posthumous *a.* posztumusz
postman *n.* postás
postmaster *n.* postamester
post-mortem *n.* halottkémlés
post-mortem *a.* halál-utáni
post-office *n.* posta
postpone *v.t.* elhalaszt
postponement *n.* elhalasztás
postscript *n.* utószó
posture *n.* testtartás
pot *n.* fazék
pot *v.t.* fazékba-tesz
potash *n.* hamuzsír
potassium *n.* kálium
potato *n.* burgonya
potency *n.* hatalom

potent *a.* erős
potential *a.* potenciális
potential *n.* lehetőség
potentiality *n.* lehetségesség
potter *n.* fazekas
pottery *n.* fazekasság
pouch *n.* zacskó
poultry *n.* baromfi
pounce *v.i.* lecsap
pounce *n* lecsapás
pound *n.* font
pound *v.t.* zúz
pour *v.i.* önt
poverty *n.* szegénység
powder *n.* por
powder *v.t.* behint
power *n.* hatalom
powerful *a.* erőteljes
practicability *n.* megvalósíthatóság
practicable *a.* megvalósítható
practical *a.* gyakorlati
practice *n.* gyakorlat
practise *v.t.* gyakorol
practitioner *n.* orvos
pragmatic *a.* pragmatikus
pragmatism *n.* pragmatizmus
praise *n.* dicséret
praise *v.t.* dicsér
praiseworthy *a.* dicséretes
prank *n.* huncutság
prattle *v.i.* elcsacsog
prattle *n.* gagyogás
pray *v.i.* imádkozik
prayer *n.* ima
preach *v.i.* prédikál
preacher *n.* prédikátor
preamble *n.* bevezetés
precaution *n.* elővigyázatosság
precautionary *a.* elővigyázat
precede *v.* megelőzik
precedence *n.* elsőbbség

precedent *n.* precedens
precept *n.* előírás
preceptor *n.* tanító
precious *a.* értékes
precis *n.* rövid-összefoglalás
precise *n.* pontos
precision *n.* pontosság
precursor *n.* előfutár
predecessor *n.* előd
predestination *n.* sors
predetermine *v.t.* előre-elhatároz
predicament *n.* helyzet
predicate *n.* állítmány
predict *v.t.* megjósol
prediction *n.* jóslás
predominance *n.* uralkodás
predominant *a.* uralkodó
predominate *v.i.* túlsúlyban
pre-eminence *n.* felsőbbrendűség
pre-eminent *a.* kiemelkedő
preface *n.* előszó
preface *v.t.* előszóval-ellát
prefect *n.* prefektus
prefer *v.t.* jobban-szeret
preference *n.* kedvezés
preferential *a.* kedvező
prefix *n.* előtag
prefix *v.t.* eléje-told
pregnancy *n.* terhesség
pregnant *a.* terhes
prehistoric *a.* őskori
prejudice *n.* előítélet
prelate *n.* főpap
preliminary *a.* előzetes
preliminary *n* bevezető
prelude *n.* bevezetés
prelude *v.t.* bevezet
premarital *a.* házasság-előtti
premature *a.* koránérett

premeditate *v.t.* előre-megfontol
premeditation *n.* előre-megfontolás
premier *a.* legfontosabb
premier *n* miniszterelnök
premiere *n.* bemutató
premium *n.* prémium
premonition *n.* előérzet
preoccupation *n.* szórakozottság
preoccupy *v.t.* gondolatait-kitölti
preparation *n.* készítmény
preparatory *a.* előkészítő
prepare *v.t.* készít
preponderance *n.* túlsúly
preponderate *v.i.* túlsúlyban-van
preposition *n.* prepozíció
prerequisite *a.* előzetesen-szükséges
prerequisite *n* előfeltétel
prerogative *n.* előjog
prescience *n.* megsejtés
prescribe *v.t.* elrendel
prescription *n.* recept
presence *n.* jelenlét
present *a.* jelenlegi
present *n.* ajándék
present *v.t.* bemutat
presentation *n.* előadás
presently *adv.* jelenleg
preservation *n.* megőrzés
preservative *n.* konzerváló
preservative *a.* megőrző
preserve *v.t.* megőriz
preserve *n.* befőtt
preside *v.i.* elnököl
president *n.* elnök
presidential *a.* elnöki
press *v.t.* szorít

113

press *n* sajtó
pressure *n.* nyomás
pressurise *v.t.* hermetizál
prestige *n.* presztízs
prestigious *a.* tekintélyes
presume *v.t.* feltételez
presumption *n.* vélelem
presuppose *v.t.* feltételez
presupposition *n.* előfeltevés
pretence *n.* színlelés
pretend *v.t.* színlel
pretension *n.* nagyravágyás
pretentious *a.* nagyhangú
pretext *n* ürügy
prettiness *n.* kedvesség
pretty *a* szép
pretty *adv.* eléggé
prevail *v.i.* érvényesül
prevalence *n.* előfordulás
prevalent *a.* uralkodó
prevent *v.t.* megakadályoz
prevention *n.* megelőzés
preventive *a.* megelőző
previous *a.* előzetes
prey *n.* préda
prey *v.i.* megragad
price *n.* ár
price *v.t.* beáraz
prick *n.* tüske
prick *v.t.* szúr
pride *n.* büszkeség
pride *v.t.* büszkélkedik
priest *n.* pap
priestess *n.* papnő
priesthood *n.* papság
primarily *adv.* elsősorban
primary *a.* elsődleges
prime *a.* első
prime *n.* tökéletesség
primer *n.* ábécéskönyv
primeval *a.* ősi
primitive *a.* primitív

prince *n.* herceg
princely *a.* hercegi
princess *n.* hercegnő
principal *n.* főnök
principal *a* fő
principle *n.* alapelv
print *v.t.* nyomtat
print *n* nyomtatás
printer *n.* nyomtató
prior *a.* előzetes
prior *n* perjel
prioress *n.* zárdafőnöknő
priority *n.* elsőbbség
prison *n.* börtön
prisoner *n.* fogoly
privacy *n.* magánélet
private *a.* magán
privation *n.* nyomor
privilege *n.* kiváltság
prize *n.* díj
prize *v.t.* értékel
probability *n.* valószínűség
probable *a.* valószínű
probably *adv.* talán
probation *n.* próbaidő
probationer *n.* próbaéves
probe *v.t.* szondáz
probe *n* szonda
problem *n.* probléma
problematic *a.* kérdéses
procedure *n.* eljárás
proceed *v.i.* halad
proceeding *n.* eljárásmód
proceeds *n.* bevétel
process *n.* folyamat
procession *n.* körmenet
proclaim *v.t.* kihirdet
proclamation *n.* kihirdetés
proclivity *n.* hajlam
procrastinate *v.i.* késlekedik
procrastination *n.* késlekedés
proctor *n.* proktor

114

procure *v.t.* beszerez
procurement *n.* beszerzés
prodigal *a.* tékozló
prodigality *n.* pazarlás
produce *v.t.* termel
produce *n.* termény
product *n.* termék
production *n.* termelés
productive *a.* termelékeny
productivity *n.* termelékenység
profane *a.* profán
profane *v.t.* megszentségtelenít
profess *v.t.* vall
profession *n.* szakma
professional *a.* szakmai
professional *n.* szakember
professor *n.* egyetemi-tanár
proficiency *n.* jártasság
proficient *a.* gyakorlott
profile *n.* profil
profile *v.t.* ábrázol
profit *n.* nyereség
profit *v.t.* hasznot-hoz
profitable *a.* nyereséges
profiteer *n.* nyerészkedő
profiteer *v.i.* nyerészkedik
profligacy *n.* kicsapongás
profligate *a.* kicsapongó
profound *a.* mély
profundity *n.* mélység
profuse *a.* túláradó
profusion *n.* gazdagság
progeny *n.* utódok
programme *n.* program
programme *v.t.* megtervez
progress *n.* haladás
progress *v.i.* előrehalad
progressive *a.* haladó
prohibit *v.t.* megtilt
prohibition *n.* tilalom
prohibitive *a.* tiltó
prohibitory *a.* tiltó

project *n.* feladat
project *v.t.* vetít
projectile *n.* lövedék
projectile *a* röpítő
projection *n.* vetület
projector *n.* vetítő
proliferate *v.i.* szaporodik
proliferation *n.* proliferációs
prolific *a.* termékeny
prologue *n.* előszó
prolong *v.t.* meghosszabbít
prolongation *n.* meghossz-abbítás
prominence *n.* kiemelkedés
prominent *a.* kiemelkedő
promise *n* ígéret
promise *v.t* megígér
promising *a.* sokat-ígérő
promissory *a.* kötelezettséget-vállaló
promote *v.t.* előléptet
promotion *n.* előlépés
prompt *a.* azonnali
prompt *v.t.* sarkall
prompter *n.* súgó
prone *a.* lefelé-fordított
pronoun *n.* névmás
pronounce *v.t.* kiejt
pronunciation *n.* kiejtés
proof *n.* bizonyíték
proof *a* védett
prop *n.* támasz
prop *v.t.* támaszt
propaganda *n.* propaganda
propagandist *n.* propagandista
propagate *v.t.* terjeszt
propagation *n.* terjesztés
propel *v.t.* hajt
proper *a.* megfelelő
property *n.* ingatlan
prophecy *n.* jóslat
prophesy *v.t.* megjósol

prophet *n.* próféta
prophetic *a.* prófétikus
proportion *n.* arány
proportion *v.t.* arányosít
proportional *a.* arányos
proportionate *a.* arányos
proposal *n.* javaslat
propose *v.t.* javasol
proposition *n.* ajánlat
propound *v.t.* felvet
proprietary *a.* tulajdoni
proprietor *n.* tulajdonos
propriety *n.* illendőség
prorogue *v.t.* elnapol
prosaic *a.* prózai
prose *n.* próza
prosecute *v.t.* perel
prosecution *n.* büntető-eljárás
prosecutor *n.* vádló
prosody *n.* verstan
prospect *n.* kilátás
prospective *a.* leendő
prospsectus *n.* tájékoztató
prosper *v.i.* előmozdít
prosperity *n.* jólét
prosperous *a.* sikeres
prostitute *n.* prostituált
prostitution *n.* prostitúció
prostrate *a.* elterült
prostrate *v.t.* leterít
prostration *n.* megalázkodás
protagonist *n.* főszereplő
protect *v.t.* oltalmaz
protection *n.* oltalom
protective *a.* oltalmazó
protector *n.* védő
protein *n.* fehérje
protest *n.* tiltakozás
protest *v.i.* tiltakozik
protestation *n.* tiltakozás
prototype *n.* mintapéldány
proud *a.* büszke

prove *v.t.* bizonyít
proverb *n.* közmondás
proverbial *a.* közmondásos
provide *v.i.* ellát
providence *n.* providencia
provident *a.* körültekintő
providential *a.*
    gondviselésszerű
province *n.* tartomány
provincial *a.* vidéki
provincialism *n.* vidékiesség
provision *n.* rendelkezés
provisional *a.* ideiglenes
proviso *n.* feltétel
provocation *n.* provokáció
provocative *a.* provokatív
provoke *v.t.* provokál
prowess *n.* vitézség
proximate *a.* legközelebbi
proximity *n.* közelség
proxy *n.* meghatalmazott
prude *n.* prűd
prudence *n.* óvatosság
prudent *a.* óvatos
prudential *a.* prudenciális
prune *v.t.* aszaltszilva
pry *v.i.* kíváncsiskodik
psalm *n.* zsoltár
pseudonym *n.* álnév
psyche *n.* lélek
psychiatrist *n.* pszichiáter
psychiatry *n.* pszichiátria
psychic *a.* lelki
psychological *a.* pszichológiai
psychologist *n.* pszichológus
psychology *n.* pszichológia
psychopath *n.* pszichopata
psychosis *n.* pszichózis
psychotherapy *n.*
    pszichoterápia
puberty *n.* serdülőkor
public *a.* nyilvános

public *n.* közönség
publication *n.* kiadás
publicity *n.* hirdetés
publicise *v.t.* reklámoz
publish *v.t.* kiad
publisher *n.* kiadó
pudding *n.* puding
puddle *n.* pocsolya
puerile *a.* gyermekes
puff *n.* pöfékelés
puff *v.i.* pöfékel
pull *v.t.* húz
pull *n.* húzás
pulley *n.* emelőcsiga
pullover *n.* pulóver
pulp *n.* pép
pulp *v.t.* megőröl
pulpit *a.* szószék
pulpy *a.* pépes
pulsate *v.i.* lüktet
pulsation *n.* lüktetés
pulse *n.* pulzus
pulse *v.i.* lüktet
pulse *n* dobogás
pump *n.* szivattyú
pump *v.t.* szivattyúz
pumpkin *n.* tök
pun *n.* szójáték
pun *v.i.* szójátékot-csinál
punch *n.* punch
punch *n.* ütés
punch *v.t.* átüt
punctual *a.* pontos
punctuality *n.* pontosság
punctuate *v.t.* központoz
punctuation *n.* központozás
puncture *n.* szúrás
puncture *v.t.* felszúr
pungency *n.* csípősség
pungent *a.* csípős
punish *v.t.* büntet
punishment *n.* büntetés

punitive *a.* büntető
puny *a.* apró
pupil *n.* tanítvány
puppet *n.* báb
puppy *n.* kölyökkutya
purblind *a.* elvakult
purchase *n.* vásárlás
purchase *v.t.* megvásárol
pure *a* tiszta
purgation *n.* megtisztulás
purgative *n.* hánytató
purgative *a* hánytató
purgatory *n.* purgatórium
purge *v.t.* megtisztít
purification *n.* tisztítás
purify *v.t.* tisztít
purist *n.* purista
puritan *n.* puritán
puritanical *a.* erkölcsös
purity *n.* tisztaság
purple *a.* bíbor
purple *n.* mályvaszín
purport *n.* értelem
purport *v.t.* jelent
purpose *n.* cél
purpose *v.t.* szándékozik
purposely *adv.* szándékosan
purr *n.* dorombolás
purr *v.i.* dorombol
purse *n.* pénztárca
purse *v.t.* csücsörít
pursuance *n.* követés
pursue *v.t.* üldöz
pursuit *n.* üldözés
purview *n.* terjedelem
pus *n.* genny
push *v.t.* tol
push *n.* tolás
put *v.t.* tesz
puzzle *n.* rejtvény
puzzle *v.t.* összekever
pygmy *n.* törpe

117

pyramid *n.* piramis
pyre *n.* halotti-máglya
python *n.* piton

quack *v.i.* hápog
quack *n* kuruzsló
quackery *n.* kuruzslás
quadrangle *n.* négyszög
quadrangular *a.* négyszögű
quadrilateral *a.* négyoldalú
quadrilateral *n.* négyszög
quadruped *n.* négylábú
quadruple *a.* négyszeres
quadruple *v.t.* négyszerez
quail *n.* fürj
quaint *a.* fura
quake *v.i.* remeg
quake *n* remegés
qualification *n.* képesítés
qualify *v.t.* feljogosít
qualitative *a.* kvalitatív
quality *n.* minőség
quandary *n.* bizonytalanság
quantitative *a.* mennyiségi
quantity *n.* mennyiség
quantum *n.* kvantum
quarrel *n.* vita
quarrel *v.i.* vitatkozik
quarrelsome *a.* civakodó
quarry *n.* kőbánya
quarry *v.i.* bányászik
quarter *n.* negyed
quarter *v.t.* negyedel
quarterly *a.* negyedévi
queen *n.* királynő
queer *a.* furcsa
quell *v.t.* lecsillapít
quench *v.t.* elfojt

query *n.* kérdés
query *v.t* kérdez
quest *n.* keresés
quest *v.t.* keres
question *n.* kérdés
question *v.t.* kikérdez
questionable *a.* kérdéses
questionnaire *n.* kérdőív
queue *n.* sor
queue *v.i.* sorban-áll
quibble *n.* kibúvó
quibble *v.i.* aprólékoskodik
quick *a.* gyors
quick *adv.* gyorsan
quicksand *n.* föveny
quicksilver *n.* higany
quiet *a.* csendes
quiet *n.* nyugalom
quiet *v.t.* megnyugtat
quilt *n.* paplan
quinine *n.* kinin
quintessence *n.* lényeg
quit *v.t.* felmond
quite *adv.* egészen
quiver *n.* reszketés
quiver *v.i.* reszket
quixotic *a.* gyakorlatiatlan
quiz *n.* kvíz
quiz *v.t.* vizsgáztat
quorum *n.* határozatképesség
quota *n.* kvóta
quotation *n.* idézet
quote *v.t.* idéz
quotient *n.* hányados

rabbit *n.* nyúl
rabies *n.* veszettség
race *n.* verseny

race *v.i* versenyez
racial *a.* faji
racialism *n.* ajvédelem
racism *n* rasszizmus
racist *n* rasszista
rack *v.t.* kínoz
rack *n.* poggyásztartó
racket *n.* lárma
racket *n.* ütő
radiance *n.* ragyogás
radiant *a.* ragyogó
radiate *v.t.* sugároz
radiation *n.* sugárzás
radical *a.* gyökeres
radio *n.* rádió
radio *v.t.* lead
radish *n.* retek
radium *n.* rádium
radius *n.* rádiusz
rag *n.* rongy
rage *n.* harag
rage *v.i.* dühöng
raid *n.* razzia
raid *v.t.* rajtaüt
rail *n.* sín
rail *v.t.* vasúton-szállít
railing *n.* rács
raillery *n.* ugratás
railway *n.* vasút
railway *a.* vasúti
rain *v.i.* esik
rain *n* eső
rainy *a.* esős
raise *v.t.* emel
raised *a.* emelt
raisin *n.* mazsola
rally *v.t.* gyülekezik
rally *n* gyűlés
ram *n.* kos
ram *v.t.* döngöl
ramble *v.t.* kószál
ramble *n* kószálás

rampage *v.i.* tombol
rampage *n.* tombolás
rampant *a.* ágaskodó
rampart *n.* sánc
rancid *a.* avas
rancour *n.* harag
random *a.* véletlen
range *v.t.* sorba-állít
range *n.* választék
ranger *n.* erdőkerülő
rank *n.* rang
rank *v.t.* besorol
rank *a* avas
ransack *v.t.* kifoszt
ransom *n.* váltságdíj
ransom *v.t.* kivált
rape *n.* erőszak
rape *v.t.* megerőszakol
rapid *a.* gyors
rapidity *n.* gyorsaság
rapier *n.* vívótőr
rapport *n.* egyetértés
rapt *a.* elbűvölt
rapture *n.* elragadtatás
rare *a.* ritka
rascal *n.* gazember
rash *a.* meggondolatlan
rat *n.* kiütés
rate *v.t.* értékel
rate *n.* arány
rather *adv.* inkább
ratify *v.t.* törvénybe-iktat
ratio *n.* arányszám
ration *n.* élelmiszeradag
rational *a.* ésszerű
rationale *n.* értelem
rationality *n.* ésszerűség
rationalise *v.t.* racionalizál
rattle *v.i.* csörög
rattle *n* csörgő
ravage *n.* pusztítás
ravage *v.t.* pusztít

rave v.i. félrebeszél
rave n. lelkesedés
raven n. holló
ravine n. szakadék
raw a. nyers
ray n. fénysugár
raze v.t. lerombol
razor n. borotva
reach v.t. elér
react v.i. reagál
reaction n. reakció
reactionary a. reakciós
read v.t. olvas
reader n. olvasó
readily adv. készségesen
readiness n. készenlét
ready a. kész
real a. valódi
realism n. realizmus
realist n. realista
realistic a. valószerű
reality n. valóság
realisation n. megvalósítás
realise v.t. megvalósít
really adv. valóban
realm a. birodalom
ream n. rizsma
reap v.t. lekaszál
reaper n. kaszáló
rear n. hátvéd
rear v.t. felnevel
reason n. ok
reason v.i. fejteget
reasonable a. ésszerű
reassure v.t. megnyugtat
rebate n. visszafizetés
rebel v.i. fellázad
rebel n. lázadó
rebellion n. lázadás
rebellious a. zendülő
rebirth n. újjászületés
rebound v.i. visszapattan

rebound n. visszaugrás
rebuff n. elutasítás
rebuff v.t. elutasít
rebuke v.t. megszid
rebuke n. rendreutasítás
recall v.t. visszahív
recall n. visszahívás
recede v.i. visszavonul
receipt n. nyugta
receive v.t. kap
receiver n. telefonkagyló
recent a. minapi
recently adv. nemrég
reception n. fogadás
receptive a. fogékony
recess n. zug
recession n. recesszió
recipe n. recept
recipient n. átvevő
reciprocal a. kölcsönös
reciprocate v.t. viszonoz
recital n. elbeszélés
recitation n. előadás
recite v.t. szaval
reckless a. vakmerő
reckon v.t. számít
reclaim v.t. visszanyer
reclamation n helyreállítás
recluse n. remete
recognition n. elismerés
recognise v.t. felismer
recoil v.i. visszarúg
recoil n. visszaugrás
recollect v.t. emlékezik
recollection n. emlékezés
recommend v.t. javasol
recommendation n. javaslat
recompense v.t. jutalmaz
recompense n. jutalom
reconcile v.t. kibékít
reconciliation n. kibékülés
record v.t. feljegyez

record *n.* jegyzőkönyv
record *n.* hanglemez
recorder *n.* jegyző
recount *v.t.* elbeszél
recoup *v.t.* kárpótol
recourse *n.* igénybevétel
recover *v.t.* helyrehoz
recovery *n.* gyógyulás
recreation *n.* szórakozás
recruit *n.* újonc
recruit *v.t.* toboroz
rectangle *n.* téglalap
rectangular *a.* négyszögletes
rectification *n.* helyesbítés
rectify *v.i.* helyesbít
rectum *n.* végbél
recur *v.i.* ismétlődik
recurrence *n.* ismétlődés
recurrent *a.* ismétlődő
red *a.* piros
red *n.* piros-szín
redden *v.t.* vörösödik
reddish *a.* vöröses
redeem *v.t.* megvált
redemption *n.* megváltás
redouble *v.t.* megkettőz
redress *v.t.* helyreállít
redress *n.* jóvátétel
reduce *v.t.* csökkent
reduction *n.* csökkentés
redundance *n.* létszámfölösleg
redundant *a.* fölösleges
reel *n.* tekercs
reel *v.i.* leteker
refer *v.t.* hivatkozik
referee *n.* játékvezető
reference *n.* hivatkozás
referendum *n.* népszavazás
refine *v.t.* finomít
refined *a.* kifinomult
refinement *n.* kifinomultság
refinery *n.* finomító

reflect *v.t.* visszatükröz
reflection *n.* visszatükrözés
reflective *a.* visszatükröző
reflector *n.* reflektor
reflex *n.* reflex
reflex *a.* önkéntelen
reflexive *a.* visszaható
reform *v.t.* reformál
reform *n.* reform
reformation *n.* megújulás
reformatory *a.* reform-
reformer *n.* reformátor
refrain *v.i.* visszatart
refrain *n.* refrén
refresh *v.t.* felfrissít
refreshment *n.* felfrissülés
refrigerate *v.t.* lehűt
refrigeration *n.* hűtés
refrigerator *n.* hűtőszekrény
refuge *n.* menedék
refugee *n.* menekült
refulgence *n.* fény
refulgent *a.* fényes
refund *v.t.* megtérít
refund *n.* visszatérítés
refusal *n.* elutasítás
refuse *v.t.* elutasít
refuse *n.* hulladék
refutation *n.* cáfolat
refute *v.t.* megcáfol
regal *a.* királyi
regard *v.t.* tekint
regard *n.* tekintet
regenerate *v.t.* megújít
regeneration *n.* újjászületés
regicide *n.* királygyilkosság
regime *n.* rezsim
regiment *n.* ezred
regiment *v.t.* ezredbe-oszt
region *n.* régió
regional *a.* regionális
register *n.* nyilvántartás

register v.t. bejegyez
registrar n. anyakönyvvezető
registration n. bejegyzés
registry n. beiktatás
regret v.i. sajnál
regret n sajnálat
regular a. szabályos
regularity n. szabályszerűség
regulate v.t. szabályoz
regulation n. szabályozás
regulator n. szabályozó
rehabilitate v.t. rehabilitál
rehabilitation n. rehabilitáció
rehearsal n. próba
rehearse v.t. próbál
reign v.i. uralkodik
reign n uralom
reimburse v.t. visszafizet
rein n. kantárszár
rein v.t. megzaboláz
reinforce v.t. megerősít
reinforcement n. megerősítés
reinstate v.t. visszahelyez
reinstatement n. visszahelyezés
reiterate v.t. ismétel
reiteration n. ismétlés
reject v.t. elutasít
rejection n. elutasítás
rejoice v.i. örvendez
rejoin v.t. egyesít
rejoinder n. viszonválasz
rejuvenate v.t. megfiatalít
rejuvenation n. megújulás
relapse v.i. visszaesik
relapse n. visszaesés
relate v.t. elmond
relation n. kapcsolat
relative a. viszonylagos
relative n. rokon
relax v.t. lazul
relaxation n. kikapcsolódás

relay n. relé
relay v.t. közvetít
release v.t. felment
release n megszabadulás
relent v.i. megkönyörül
relentless a. könyörtelen
relevance n. vonatkozás
relevant a. lényeges
reliable a. megbízható
reliance n. bizalom
relic n. ereklye
relief n. megkönnyebbülés
relieve v.t. könnyít
religion n. vallás
religious a. vallási
relinquish v.t. abbahagy
relish v.t. élvez
relish n étvágy
reluctance n. idegenkedés
reluctant a. kelletlen
rely v.i. támaszkodik
remain v.i. marad
remainder n. maradék
remains n. maradványok
remark n. megjegyzés
remark v.t. megjegyez
remarkable a. jelentős
remedial a. gyógyító
remedy n. orvosság
remedy v.t orvosol
remember v.t. emlékszik
remembrance n. emlékezés
remind v.t. emlékeztet
reminder n. emlékeztető
reminiscence n. vissza-emlékezés
reminiscent a. felidéző
remission n. remisszió
remit v.t. megbocsát
remittance n. átutalás
remorse n. lelkifurdalás
remote a. távoli

122

removable *a.* elmozdítható
removal *n.* eltávolítás
remove *v.t.* eltávolít
remunerate *v.t.* honorál
remuneration *n.* díjazás
remunerative *a.* kifizetődő
renaissance *n.* reneszánsz
render *v.t.* nyújt
rendezvous *n.* randevú
renew *v.t.* megújít
renewal *n.* megújítás
renounce *v.t.* lemond
renovate *v.t.* megújít
renovation *n.* megújítás
renown *n.* hírnév
renowned *a.* híres
rent *n.* bérlés
rent *v.t.* bérel
renunciation *n.* lemondás
repair *v.t.* javít
repair *n.* javítás
reparable *a.* javítható
repartee *n.* visszavágás
repatriate *v.t.* hazatelepül
repatriate *n* hazatelepült
repatriation *n.* hazaszállítás
repay *v.t.* visszafizet
repayment *n.* visszafizetés
repeal *v.t.* hatálytalanít
repeal *n* hatálytalanítás
repeat *v.t.* ismétel
repeat *n.* ismétlés
repel *v.t.* visszaszorít
repellent *a.* visszataszító
repent *v.i.* megbán
repentance *n.* bűnbánat
repentant *a.* bűnbánó
repercussion *n.* visszaverődés
repetition *n.* ismétlés
replace *v.t.* pótol
replacement *n.* pótlás
replenish *v.t.* utánatölt

replete *a.* teli
replica *n.* másolat
reply *v.i.* válaszol
reply *n* válasz
report *v.t.* feljelent
report *n.* feljelentés
reporter *n.* tudósító
repose *n.* pihenés
repose *v.i.* pihentet
repository *n.* raktár
represent *v.t.* képvisel
representation *n.* képviselet
representative *n.* képviselő
representative *a.* jellegzetes
repress *v.t.* elnyom
repression *n.* elnyomás
reprimand *n.* megrovás
reprimand *v.t.* rendreutasít
reprint *v.t.* újra-kinyomtat
reprint *n.* újranyomás
reproach *v.t.* szemére-vet
reproach *n.* szemrehányás
reproduce *v.t.* felelevenít
reproduction *n* reprodukció
reproductive *a.* szaporító
reproof *n.* korholás
reptile *n.* hüllő
republic *n.* köztársaság
republican *a.* köztársasági
republican *n* republikánus
repudiate *v.t.* megtagad
repudiation *n.* megtagadás
repugnance *n.* undor
repugnant *a.* undorító
repulse *v.t.* visszaver
repulse *n.* visszaverés
repulsion *n.* irtózás
repulsive *a.* taszító
reputation *n.* hírnév
repute *n.* hírnév
request *v.t.* kér
request *n* kérés

123

requiem *n.* rekviem
require *v.t.* megkövetel
requirement *n.* követelmény
requisite *a.* szükséges
requisite *n* előfeltétel
requisition *n.* igénybevétel
requisition *v.t.* megkövetel
requite *v.t.* megtorol
rescue *v.t.* megment
rescue *n* mentés
research *v.i.* kutat
research *n* kutatás
resemblance *n.* hasonlatosság
resemble *v.t.* hasonlít
resent *v.t.* megsértődik
resentment *n.* neheztelés
reservation *n.* foglalás
reserve *v.t.* foglal
reserve *n.* tartalék
reservoir *n.* víztároló
reside *v.i.* lakik
residence *n.* lakóhely
resident *a.* lakó
resident *n* lakó
residual *a.* maradó
residue *n.* maradvány
resign *v.t.* lemond
resignation *n.* lemondás
resist *v.t.* ellenáll
resistance *n.* ellenállás
resistant *a.* ellenálló
resolute *a.* elszánt
resolution *n.* döntés
resolve *v.t.* megold
resonance *n.* zengés
resonant *a.* zengő
resort *v.i.* felhasznál
resort *n* üdülőhely
resound *v.i.* visszhangzik
resource *n.* forrás
resourceful *a.* leleményes
respect *v.t.* tisztel

respect *n.* tisztelet
respectful *a.* tiszteletteljes
respective *a.* illető
respiration *n.* légzés
respire *v.i.* lélegzik
resplendent *a.* fénylő
respond *v.i.* válaszol
respondent *n.* válaszoló
response *n.* válasz
responsibility *n.* felelősség
responsible *a.* felelős
rest *v.i.* pihentet
rest *n* pihenés
restaurant *n.* étterem
restive *a.* nyugtalan
restoration *n.* restaurálás
restore *v.t.* visszaad
restrain *v.t.* visszatart
restrict *v.t.* korlátoz
restriction *n.* korlátozás
restrictive *a.* korlátozó
result *v.i.* eredményez
result *n.* eredmény
resume *v.t.* visszanyer
résumé *n.* önéletrajz
resumption *n.* újrakezdés
resurgence *n.* újjáéledés
resurgent *a.* feltámadó
retail *v.t.* árusít
retail *n.* kiskereskedelem
retail *a* kiskereskedelmi
retailer *n.* kiskereskedő
retain *v.t.* megőriz
retaliate *v.i.* visszafizet
retaliation *n.* megtorlás
retard *v.t.* késleltet
retardation *n.* retardáció
retention *n.* visszatartás
retentive *a.* visszatartó
reticence *n.* tartózkodás
reticent *a.* tartózkodó
retina *n.* retina

retinue *n.* kíséret
retire *v.i.* visszavonul
retirement *n.* nyugdíjazás
retort *v.t.* visszavág
retort *n.* visszavágás
retouch *v.t.* retusál
retrace *v.t.* visszamegy
retread *v.t.* futóz
retreat *v.i.* visszavonul
retrench *v.t.* korlátoz
retrenchment *n.* korlátozás
retrieve *v.t.* visszaszerez
retrospect *n.* visszatekintés
retrospection *n.* visszatekintés
retrospective *a.* visszatekintő
return *v.i.* visszatér
return *n.* visszatérés
revel *v.i.* mulat
revel *n.* mulatság
revelation *n.* kinyilatkoztatás
reveller *n.* mulatozó
revelry *n.* mulatság
revenge *v.t.* megbosszul
revenge *n.* bosszú
revengeful *a.* bosszúvágyó
revenue *n.* bevétel
revere *v.t.* tisztel
reverence *n.* tisztelet
reverend *a.* tisztelendő
reverent *a.* tiszteletteljes
reverential *a.* áhítatos
reverie *n.* álmodozás
reversal *n.* megfordítás
reverse *a.* fordított
reverse *n* ellentéte
reverse *v.t.* megfordít
reversible *a.* megfordítható
revert *v.i.* visszaháramlik
review *v.t.* áttekint
review *n* felülvizsgálat
revise *v.t.* átdolgoz

revision *n.* felülvizsgálat
revival *n.* feléledés
revive *v.i.* feléleszt
revocable *a.* visszavonható
revocation *n.* visszavonás
revoke *v.t.* visszavon
revolt *v.i.* lázad
revolt *n.* lázadás
revolting *a.* undorító
revolution *n.* forradalom
revolutionary *a.* forradalmi
revolutionary *n* forradalmár
revolve *v.i.* forog
revolver *n.* revolver
reward *n.* jutalom
reward *v.t.* megjutalmaz
rhetoric *n.* retorika
rhetorical *a.* retorikai
rheumatic *a.* reumás
rheumatism *n.* reuma
rhinoceros *n.* orrszarvú
rhyme *n.* rím
rhyme *v.i.* rímel
rhymester *n.* fűzfapoéta
rhythm *b.* ritmus
rhythmic *a.* ritmikus
rib *n.* borda
ribbon *n.* szalag
rice *n.* rizs
rich *a.* gazdag
riches *n.* gazdagság
richness *a.* gazdagság
rick *n.* boglya
rickets *n.* rachitis
rickety *a.* rozoga
rickshaw *n.* riksa
rid *v.t.* megszabadít
riddle *n.* rejtvény
riddle *v.i.* szitál
ride *v.t.* lovagol
ride *n* lovaglás
rider *n.* lovas

ridge n. gerinc
ridicule v.t. kigúnyol
ridicule n. gúny
ridiculous a. nevetséges
rifle v.t. átkutat
rifle n puska
rift n. rés
right a. jobb
right adv jobbra
right n jog
righteous a. igaz
rigid a. merev
rigorous a. szigorú
rigour n. szigor
rim n. abroncs
ring n. gyűrű
ring v.t. csöng
ringlet n. tincs
ringworm n. ótvar
rinse v.t. öblít
rinse n öblítés
riot n. lázadás
riot v.t. lázadozik
rip v.t. szétrepeszt
ripe a érett
ripen v.i. érik
ripple n. fodrozódás
ripple v.t. fodroz
rise v.i. emelkedik
rise n. felszállás
risk v.t. kockáztat
risk n. kockázat
risky a. kockázatos
rite n. rítus
ritual n. szertartás
ritual a. szertartásos
rival n. vetélytárs
rival v.t. versenyez
rivalry n. versengés
river n. folyó
rivet n. szegecs
rivet v.t. szegecsel

rivulet n. patak
road n. út
roam v.i. kóborol
roar n. üvöltés
roar v.i. ordít
roast v.t. süt
roast a sült
roast n pecsenye
rob v.t. rabol
robber n. rabló
robbery n. rablás
robe n. köntös
robed a. köpenyes
robot n. robot
robust a. markos
rock v.t. ringat
rock n. szikla
rocket n. rakéta
rod n. rúd
rodent n. rágcsáló
roe n. őz
rogue n. zsivány
roguery n. gazság
roguish a. gaz
role n. szerep
roll n. tekercs
roll v.i. gurít
roll n. zsemle
roller n. henger
romance n. románc
romantic a. romantikus
romp v.i. pajkoskodik
romping a. pajkos
rood n. feszület
roof n. tető
roof v.t. befed
rook n. varjú
room n. szoba
roomy a. tágas
roost n. kakasülő
roost v.i. elszállásol
root n. gyökér

root *v.i.* gyökerezik
rope *n.* kötél
rope *v.t.* összekötöz
rosary *n.* rózsafüzér
rose *n.* rózsa
roseate *a.* rózsaszínű
rostrum *n.* hajóorr
rosy *a.* rózsás
rot *n.* rothadás
rot *v.i.* rohad
rotary *a.* forgó
rotate *v.i.* forog
rotation *n.* forgás
rote *n.* megszokás
rouble *n.* rubel
rough *a.* durva
round *a.* kerek
round *adv.* körben
round *n.* kör
round *prep.* görbül
rouse *v.i.* ébreszt
rout *v.t.* összesereglik
rout *n* csődület
route *n.* útvonal
routine *n.* rutin
routine *a* rutin
rove *v.i.* kószál
rover *n.* vándor
row *n.* sor
row *v.t.* evez
row *n* evezés
row *n.* vita
rowdy *a.* hangoskodó
royal *a.* királyi
royalist *n.* királypárti
royalty *n.* királyság
rub *v.t.* dörzsöl
rub *n* dörzsölés
rubber *n.* gumi
rubbish *n.* szemét
rubble *n.* kőtörmelék
ruby *n.* rubin

rude *a.* goromba
rudiment *n.* csökevény
rudimentary *a.* kezdetleges
rue *v.t.* sajnál
rueful *a.* bánatos
ruffian *n.* útonálló
ruffle *v.t.* fodor
rug *n.* szőnyeg
rugged *a.* egyenetlen
ruin *n.* rom
ruin *v.t.* tönkretesz
rule *n.* szabály
rule *v.t.* kormányoz
ruler *n.* vonalzó
ruling *n.* uralkodó
rum *n.* rum
rum *a* furcsa
rumble *v.i.* dörög
rumble *n.* dörgés
ruminant *a.* kérődző
ruminant *n.* kérődző
ruminate *v.i.* töpreng
rumination *n.* kérődzés
rummage *v.i.* turkál
rummage *n* turkálás
rummy *n.* römi
rumour *n.* rémhír
rumour *v.t.* híresztel
run *v.i.* fut
run *n.* futás
rung *n.* küllő
runner *n.* futó
rupee *n.* rúpia
rupture *n.* törés
rupture *v.t.* tör
rural *a.* vidéki
ruse *n.* csel
rush *n.* rohanás
rush *v.t.* rohan
rush *n* sás
rust *n.* rozsda
rust *v.i* rozsdásodik

rustic *a.* falusias
rustic *n* paraszt
rusticate *v.t.* elparasztosít
rustication *n.* elparasztosítás
rusticity *n.* parasztosság
rusty *a.* rozsdás
rut *n.* dürög
ruthless *a.* könyörtelen
rye *n.* rozs

S

sabbath *n.* szombat
sabotage *n.* szabotázs
sabotage *v.t.* szabotál
sabre *n.* szablya
sabre *v.t.* lekaszabol
saccharin *n.* szacharin
saccharine *a.* cukorszerű
sack *n.* zsák
sack *v.t.* kirúg
sacrament *n.* szentség
sacred *a.* szentelt
sacrifice *n.* áldozat
sacrifice *v.t.* feláldoz
sacrificial *a.* áldozati
sacrilege *n.* szentségtörés
sacrilegious *a.* szentségtörő
sacrosanct *a.* sérthetetlen
sad *a.* szomorú
sadden *v.t.* elszomorít
saddle *n.* nyereg
saddle *v.t.* megnyergel
sadism *n.* szadizmus
sadist *n.* szadista
safe *a.* biztonságos
safe *n.* páncélszekrény
safeguard *n.* garancia
safety *n.* biztonság
saffron *n.* sáfrány

saffron *a* sáfrányos
sagacious *a.* okos
sagacity *n.* okosság
sage *n.* zsálya
sage *a.* bölcs
sail *n.* vitorla
sail *v.i.* vitorlázik
sailor *n.* tengerész
saint *n.* szent
saintly *a.* szent
sake *n.* érdekében
salable *a.* eladó
salad *n.* saláta
salary *n.* fizetés
sale *n.* eladás
salesman *n.* kereskedő
salient *a.* kiugró
saline *a.* sós
salinity *n.* sótartalom
saliva *n.* nyál
sally *n.* kirohanás
sally *v.i.* kirohan
saloon *n.* szalon
salt *n.* só
salt *v.t* besóz
salty *a.* sós
salutary *a.* üdvös
salutation *n.* üdvözlés
salute *v.t.* köszöntés
salute *n* köszönt
salvage *n.* mentés
salvage *v.t.* kiment
salvation *n.* megváltás
same *a.* azonos
sample *n.* minta
sample *v.t.* kipróbál
sanatorium *n.* szanatórium
sanctification *n.* megszentelés
sanctify *v.t.* megszentel
sanction *n.* szankció
sanction *v.t.* jóváhagy
sanctity *n.* megszentel

128

sanctuary *n.* menedékhely
sand *n.* homok
sandal *n.* szandál
sandalwood *n.* szantálfa
sandwich *n.* szendvics
sandwich *v.t.* összeilleszt
sandy *a.* homokos
sane *a.* épelméjű
sanguine *a.* derűlátó
sanitary *a.* egészségügyi
sanity *n.* épelméjűség
sap *n.* nedv
sap *v.t.* kiszipolyoz
sapling *n.* facsemete
sapphire *n.* zafír
sarcasm *n.* gúny
sarcastic *a.* szarkasztikus
sardonic *a.* kaján
satan *n.* Sátán
satchel *n.* táska
satellite *n.* műhold
satiate *v.t.* kielégít
satiety *n.* jóllakottság
satire *n.* szatíra
satirical *a.* szatirikus
satirist *n.* szatíraíró
satirise *v.t.* kigúnyol
satisfaction *n.* kielégítés
satisfactory *a.* elégséges
satisfy *v.t.* kielégít
saturate *v.t.* telít
saturation *n.* telítettség
Saturday *n.* szombat
sauce *n.* mártás
saucer *n.* csészealj
saunter *v.t.* őgyeleg
savage *a.* vad
savage *n.* vadember
savagery *n.* vadság
save *v.t.* megtakarít
save *v.t.* megment
save *prep* kivéve

saviour *n.* megmentő
savour *n.* ízesít
savour *v.t.* ízesít
saw *n.* fűrész
saw *v.t.* fűrészel
say *v.t.* mond
say *n.* mondanivaló
scabbard *n.* hüvely
scabies *n.* rüh
scaffold *n.* vesztőhely
scale *n.* mérleg
scale *v.t.* hámlik
scalp *n* skalp
scamper *v.i* szökell
scamper *n* szökellés
scan *v.t.* fürkész
scandal *n* botrány
scandalise *v.t.* megbotránkoztat
scant *a.* gyér
scanty *a.* hiányos
scapegoat *n.* bűnbak
scar *n* sebhely
scar *v.t.* beheged
scarce *a.* ritka
scarcely *adv.* alig
scarcity *n.* hiány
scare *n.* ijedelem
scare *v.t.* megijeszt
scarf *n.* sál
scatter *v.t.* szétszór
scavenger *n.* utcaseprő
scene *n.* jelenet
scenery *n.* díszlet
scenic *a.* színpadias
scent *n.* illat
scent *v.t.* megszimatol
sceptic *n.* szkeptikus
sceptical *a.* kételkedő
scepticism *n.* kétkedés
sceptre *n.* jogar
schedule *n.* menetrend

schedule v.t. betervez
scheme n. rendszer
scheme v.i. tervez
schism n. hitszakadás
scholar n. tudós
scholarly a. tudományos
scholarship n. ösztöndíj
scholastic a. skolasztikus
school n. iskola
science n. tudomány
scientific a. tudományos
scientist n. tudós
scintillate v.i. szikrázik
scintillation n. szikrázás
scissors n. olló
scoff n. kötekedés
scoff v.i. kötekedik
scold v.t. szid
scooter n. robogó
scope n. hatáskör
scorch v.t. megperzsel
score n. pontszám
score v.t. bemetsz
scorer n. pontozó
scorn n. megvetés
scorn v.t. megvet
scorpion n. skorpió
Scot n. skót
scotch a. skót
scotch n. skót-viszki
scot-free a. ép
scoundrel n. csirkefogó
scourge n. korbács
scourge v.t. megkorbácsol
scout n felderítés
scout v.i felderít
scowl v.i. morcosan-néz
scowl n. morcos-nézés
scramble v.i. felkapaszkodik
scramble n tülekedés
scrap n. darabka
scratch n. karcolás

scratch v.t. karcol
scrawl v.t. firkál
scrawl n firkálás
scream v.i. sikít
scream n sikoly
screen n. képernyő
screen v.t. ernyőz
screw n. csavar
screw v.t. csavargat
scribble v.t. firkál
scribble n. firkálás
script n. forgatókönyv
scripture n. szentírás
scroll n. felcsavar
scrutinise v.t. megvizsgál
scrutiny n. ellenőrzés
scuffle n. dulakodás
scuffle v.i. verekszik
sculptor n. szobrász
sculptural a. szobrászati
sculpture n. szobrászat
scythe n. kasza
scythe v.t. kaszál
sea n. tenger
seal n. pecsét
seal n. fóka
seal v.t. pecsétel
seam n. varrás
seam v.t. beszeg
seamy a. mocskos
search n. keresés
search v.t. keres
season n. évszak
season v.t. fűszerez
seasonable a. évszaki
seasonal a. időszaki
seat n. ülés
seat v.t. ültet
secede v.i. elszakad
secession n. kilépés
secessionist n. elszakadó
seclude v.t. elzár

secluded a. elvonult
seclusion n. elvonultság
second a. második
second n másodperc
second v.t. segít
secondary a. másodlagos
seconder n. támogató
secrecy n. titoktartás
secret a. titkos
secret n. titok
secretariat (e) n. titkárság
secretary n. titkár
secrete v.t. elrejt
secretion n. váladék
secretive a. titokzatos
sect n. szekta
sectarian a. szektariánus
section n. rész
sector n. szektor
secure a. biztos
secure v.t. biztosít
security n. biztonság
sedan n. szedán
sedate a. nyugodt
sedative a. nyugtató
sedative n nyugtató
sedentary a. leülepedett
sediment n. üledék
sedition n. lázadás
seditious a. zendülő
seduce n. elcsábít
seduction n. csábítás
seductive a csábító
see v.t. lát
seed n. mag
seed v.t. felmagzik
seek v.t. keres
seem v.i. látszik
seemly a. illő
seep v.i. szivárog
seer n. látnok
seethe v.i. forr

segment n. szegmens
segment v.t. lemetsz
segregate v.t. elkülönít
segregation n. elkülönítés
seismic a. szeizmikus
seize v.t. megfog
seizure n. elkobzás
seldom adv. ritkán
select v.t. választ
select a válogatott
selection n. választék
selective a. válogatós
self n. maga
selfish a. önző
selfless a. önzetlen
sell v.t. elad
seller n. eladó
semblance n. látszat
semen n. ondó
semester n. szemeszter
seminal a. mag-
seminar n. szeminárium
senate n. szenátus
senator n. szenátor
senatorial a. szenátori
send v.t. küld
senile a. szenilis
senility n. szenilitás
senior a. idősebb
senior n. idős-ember
seniority n. rangidősség
sensation n. érzés
sensational a. szenzációs
sense n. érzék
sense v.t. megérez
senseless a. érzéketlen
sensibility n. érzékenység
sensible a. érezhető
sensitive a. érzékeny
sensual a. érzéki
sensualist n. szenzualista
sensuality n. érzékiség

131

sensuous a. érzéki
sentence n. mondat
sentence v.t. elítél
sentience n. érzés
sentient a. érző
sentiment n. érzés
sentimental a. szentimentális
sentinel n. őrszem
sentry n. őrszem
separable a. szétválasztható
separate v.t. leválaszt
separate a. különálló
separation n. elválasztás
sepsis n. vérmérgezés
September n. szeptember
septic a. szeptikus
sepulchre n. síremlék
sepulture n. eltemetés
sequel n. folytatás
sequence n. sorozat
sequester v.t. lefoglal
serene a. derűs
serenity n. derű
serf n. rabszolga
serge n. selyemszövet
sergeant n. őrmester
serial a. sorozatos
serial n. sorozatszám
series n. sorozat
serious a komoly
sermon n. szentbeszéd
sermonise v.i. megleckéztet
serpent n. kígyó
serpentine n. szerpentin
servant n. szolga
serve v.t. szolgál
service n. szolgáltatás
service v.t szervizel
serviceable a. használható
servile a. szolgai
servility n. szolgalelkűség
session n. értekezlet

set v.t elhelyez
set a szilárd
set n készlet
settle v.t. letelepít
settlement n. település
settler n. telepes
seven n. hét
seven a hét
seventeen n. tizenhét
seventeen a. tizenhét
seventeenth a. tizenhetedik
seventh a. hetedik
seventieth a. hetvenedik
seventy n. hetven
seventy a. hetven
sever v.t. kettéválaszt
several a számos
severance n. elválasztás
severe a. szigorú
severity n. szigorítás
sew v.t. varr
sewage n. szennyvíz
sewer n szennyvízcsatorna
sewerage n. csatornahálózat
sex n. szex
sexual a. szexuális
sexuality n. nemiség
sexy n. szexis
shabby a. kopott
shackle n. bilincs
shackle v.t. megbilincsel
shade n. árnyék
shade v.t. beárnyékol
shadow n. árnyék
shadow v.t beárnyékol
shadowy a. homályos
shaft n. tengely
shake v.i. ráz
shake n rázás
shaky a. reszkető
shallow a. sekély
sham v.i. hamisít

sham *n* hamis
sham *a* hamisítvány
shame *n.* szégyen
shame *v.t.* megszégyenít
shameful *a.* szégyenletes
shameless *a.* szemtelen
shampoo *n.* sampon
shampoo *v.t.* hajat-mos
shanty *a.* viskó
shape *n.* alak
shape *v.t* alakít
shapely *a.* formás
share *n.* részvény
share *v.t.* megoszt
share *n* hozzájárulás
shark *n.* cápa
sharp *a.* éles
sharp *adv.* hirtelen
sharpen *v.t.* élesít
sharpener *n.* élesítő
sharper *n.* csaló
shatter *v.t.* összetör
shave *v.t.* borotvál
shave *n* borotválkozás
shawl *n.* vállkendő
she *pron.* ő
sheaf *n.* kéve
shear *v.t.* nyír
shears *n. pl.* nyíróolló
shed *v.t.* elhullat
shed *n* fészer
sheep *n.* birka
sheepish *a.* mafla
sheer *a.* tiszta
sheet *n.* lepedő
shelf *n.* polc
shell *n.* kagyló
shell *v.t.* hántol
shelter *n.* menedék
shelter *v.t.* oltalmaz
shelve *v.t.* lezár-ügyet
shepherd *n.* pásztor

shield *n.* pajzs
shield *v.t.* védelmez
shift *v.t.* kimozdít
shift *n* műszak
shifty *a.* körmönfont
shilling *n.* shilling
shilly-shally *v.i.* ingadozik
shilly-shally *n.* határozatlanság
shin *n.* lábszár
shine *v.i.* ragyog
shine *n* ragyogás
shiny *a.* fényes
ship *n.* hajó
ship *v.t.* behajóz
shipment *n.* hajórakomány
shire *n.* megye
shirk *v.t.* kibújik
shirker *n.* munkakerülő
shirt *n.* ing
shiver *v.i.* reszket
shoal *n.* zátony
shoal *n* tömeg
shock *n.* sokk
shock *v.t.* megdöbben
shoe *n.* cipő
shoe *v.t.* cipőt-húz
shoot *v.t.* lő
shoot *n* lövészet
shop *n.* bolt
shop *v.i.* vásárol
shopping *n* bevásárlás
shore *n.* tengerpart
short *a.* rövid
short *adv.* röviden
shortage *n.* hiány
shortcoming *n.* elégtelenség
shorten *v.t.* rövidít
shortly *adv.* hamarosan
shorts *n. pl.* rövidnadrág
shot *n.* lövés
shoulder *n.* váll
shoulder *v.t.* vállára-vesz

shout *n.* kiáltás
shout *v.i.* kiált
shove *v.t.* lök
shove *n.* lökés
shovel *n.* lapát
shovel *v.t.* lapátol
show *v.t.* mutat
show *n.* előadás
shower *n.* zuhany
shower *v.i.* zuhanyzik
shrew *n.* cickány
shrewd *a.* okos
shriek *n.* visítás
shriek *v.i.* visít
shrill *a.* éles
shrine *n.* szentély
shrink *v.i* összemegy
shrinkage *n.* összehúzódás
shroud *n.* halotti-lepel
shroud *v.t.* letakar
shrub *n.* cserje
shrug *v.t.* vállat-von
shrug *n* vállvonás
shudder *v.i.* reszkét
shudder *n* borzadás
shuffle *v.i.* csoszog
shuffle *n.* csoszogás
shun *v.t.* elkerül
shunt *v.t.* tolat
shut *v.t.* bezár
shutter *n.* redőny
shuttle *n.* vetélő
shuttle *v.t.* jár-kel
shuttlecock *n.* tollaslabdajáték
shy *a.* félénk
shy *v.i.* megijed
sick *a.* beteg
sickle *n.* sarló
sickly *a.* beteges
sickness *n.* betegség
side *n.* oldal
side *v.i.* támogat

siege *n.* ostrom
siesta *n.* szieszta
sieve *n.* szita
sieve *v.t.* szitál
sift *v.t.* rostál
sigh *n.* sóhaj
sigh *v.i.* sóhajt
sight *n.* látás
sight *v.t.* meglát
sightly *a.* tetszetős
sign *n.* jel
sign *v.t.* aláír
signal *n.* jelzés
signal *a.* kiváló
signal *v.t.* jelez
signatory *n.* aláíró
signature *n.* aláírás
significance *n.* jelentőség
significant *a.* jelentős
signification *n.* jelzés
signify *v.t.* jelent
silence *n.* csend
silence *v.t.* elhallgattat
silencer *n.* hangtompító
silent *a.* csendes
silhouette *n.* sziluett
silk *n.* selyem
silken *a.* selyemből-készült
silky *a.* selymes
silly *a.* hülye
silt *n.* iszap
silver *n.* ezüst
silver *a* ezüst
silver *v.t.* ezüsttel-bevon
similar *a.* hasonló
similarity *n.* hasonlóság
simile *n.* hasonlat
similitude *n.* hasonlóság
simmer *v.i.* párol
simple *a.* egyszerű
simpleton *n.* egyszerű-ember
simplicity *n.* egyszerűség

simplification *n.* egyszerűsítés
simplify *v.t.* egyszerűsít
simultaneous *a.* egyidejű
sin *n.* bűn
sin *v.i.* vétkezik
since *prep.* óta
since *conj.* mivel
sincere *a.* őszinte
sincerity *n.* őszinteség
sinful *a.* bűnös
sing *v.i.* énekel
singe *v.t.* megperzsel
singe *n* pörkölés
singer *n.* énekes
single *a.* egyedülálló
single *n.* egyetlen
single *v.t.* kiszemel
singular *a.* egyedülálló
singularity *n.* különösség
singularly *adv.* egyedül
sinister *a.* baljós
sink *v.i.* süllyed
sink *n* mosogató
sinner *n.* bűnös
sinuous *a.* kígyózó
sip *v.t.* szív
sip *n.* korty
sir *n.* úr
siren *n.* sziréna
sister *n.* nővér
sisterhood *n.* apácarend
sisterly *a.* testvéri
sit *v.i.* ül
site *n.* telek
situation *n.* helyzet
six *a.* hat
six *n.* hat
sixteen *a* tizenhat
sixteen *n.* tizenhat
sixteenth *a.* tizenhatodik
sixth *a.* hatodik
sixtieth *a.* hatvanadik

sixty *a.* hatvan
sixty *n.* hatvan
sizable *a.* jókora
size *n.* méret
sizzle *v.i.* sistereg
sizzle *n.* sistergés
skate *n.* korcsolya
skate *v.t.* korcsolyázik
skein *n.* gombolyag
skeleton *n.* csontváz
sketch *n.* vázlat
sketch *v.t.* vázol
sketchy *a.* vázlatos
skid *v.i.* csúszik
skid *n* csúszás
skilful *a.* ügyes
skill *n.* ügyesség
skin *n.* bőr
skin *v.t* megnyúz
skip *v.i.* szökdécsel
skip *n* szökdécselés
skipper *n.* kapitány
skirmish *n.* csetepaté
skirmish *v.t.* tusakodik
skirt *n.* szoknya
skirt *v.t.* elkerül
skit *n.* kabaréjelenet
skull *n.* koponya
sky *n.* ég
slab *n.* lap
slack *a.* laza
slacken *v.t.* lazít
slacks *n.* nadrág
slake *v.t.* olt
slam *v.t.* becsap
slam *n* csapódás
slander *n.* rágalom
slander *v.t.* rágalmaz
slanderous *a.* rágalmazó
slang *n.* szleng
slant *v.t.* lejt
slant *n* lejtő

slap *n.* csapás
slap *v.t.* csap
slash *v.t.* hasít
slash *n* hasítás
slate *n.* pala
slattern *n.* piszkos-nő
slatternly *a.* szurtos
slaughter *n.* mészárlás
slaughter *v.t.* lemészárol
slave *n.* rabszolga
slave *v.i.* küszködik
slavery *n.* rabszolgaság
slavish *a.* szolgai
slay *v.t.* agyonüt
sleek *a.* sima
sleep *v.i.* alszik
sleep *n.* alvás
sleeper *n.* alvó
sleepy *a.* álmos
sleeve *n* ujj
sleight *n.* sértés
slender *a.* karcsú
slice *n.* szelet
slice *v.t.* szeletel
slick *a* sima
slide *v.i.* csúszik
slide *n* csúszda
slight *a.* enyhe
slight *n.* sértés
slight *v.t.* sérteget
slim *a.* karcsú
slim *v.i.* vékonyít
slime *n.* iszap
slimy *a.* iszapos
sling *n.* parittya
slip *v.i.* megcsúszik
slip *n.* botlás
slipper *n.* papucs
slippery *a.* csúszós
slipshod *a.* pontatlanul
slit *n.* rés
slit *v.t.* hasít

slogan *n.* szlogen
slope *n.* lejtő
slope *v.i.* lejt
sloth *n.* lajhár
slothful *n.* tunya
slough *n.* ingovány
slough *n.* mocsár
slough *v.t.* vedlik
slovenly *a.* lompos
slow *a* lassú
slow *v.i.* lassít
slowly *adv.* lassan
slowness *n.* lassúság
slug *n.* meztelen-csiga
sluggard *n.* lusta
sluggish *a.* lanyha
sluice *n.* zsilip
slum *n.* nyomornegyed
slumber *v.i.* szendereg
slumber *n.* szendergés
slump *n.* pangás
slump *v.i.* lepottyant
slur *n.* gyalázat
slush *n.* latyak
slushy *a.* latyakos
slut *n.* kurva
sly *a.* ravasz
smack *n.* csattanás
smack *v.i.* csettint
smack *n* cuppanás
smack *v.t.* cuppan
small *a.* kicsi
small *adv.* apróra
smallness *n.* kicsiség
smallpox *n.* himlő
smart *a.* furfangos
smart *a.* elegáns
smart *v.i* fáj
smart *n* szúrás
smash *v.t.* összetör
smash *n* összetörés
smear *v.t.* bemocskol

136

smear *n.* maszat	**snobbery** *n.* sznobizmus
smell *n.* szag	**snobbish** *a.* sznob
smell *v.t.* szagol	**snore** *v.i.* horkol
smelt *v.t.* felolvaszt	**snore** *n* horkolás
smile *n.* mosoly	**snort** *v.i.* horkant
smile *v.i.* mosolyog	**snort** *n.* horkantás
smith *n.* kovács	**snout** *n.* ormány
smock *n.* munkaköpeny	**snow** *n.* hó
smog *n.* szmog	**snow** *v.i.* havazik
smoke *n.* füst	**snowy** *a.* havas
smoke *v.i.* dohányzik	**snub** *v.t.* letorkol
smoky *a.* füstös	**snub** *a.* pisze
smooth *a.* sima	**snuff** *n.* tubákolás
smoothe *v.t.* simít	**snuff** *v.t.* tubákol
smother *v.t.* elfojt	**snug** *a.* lakályos
smoulder *v.i.* parázslik	**so** *adv.* így
smug *a.* önelégült	**so** *conj.* tehát
smuggle *v.t.* csempészik	**soak** *v.t.* áztat
smuggler *n.* csempész	**soak** *n.* áztatás
snack *n.* falatozás	**soap** *n.* szappan
snag *n.* kidudorodás	**soap** *v.t.* szappanoz
snail *n.* csiga	**soapy** *a.* szappanos
snake *n.* kígyó	**soar** *v.i.* felszáll
snake *v.i.* kígyózik	**sob** *v.i.* zokog
snap *v.t.* csattan	**sob** *n* zokogás
snap *n* csattanás	**sober** *a.* józan
snappy *a* harapós	**sobriety** *n.* józanság
snare *n.* csapda	**sociability** *n.* közvetlenség
snare *v.t.* kelepcébe-csal	**sociable** *a.* társaságkedvelő
snarl *n.* vicsorgás	**social** *n.* szociális
snarl *v.i.* vicsorog	**socialism** *n* szocializmus
snatch *v.t.* felkap	**socialist** *n,a* szocialista
snatch *n.* hirtelen-kapás	**society** *n.* társadalom
sneak *v.i.* settenkedik	**sociology** *n.* szociológia
sneak *n* spicli	**sock** *n.* zokni
sneer *v.i* gúnymosolyog	**socket** *n.* foglalat
sneer *n* gúnymosoly	**sod** *n.* gyep
sneeze *v.i.* tüsszent	**sodomite** *n.* szodomita
sneeze *n* tüsszentés	**sodomy** *n.* szodómia
sniff *v.i.* szippant	**sofa** *n.* szófa
sniff *n* szippantás	**soft** *n.* puha
snob *n.* sznob	**soften** *v.t.* puhít

soil *n.* talaj
soil *v.t.* beszennyez
sojourn *v.i.* időzik
sojourn *n* üdülőhely
solace *v.t.* vigasztal
solace *n.* vigasz
solar *a.* nap-
solder *v.t.* forraszt
solder *n.* forrasztófém
soldier *n.* katona
soldier *v.i.* katonáskodik
sole *n.* talp
sole *n.* nyelvhal
sole *v.t* talpal
sole *a* egyetlen
solemn *a.* komoly
solemnity *n.* komolyság
solemnize *v.t.* megül
solicit *v.t.* esdekel
solicitation *n.* kérelmezés
solicitor *n.* ügyvéd
solicitious *a.* gondos
solicitude *n.* gondoskodás
solid *a.* szilárd
solid *n* tömör
solidarity *n.* szolidaritás
soliloquy *n.* monológ
solitary *a.* magányos
solitude *n.* magány
solo *n* szólójáték
solo *a.* szóló
solo *adv.* egyes
soloist *n.* szólista
solubility *n.* oldhatóság
soluble *a.* oldódó
solution *n.* megoldás
solve *v.t.* megfejt
solvency *n.* fizetőképesség
solvent *a.* fizetőképes
solvent *n* oldószer
sombre *a.* komor
some *a.* valami

some *pron.* néhány
somebody *pron.* valaki
somebody *n.* valaki
somehow *adv.* valahogyan
someone *pron.* valaki
somersault *n.* bukfenc
somersault *v.i.* bukfencet-hány
something *pron.* valami
something *adv.* némileg
sometime *a.* egykori
sometimes *adv.* néha
somewhat *adv.* némileg
somewhere *adv.* valahol
somnambulism *n.* alvajáró
somnambulist *n.* alvajáró
somnolence *n.* álmosság
somnolent *n.* álmos
son *n.* fiúdal
song *n.* dal
songster *n.* dalnok
sonic *a.* szonikus
sonnet *n.* szonett
sonority *n.* hangzás
soon *adv.* nemsokára
soot *n.* korom
soot *a.* kormos
soothe *v.t.* csillapít
sophism *n.* szofizma
sophist *n.* szofista
sophisticated *a.* kifinomult
sophistication *n.*
kifinomultság
sorcerer *n.* varázsló
sorcery *n.* varázslás
sordid *a.* mocskos
sore *a.* fájó
sore *n* sebhely
sorrow *n.* bánat
sorrow *v.i.* szomorkodik
sorry *a.* bánatos
sorry *interj.* bocsánat
sort *n.* fajta

sort *v.t* kiválogat
soul *n.* lélek
sound *n.* hang
sound *v.i.* hangzik
sound *adv.* mélyen
sound *a.* megbízható
soup *n.* leves
sour *a.* savanyú
sour *v.t.* savanyít
source *n.* forrás
south *n.* dél
south *a.* déli
south *adv* délre
southerly *a.* déli
southern *a.* déli
souvenir *n.* emléktárgy
sovereign *n.* szuverén
sovereign *a* uralkodó
sovereignty *n.* szuverenitás
sow *v.t.* vet
sow *n.* koca
space *n.* űr
space *v.t.* elhelyez
spacious *a.* tágas
spade *n.* ásó
spade *v.t.* ás
span *n.* arasz
span *v.t.* araszol
Spaniard *n.* spanyol
spaniel *n.* spániel
Spanish *a.* spanyol
Spanish *n.* spanyol
spanner *n.* csavarkulcs
spare *v.t.* sajnál
spare *a* tartalék
spare *n.* tartalék
spark *n.* szikra
spark *v.i.* felgyújt
sparkle *v.i.* szikrázik
sparkle *n.* szikra
sparrow *n.* veréb
sparse *a.* gyér

spasm *n.* görcs
spasmodic *a.* görcsös
spate *n.* áradás
spatial *a.* térbeli
spawn *n.* ivadék
spawn *v.i.* ívik
speak *v.i.* beszél
speaker *n.* beszélő
spear *n.* lándzsa
spear *v.t.* landzsával-megdöf
spearhead *n.* lándzsahegy
spearhead *n.* lándzsahegy
special *a.* különleges
specialist *n.* szakember
speciality *n.* különlegesség
specialisation *n.*
    specializálódás
specialise *v.i.* specializálódik
species *n.* faj
specific *a.* különleges
specification *n.* részletezés
specify *v.t.* részletez
specimen *n.* mintadarab
speck *n.* petty
spectacle *n.* látványosság
spectacles *n.pl.* szemüveg
spectacular *a.* látványos
spectator *n.* néző
spectre *n.* szellem
speculate *v.i.* spekulál
speculation *n.* spekuláció
speech *n.* beszéd
speed *n.* sebesség
speed *v.i.* gyorsít
speedily *adv.* gyorsan
speedy *a.* gyors
spell *n.* varázslat
spell *v.t.* betűz
spelling *n* betűzés
spend *v.t.* költ
spendthrift *n.* tékozló
sperm *n.* sperma

sphere *n.* gömb
spherical *a.* gömbölyű
spice *n.* fűszer
spice *v.t.* fűszerez
spicy *a.* fűszeres
spider *n.* pók
spike *n.* tüske
spike *v.t.* megszegel
spill *v.i.* kiönt
spill *n* bukás
spin *v.i.* forgat
spin *n.* forgás
spinach *n.* spenót
spinal *a.* gerinc-
spindle *n.* orsó
spine *n.* gerinc
spinner *n.* fonógép
spinster *n.* hajadon
spiral *n.* spirál
spiral *a.* spirális
spirit *n.* szellem
spirited *a.* szellemes
spiritual *a.* lelki
spiritualism *n.* spiritizmus
spiritualist *n.* spiritiszta
spirituality *n.* lelkiség
spit *v.i.* köp
spit *n* köpés
spite *n.* rosszindulat
spittle *n* köpet
spittoon *n.* köpőcsésze
splash *v.i.* loccsant
splash *n* loccsanás
spleen *n.* lép
splendid *a.* pompás
splendour *n.* ragyogás
splinter *n.* szilánk
splinter *v.t.* elszakít
split *v.i.* hasít
split *n* hasadás
spoil *v.t.* elront
spoil *n* zsákmány

spoke *n.* küllő
spokesman *n.* szóvivő
sponge *n.* szivacs
sponge *v.t.* szivaccsal-letöröl
sponsor *n.* szponzor
sponsor *v.t.* támogat
spontaneity *n.* önkéntelenség
spontaneous *a.* spontán
spoon *n.* kanál
spoon *v.t.* kanalaz
spoonful *n.* kanálnyi
sporadic *a.* szórványos
sport *n.* sport
sportive *a.* játékos
sportsman *n.* sportember
spot *n.* hely
spot *v.t.* meglát
spotless *a.* makulátlan
spousal *n.* házastársi
spouse *n.* házastárs
spout *n.* kiöntő
spout *v.i.* kilövell
sprain *n.* rándulás
sprain *v.t.* kificamodik
spray *n.* permet
spray *n* ágacska
spray *v.t.* permetez
spread *v.i.* szétterjed
spread *n.* terjedelem
spree *n.* dáridó
sprig *n.* gally
sprightly *a.* eleven
spring *v.i.* ugrik
spring *n* tavasz
spring *a.* tavaszi
sprinkle *v. t.* szór
sprint *v.i.* sprintel
sprint *n* rövidtávfutás
sprout *v.i.* rügyezik
sprout *n* rügy
spur *n.* sarkantyú
spur *v.t.* sarkantyúz

spurious *a.* hamis
spurn *v.t.* elutasít
spurt *v.t.* kilövell
spurt *n* kilövellés
sputnik *n.* szputnyik
sputum *n.* köpet
spy *n.* kém
spy *v.i.* kémkedik
squad *n.* osztag
squadron *n.* repülőszázad
squalid *a.* mocskos
squalor *n.* szenny
squander *v.t.* elherdál
square *n.* négyzet
square *a* négyzetes
square *adv.* derékszögben
squash *v.t.* összeprésel
squash *n* tök
squat *a.* zömök
squat *v.i.* guggol
squeak *v.i.* vinnyog
squeak *n* nyikorgás
squeeze *v.t.* présel
squint *v.i.* kancsalít
squint *n* kancsalság
squire *n.* földesúr
squirrel *n.* mókus
stab *v.t.* ledöf
stab *n.* döfés
stability *n.* szilárdság
stabilisation *n.* rögzítés
stabilise *v.t.* rögzít
stable *a.* stabil
stable *n* istálló
stadium *n.* stadion
staff *n.* személyzet
staff *n.* bot
stag *n.* szarvas
stage *n.* színpad
stage *v.t.* színre-hoz
stagger *v.i.* tántorog
stagger *n.* tántorgás

stagnant *a.* pangó
stagnate *v.i.* pang
stagnation *n.* pangás
staid *a.* higgadt
stain *n.* folt
stain *v.t.* bepiszkít
stainless *a.* szeplőtlen
stair *n.* lépcsőfok
stake *n* tét
stake *n.* cölöp
stale *a.* állott
stale *a.* száraz
stalemate *n.* holtpont
stalk *n.* szár
stalk *v.i.* követ-titokban
stall *n.* átesés
stall *v.i.* halogat
stallion *n.* csődör
stalwart *a.* rendíthetetlen
stalwartness *n* bátorság
stamina *n.* kitartás
stammer *v.i.* dadog
stammer *n* hebegés
stamp *n.* bélyeg
stamp *v.i.* lepecsétel
stampede *n.*
  fejvesztett-menekülés
stampede *v.i*
  fejvesztett-menekül
stand *v.i.* áll
stand *n.* állvány
standard *n.* szabvány
standard *a* szabványos
standardisation *n.*
  szabvány-osítás
standardise *v.t.* szabványosít
standing *a.* álló
standing *n.* helyzet
standpoint *n.* álláspont
standstill *n.* mozdulatlanság
stanza *n.* strófa
staple *n.* fémkapocs

141

staple *a* tartós
star *n.* csillag
starch *n.* keményítő
starch *v.t.* keményít
stare *v.i.* bámul
stare *n.* bámulás
stark *a.* kopár
stark *adv.* teljesen
starry *a.* csillagos
start *v.t.* kezdődik
start *n* kezdet
startle *v.t.* megijeszt
starvation *n.* éhezés
starve *v.i.* éhezik
state *a* állami
state *n.* állam
state *v.t* állít
stateliness *n.* pompa
stately *a.* tekintélyes
statement *n.* nyilatkozat
statesman *n.* politikus
static *a.* nyugvó
statics *n.* statika
station *n.* állomás
station *v.t.* odaállít
stationary *a.* állandó
stationer *n.* papírkereskedő
stationery *n.* irodaszer
statistical *a.* statisztikai
statistician *n.* statisztikus
statistics *n.* statisztika
statue *n.* szobor
stature *n.* kaliber
status *n.* állapot
statute *n.* törvény
statutory *a.* kötelező
staunch *a.* hűséges
stay *v.i.* marad
stay *n* tartózkodás
steadfast *a.* állhatatos
steadiness *n.* szilárdság
steady *a.* állhatatos

steady *v.t.* lerögzít
steal *v.t.* lop
stealthily *adv.* lopakodva
steam *n* gőz
steam *v.i.* gőzölög
steamer *n.* gőzhajó
steed *n.* paripa
steel *n.* acél
steep *a.* meredek
steep *v.t.* beáztat
steeple *n.* templomtorony
steer *v.t.* kormányoz
stellar *a.* csillagos
stem *n.* szár
stench *n.* bűz
stencil *n.* stencil
stenographer *n.* gyorsíró
stenography *n.* gyorsírás
step *n.* lépés
step *v.i.* lép
steppe *n.* sztyeppe
stereotype *n.* sztereotípia
stereotypical *a.* sablonos
sterile *a.* steril
sterility *n.* sterilitás
sterilisation *n.* sterilizáció
sterilise *v.t.* sterilizálás
sterling *n.* font
stern *a.* zord
stern *n.* tat
stethoscope *n.* sztetoszkóp
stew *n.* pörkölt
stew *v.t.* párol
steward *n.* utaskísérő
stick *n.* bot
stick *v.t.* ragaszt
sticker *n.* matrica
stickler *n.* szőrszálhasogató
sticky *n.* ragadós
stiff *n.* merev
stiffen *v.t.* megkeményít
stifle *v.t.* fojtogat

142

stigma *n.* szégyenbélyeg
still *a.* mozdulatlan
still *adv.* mégmindig
still *conj.* mégis
still *n.* nyugalom
stillness *n.* nyugalom
stilt *n.* gólyaláb
stimulant *n.* élénkítőszer
stimulate *v.t.* izgat
stimulus *n.* indíték
sting *v.t.* megcsíp
sting *n.* csípés
stingy *a.* fukar
stink *v.i.* bűzlik
stink *n* bűz
stipend *n.* illetmény
stipulate *v.t.* megállapodik
stipulation *n.* megszorítás
stir *v.i.* kever
stirrup *n.* kengyel
stitch *n.* öltés
stitch *v.t.* összevarr
stock *n.* részvény
stock *v.t.* tárol
stocking *n.* harisnya
stocky *a.* köpcös
stoic *n.* sztoikus
stoke *v.t.* tüzel
stoker *n.* fűtő
stomach *n.* gyomor
stomach *v.t.* kibír
stone *n.* kő
stone *v.t.* megkövez
stony *a.* köves
stool *n.* széklet
stool *n.* zsámoly
stoop *v.i.* görnyed
stoop *n* görnyedés
stop *v.i.* megáll
stop *n* megállás
stoppage *n* megállítás
storage *n.* tárolás

store *n.* bolt
store *v.t.* tárol
storey *n.* emelet
stork *n.* gólya
storm *n.* vihar
storm *v.i.* megrohamoz
stormy *a.* viharos
story *n.* történet
stout *a.* tömzsi
stove *n.* tűzhely
stow *v.t.* elrak
straggle *v.i.* csatangol
straggler *n.* lemaradó
straight *a.* egyenes
straight *adv.* közvetlenül
straightaway *adv.* azonnal
straighten *v.t.* kiegyenesít
straightforward *a.* őszinte
strain *v.t.* feszít
strain *n* feszítés
strait *n.* tengerszoros
straiten *v.t.* szorongat
strand *v.t.* partra-vet
strand *n* part
strange *a.* furcsa
stranger *n.* idegen
strangle *v.t.* megfojt
strangulation *n.* megfojtás
strap *n.* szíj
strap *v.t.* összeszíjaz
stratagem *n.* hadicsel
strategic *a.* hadászati
strategist *n.* stratéga
strategy *n.* stratégia
stratum *n.* réteg
straw *n.* szalma
strawberry *n.* eper
stray *v.i.* kóborol
stray *a* bitang
stray *n* kóbor
stream *n.* folyam
stream *v.i.* folyik

streamer *n.* lobogó
streamlet *n.* ér
street *n.* utca
strength *n.* erő
strengthen *v.t.* megerősít
strenuous *a.* fáradhatatlan
stress *n.* feszültség
stress *v.t* kihangsúlyoz
stretch *v.t.* kitágít
stretch *n* kinyújtás
stretcher *n.* tágító
strew *v.t.* szór
strict *a.* szigorú
stricture *n.* bírálat
stride *v.i.* lépked
stride *n* lépés
strident *a.* csikorgó
strife *n.* küzdelem
strike *v.i.* sztrájkol
strike *n* sztrájk
strike *v.t.* üt
striker *n.* csatár
string *n.* húr
string *v.t.* felhúroz
stringency *n.* szigorúság
stringent *a.* szigorú
strip *n.* szalag
strip *v.i.* levetkőzik
stripe *n.* csík
stripy *a.* csíkos
strive *v.i.* töreked
stroke *n.* ütés
stroke *v.t.* végigsimít
stroke *n* agyvérzés
stroll *v.i.* sétál
stroll *n* séta
strong *a.* erős
stronghold *n.* erőd
structural *a.* szerkezeti
structure *n.* struktúra
struggle *v.i.* harcol
struggle *n* harc

strumpet *n.* kurva
strut *v.i.* parádézik
strut *n* támasz
stub *n.* tuskó
stubble *n.* tarló
stubborn *a.* makacs
stud *n.* ménes
stud *v.t.* veretez
student *n.* diák
studio *n.* stúdió
studious *a.* szorgalmas
study *v.i.* tanul
study *n.* tanulmány
stuff *n.* anyag
stuff *v.t.* töm
stuffy *a.* dohos
stumble *v.i.* botladozik
stumble *n.* botlás
stump *n.* fatönk
stun *v.t.* megszédít
stunt *v.t.* elsatnyít
stuntman *n* kaszkadőr
stupefy *v.t.* elképeszt
stupendous *a.* elképesztő
stupid *a* buta
stupidity *n.* ostobaság
sturdy *a.* izmos
sty *n.* disznóól
stye *n.* árpa
style *n.* mód
subdue *v.t.* lever
subject *n.* tárgy
subject *a* alávetett
subject *v.t.* leigáz
subjection *n.* alávetettség
subjective *a.* szubjektív
subjugate *v.t.* leigáz
subjugation *n.* leigázás
sublet *v.t.* albérletbe-ad
sublimate *v.t.* szublimál
sublime *a.* fenséges
sublimity *n.* fenség

144

submarine n. tengeralattjáró
submarine a tengeralatti
submerge v.i. alámerül
submission n. behódolás
submissive a. engedelmes
submit v.t. alávet
subordinate a. alárendelt
subordinate a. alantas
subordinate v.t. alárendel
subordination n. alárendeltség
subscribe v.t. előfizet
subscription n. előfizetés
subsequent a. következő
subservience n. elősegítés
subservient a. elősegítő
subside v.i. leülepedik
subsidiary a. mellékes
subsidise v.t. segélyez
subsidy n. segély
subsist v.i. fennmarad
subsistence n. megélhetés
substance n. tartalom
substantial a. lényeges
substantially adv. lényegesen
substantiate v.t. alátámaszt
substantiation n. alátámasztás
substitute n. helyettes
substitute v.t. helyettesít
substitution n. helyettesítés
subterranean a. földalatti
subtle a. hajszálnyi
subtlety n. finomság
subtract v.t. levon
subtraction n. kivonás
suburb n. külváros
suburban a. külvárosi
subversion n. felforgatás
subversive a. felforgató
subvert v.t. felforgat
succeed v.i. sikerül
success n. siker
successful a. sikeres

succession n. öröklés
successive a. folytonos
successor n. utód
succour n. segítség
succour v.t. segít
succumb v.i. enged
such a. ilyen
suck v.t. szopik
suck n. szopás
suckle v.t. szoptat
sudden a. hirtelen
suddenly adv. rögtön
sue v.t. beperel
suffer v.t. szenved
suffice a. elegendő
suffice v.i. kielégít
sufficiency n. ellátás
sufficient a. elegendő
suffix n. szuffixum
suffocate v.t megfojt
suffocation n. megfulladás
suffrage n. választójog
sugar n. cukor
sugar v.t. cukroz
sugary a cukros
suggest v.t. javasol
suggestion n. javaslat
suggestive a. sugalló
suicidal a. öngyilkos
suicide n. öngyilkosság
suit n. öltöny
suit v.t. illeszt
suitability n. alkalmasság
suitable a. megfelelő
suite n. sorozat
suitor n. udvarló
sullen a. mogorva
sulphur n. kén
sulphuric a. kén-
sultry a. tikkasztó
sum n. összeg
sum v.t. összead

summarily *adv.* röviden
summarise *v.t.* összefoglal
summary *n.* összefoglalás
summary *a* összefoglaló
summer *n.* nyár
summery *a.* nyárias
summit *n.* hegytető
summon *v.t.* behív
summons *n.* hívás
sumptuous *a.* pazar
sun *n.* nap
sun *v.t.* napozik
Sunday *n.* vasárnap
sunder *v.t.* elválik
sunny *a.* napos
sup *v.i.* eszik
super *a.* szuper
superabundance *n.* bőség
superabundant *a.* bőséges
superb *a.* nagyszerű
supercilious *a.* dölyfös
superficial *a.* felszínes
superficiality *n.* felszínesség
superfine *a.* legfinomabb
superfluity *n.* feleslegesség
superfluous *a.* felesleges
susperhuman *a.* emberfölötti
superintend *v.t.* felügyel
superintendence *n.* felügyelet
superintendent *n.* felügyelő
superior *a.* felettes
superiority *n.* felsőbbrendűség
superlative *a.* felsőfokú
superlative *n.* felsőfok
superman *n.* szuper-ember
supernatural *a.*
  természet-fölötti
supersede *v.t.* helyettesít
supersonic *a.* szuperszonikus
superstition *n.* babona
superstitious *a.* babonás
supertax *n.* különadó

supervise *v.t.* felügyel
supervision *n.* felügyelet
supervisor *n.* felügyelő
supper *n.* vacsora
supple *a.* hajlékony
supplement *n.* kiegészítés
supplement *v.t.* kiegészít
supplementary *a.* kiegészítő
supplier *n.* szállító
supply *v.t.* ellát
supply *n* ellátás
support *v.t.* támogat
support *n.* támogatás
suppose *v.t.* feltételez
supposition *n.* feltételezés
suppress *v.t.* lenyom
suppression *n.* elnyomás
supremacy *n.* fölény
supreme *a.* legfelsőbb
surcharge *n.* pótdíj
surcharge *v.t.* túlterhel
sure *a.* biztos
surely *adv.* biztosan
surety *n.* jótálló
surf *n.* hullámtörés
surf *v.i.* szörfözik
surface *n.* felület
surfeit *n.* többlet
surge *n.* nyomáslengés
surge *v.i.* hullámzik
surgeon *n.* sebész
surgery *n.* sebészet
surmise *n.* feltevés
surmise *v.t.* feltételez
surmount *v.t.* felülmúl
surname *n.* vezetéknév
surpass *v.t.* felülmúl
surplus *n.* fölösleg
surplus *a.* fölösleges
surprise *n.* meglepetés
surprise *v.t.* meglep
surrender *v.t.* megad

surrender *n* megadás
surround *v.t.* körülvesz
surroundings *n.* környék
surtax *n.* pótadó
surveillance *n.* felügyelet
survey *n.* felmérés
survey *v.t.* áttekint
survival *n.* túlélés
survive *v.i.* túlél
suspect *v.t.* gyanít
suspect *a.* gyanús
suspect *n* gyanúsított
suspend *v.t.* felfüggeszt
suspense *n.* kétség
suspension *n.* felfüggesztés
suspicion *n.* gyanú
suspicious *a.* gyanús
sustain *v.t.* elvisel
sustenance *n.* fenntartás
swagger *v.i.* henceg
swagger *n* hencegés
swallow *v.t.* nyel
swallow *n.* nyelés
swallow *n.* fecske
swamp *n.* ingovány
swamp *v.t.* eláraszt
swan *n.* hattyú
swarm *n.* raj
swarm *v.i.* rajzik
swarthy *a.* napbarnított
sway *v.i.* inog
sway *n* ingás
swear *v.t.* esküszik
sweat *n.* izzadság
sweat *v.i.* izzad
sweater *n.* pulóver
sweep *v.i.* söpör
sweep *n.* söprés
sweeper *n.* utcaseprő
sweet *a.* édes
sweet *n* édesség
sweeten *v.t.* édesít

sweetmeat *n.* cukorka
sweetness *n.* édesség
swell *v.i.* dagad
swell *n* duzzadás
swift *a.* sebes
swim *v.i.* úszik
swim *n* úszás
swimmer *n.* úszó
swindle *v.t.* rászed
swindle *n.* szélhámosság
swindler *n.* csaló
swine *n.* sertés
swing *v.i.* himbálózik
swing *n* hinta
Swiss *n.* Svájci
Swiss *a* Svájci
switch *n.* kapcsoló
switch *v.t.* átvált
swoon *n.* ájulás
swoon *v.i* elájul
swoop *v.i.* lecsap
swoop *n* lecsapás
sword *n.* kard
sycamore *n.* szikimórfa
sycophancy *n.* talpnyalás
sycophant *n.* hízelgő
syllabic *a.* szótag-
syllable *n.* szótag
syllabus *n.* tanterv
sylph *n.* szilf
sylvan *a.* erdei
symbol *n.* jelkép
symbolic *a.* jelképes
symbolism *n.* jelképrendszer
symbolise *v.t.* jelképez
symmetrical *a.* részarányos
symmetry *n.* részarányosság
sympathetic *a.* rokonszenvező
sympathise *v.i.* szimpatizál
sympathy *n.* rokonszenv
symphony *n.* szimfónia
symposium *n.* szimpózium

symptom *n.* tünet
symptomatic *a.* jellegzetes
synonym *n.* szinonima
synonymous *a.* szinonim
synopsis *n.* áttekintés
syntax *n.* mondattan
synthesis *n.* szintézis
synthetic *a.* szintetikus
synthetic *n* műszál
syringe *n.* fecskendő
syringe *v.t.* fecskendez
syrup *n.* szörp
system *n.* rendszer
systematic *a.* szisztematikus
systematise *v.t.* rendszerbefoglal

T

table *n.* asztal
tablet *n.* tabletta
taboo *n.* tabu
taboo *a* kerülendő
tabular *a.* táblázatos
tabulate *v.t.* csoportosít
tabulation *n.* táblázat
tabulator *n.* tabulátor
tacit *a.* hallgatólagos
taciturn *a.* hallgatag
tackle *n.* felszerelés
tackle *v.t.* megragad
tact *n.* tapintat
tactful *a.* tapintatos
tactician *n.* taktikus
tactics *n.* harcászat
tactile *a.* tapintható
tag *n.* címke
tag *v.t.* hozzátold
tail *n.* farok
tailor *n.* szabó

tailor *v.t.* kiszab
taint *n.* megfertőzés
taint *v.t.* megfertőz
take *v.t* vesz
tale *n.* mese
talent *n.* tehetség
talisman *n.* talizmán
talk *v.i.* beszélget
talk *n* beszélgetés
talkative *a.* beszédes
tall *a.* magas
tallow *n.* viasz
tally *n.* megjelölés
tally *v.t.* megfelel
tamarind *n.* tamarinduszfa
tame *a.* szelíd
tame *v.t.* megszelídít
tamper *v.i.* elront
tan *v.t.* cserez
tan *a.* cserszínű
tan *n.* cser
tangent *n.* tangens
tangible *a.* megfogható
tangle *n.* gubanc
tangle *v.t.* összegubancol
tank *n.* tartály
tanker *n.* tartályhajó
tanner *n.* cserzővarga
tannery *n.* cserzőműhely
tantalize *v.t.* gyötör
tantamount *a.* egyenértékű
tap *n.* csap
tap *v.t.* megcsapol
tape *n.* szalag
tape *v.t* beiktat
taper *v.t.* elvékonyít
taper *n* elvékonyodó
tapestry *n.* gobelin
tar *n.* kátrány
tar *v.t.* kátrányoz
target *n.* célpont
tariff *n.* tarifa

tarnish v.t. elhomályosít
task n. feladat
task v.t. megterhel
taste n. íz
taste v.t. megkóstol
tasteful a. ízléses
tasty a. ízletes
tatter n. rongy
tattoo n. tetoválás
tattoo v.t. tetovál
tatty a. rongyos
taunt v.t. kicsúfol
taunt n gúnyolódás
tavern n. kocsma
tax n. adó
tax v.t. adóztat
taxable a. adóköteles
taxation n. adózás
taxi n. taxi
taxi v.i. taxizik
tea n tea
teach v.t. tanít
teacher n. tanár
teak n. tíkfa
team n. csapat
tear v.t. tép
tear n. könny
tear n. elszakadás
tearful a. könnyes
tease v.t. kötekedik
teat n. csöcs
technical a. műszaki
technicality n. szakszerűség
technician n. technikus
technique n. módszer
technological a. technikai
technologist n. technológus
technology n. technológia
tedious a. unalmas
tedium n. unalom
teem v.i. bővelkedik
teenager n. tizenéves

teens n. pl. tizenéves
teeth n.pl. fogak
teethe v.i. fogzik
teetotal a. antialkoholista
teetotaller n. antialkoholista
telecast n. tévéadás
telecast v.t. közvetít
telecommunications n. távközlés
telegram n. távirat
telegraph n. távíró
telegraph v.t. táviratozik
telegraphic a. távirati
telegraphist n. távírász
telegraphy n. távirat
telepathic a. telepatikus
telepathist n. telepatikus
telepathy n. telepátia
telephone n. telefon
telephone v.t. telefonál
telescope n. távcső
telescopic a. távcsöves
televise v.t. közvetít
television n. televízió
tell v.t. mond
teller n. bankpénztáros
temper n. kedély
temper v.t. edz
temperament n. vérmérséklet
temperamental a. rosszkedvű
temperance n. mértékletesség
temperate a. mérsékelt
temperature n. hőmérséklet
tempest n. vihar
tempestuous a. viharos
temple n. templom
temple n halánték
temporal a. időbeli
temporary a. ideiglenes
tempt v.t. csábít
temptation n. kísértés
tempter n. kísértő

ten a. tíz
ten n. tíz
tenable a. tartható
tenacious a. állhatatos
tenacity n. szívósság
tenancy n. bérleti
tenant n. bérlő
tend v.i. ellát
tendency n. hajlam
tender n tender
tender v.t. versenytárgyal
tender n versenytárgyalás
tender a lágy
tenet n. tan
tennis n. tenisz
tense n. megfeszít
tense a. feszült
tensile a. nyújtható
tension n. feszültség
tent n. sátor
tentative a. kísérleti
tenure n. birtoklás
term n. határidő
term n. kifejezés
terminable a. befejezhető
terminal a. végső
terminal n végállomás
terminate v.t. befejez
termination n. végződés
terminological a. szaknyelvi
terminology n. szaknyelv
terminus n. végállomás
terrace n. terasz
terrible a. rettenetes
terrier n. terrier
terrific a. csodálatos
terrify v.t. megrémít
territorial a. területi
territory n. terület
terror n. rémület
terrorism n. terrorizmus
terrorist n. terrorista

terrorise v.t. terrorizál
terse a. velős
test v.t. vizsgál
test n próba
testament n. végrendelet
testicle n. here
testify v.i. tanúskod
testimonial n. bizonyítvány
testimony n. tanúságtétel
tete-a-tete adv. kettesben
tether n. pányva
tether v.t. kipányváz
text n. szöveg
textile a. szövetes
textile n textil
textual n. szöveges
texture n. szövet
thank v.t. köszön
thanks n. köszönet
thankful a. hálás
thankless a. hálátlan
that a. olyan
that dem. pron. az
that rel. pron. ami
that conj. hogy
thatch n. nádtető
thatched a. nádfedeles
thaw v.i felolvaszt
thaw n olvadás
theatre n. színház
theatrical a. színházi
theft n. lopás
their a. azok
theirs pron. övék
theism n. istenhit
theist n. teista
them pron. őket
thematic a. tematikus
theme n. téma
then adv. majd
then a akkori
thence adv. onnan

thence conj. azóta
theocracy n. papi-uralom
theologian n. teológus
theological a. teológiai
theology n. teológia
theorem n. elv
theoretical a. elméleti
theorist n. teoretikus
theorise v.i. teoretizál
theory n. elmélet
therapy n. terápia
there adv. ott
thereabouts adv. arrafelé
thereafter conj. ezután
thereby conj. ezáltal
therefore conj. ezért
thermal a. termál
thermometer n. termosztát
thermos (flask) n. termosz
thesis n. tézis
thick a. vastag
thick a. sűrű
thick adv. vastagon
thicken v.i. vastagít
thicket n. bozót
thief n. tolvaj
thigh n. comb
thimble n. gyűszű
thin a. vékony
thin v.t. vékonyít
thing n. dolog
think v.t. gondol
thinker n. gondolkodó
third a. harmadik
third n. harmadik
thirdly adv. harmadszor
thirst n. szomjúság
thirst v.i. szomjazik
thirsty a. szomjas
thirteen n. tizenhárom
thirteen a tizenhárom
thirteenth a. tizenharmadik

thirtieth a. harmincadik
thirtieth n harmincadik
thirty n. harminc
thirty a harminc
thistle n. bogáncs
thither adv. oda
thorn n. tüske
thorny a. tüskés
thorough a alapos
thoroughfare n. átjárás
though conj. bár
though adv. mégis
thought n gondolat
thoughtful a. gondolkodó
thousand n. ezer
thousand a ezer
thrall n. jobbágy
thralldom n. rabszolgaság
thrash v.t. elver
thrash n. verés
thread n. cérna
thread v.t befűz
threadbare a. kopott
threat n. fenyegetés
threaten v.t. fenyeget
three n. három
three a három
thresh v.t. csépel
thresher n. csépelő
threshold n. küszöb
thrice adv. háromszor
thrift n. takarékosság
thrifty a. takarékos
thrill n. izgalom
thrill v.t. megborzongat
thrive v.i. gyarapszik
throat n. torok
throaty a. rekedt
throb v.i. dobog
throb n. dobogás
throe n. fájdalom
throne n. trón

throne v.t. trónol
throng n. tömeg
throng v.t. megtölt
throttle n. gázkar
throttle v.t. megfojt
through prep. át
through adv. keresztül
through a átmenő
throughout adv. mindenütt
throw v.t. dob
throw n. dobás
thrust v.t. lök
thrust n lökés
thud n. puffanás
thud v.i. puffan
thug n. orgyilkos
thumb n. hüvelykujj
thumb v.t. stoppol
thumb v.t. lapozgat
thump n. ütés
thump v.t. öklöz
thunder n. mennydörgés
thunder v.i. dörög
thunderous a. viharos
Thursday n. csütörtök
thus adv. így
thwart v.t. megakadályoz
tiara n. tiara
tick n. kullancs
tick v.i. kipipál
ticket n. jegy
tickle v.t. csiklandoz
tickle n. csiklandozás
ticklish a. csiklandós
tidal a. árapály
tide n. áradat
tidings n. pl. hír
tidiness n. rendesség
tidy a. rendes
tidy v.t. kitakarít
tie v.t. megköt
tie n nyakkendő

tier n. szint
tiger n. tigris
tight a. szoros
tighten v.t. megszorít
tigress n. nősténytigris
tile n. csempe
tile v.t. csempéz
till prep. amíg
till n pénztárfiók
tilt v.i. billen
tilt n. billenés
timber n. faanyag
time n. idő
time v.t. időt-számít
timely a. időszerű
timid a. félénk
timidity n. félénkség
timorous a. félénk
tin n ón
tin v.t. ónoz
tincture n. oldat
tincture v.t. árnyal
tinge n. árnyalat
tinge v.t. színez
tinker n. bádogos
tinsel n. aranyfüst
tint n. színárnyalat
tint v.t. színez
tiny a. apró
tip n. tipp
tip v.t. elbuktat
tip n. borravaló
tip v.t. tippel
tip n. csúcs
tip v.t. borravalót-ad
tipsy a. becsípett
tirade n. beszéd
tire v.t. kifáraszt
tiresome a. fárasztó
tissue n. szövet
titanic a. óriási
tithe n. dézsma

title *n.* cím
titular *a.* címzetes
toad *n.* varangy
toast *n.* pirítós
toast *v.t.* pirít
toast *v.t.* koccint
tobacco *n.* dohány
today *adv.* ma
today *n.* mai-nap
toe *n.* lábujj
toffee *n.* tejkaramell
toga *n.* tóga
together *adv.* együtt
toil *n.* erőfeszítés
toil *v.i.* küszködik
toilet *n.* vécé
toils *n. pl.* fáradalmak
token *n.* zseton
token *a.* jelképes
tolerable *a.* elviselhető
tolerance *n.* tolerancia
tolerant *a.* toleráns
tolerate *v.t.* elvisel
toleration *n.* türelem
toll *n.* vám
toll *n* díj
toll *v.t.* csenget
tomato *n.* paradicsom
tomb *n.* síremlék
tomboy *n.* fiúslány
tomcat *n.* kandúr
tome *n.* kötet
tomorrow *n.* holnap
tomorrow *adv.* holnap
ton *n.* tonna
tone *n.* hang
tone *v.t.* hangol
tongs *n. pl.* fogó
tongue *n.* nyelv
tonic *a.* üdítő
tonic *n.* tonik
tonight *n.* ma-este

tonight *adv.* ma-este
tonne *n.* tonna
tonsil *n.* mandula
tonsure *n.* hajkorona
too *adv.* is
tool *n.* szerszám
tooth *n.* fog
toothache *n.* fogfájás
toothsome *a.* gusztusos
top *n.* tető
top *v.t.* betetőz
top *a.* legmagasabb
topaz *n.* topáz
topic *n.* téma
topical *a.* alkalmi
topographer *n.* topográfus
topographical *a.* topográfiai
topography *n.* topográfia
topple *v.i.* ledönt
topsy turvy *a.* felfordított
topsy turvy *v.t.* felforgat
torch *n.* fáklya
torch *n.* zseblámpa
torment *n.* kín
torment *v.t.* kínoz
tornado *n.* tornádó
torpedo *n.* torpedó
torpedo *v.t.* megtorpedóz
torrent *n.* özön
torrential *a.* zuhogó
torrid *a.* perzselő
tortoise *n.* teknősbéka
tortuous *a.* tekervényes
torture *n.* kínszenvedés
torture *v.t.* kínoz
toss *v.t.* hajít
toss *n* dobás
total *a.* összes
total *n.* végösszeg
total *v.t.* összead
totality *n.* teljesség
touch *v.t.* érint

touch *n* érintés
touchy *a.* sértődékeny
tough *a.* kemény
toughen *v.t.* megkeményít
tour *n.* turné
tour *v.i.* turnézik
tourism *n.* idegenforgalom
tourist *n.* turista
tournament *n.* torna
towards *prep.* felé
towel *n.* törülköző
towel *v.t.* törülközik
tower *n.* torony
tower *v.i.* tornyosul
town *n.* város
township *a.* község
toy *n.* játék
toy *v.i.* játszik
trace *n.* nyom
trace *v.t.* felvázol
traceable *a.* nyomon-követhető
track *n.* vágány
track *v.t.* követ
tract *n.* traktus
tract *n* időtartam
traction *n.* vontatás
tractor *n.* traktor
trade *n.* kereskedelem
trade *v.i* kereskedik
trader *n.* kereskedő
tradesman *n.* kereskedő
tradition *n.* hagyomány
traditional *a.* hagyományos
traffic *n.* forgalom
traffic *v.i.* kereskedik
tragedian *n.* tragédiaíró
tragedy *n.* tragédia
tragic *a.* tragikus
trail *n.* nyom
trail *v.t.* vonszol
trailer *n.* utánfutó
train *n.* vonat

train *v.t.* idomít
trainee *n.* gyakornok
training *n.* edzés
training *n.* kiképzés
trait *n.* jellemvonás
traitor *n.* hazaáruló
tram *n.* villamos
trample *v.t.* elnyom
trance *n.* révület
tranquil *a.* nyugodt
tranquility *n.* nyugalom
tranquillise *v.t.* megnyugtat
transact *v.t.* lebonyolít
transaction *n.* tranzakció
transcend *v.t.* felülmúl
transcendent *a.* transzcendens
transcribe *v.t.* átír
transcription *n.* átírás
transfer *n.* átutalás
transfer *v.t.* átutal
transferable *a.* átruházható
transfiguration *n.* átváltozás
transfigure *v.t.* átváltoztat
transform *v.* átalakít
transformation *n.* átalakítás
transgress *v.t.* áthág
transgression *n.* áthágás
transit *n.* tranzit
transition *n.* átmenet
transition *a.* átmeneti
transitive *n.* tárgyas-ige
transitory *n.* mulandó
translate *v.t.* lefordít
translation *n.* fordítás
translator *n.* fordító
transmigration *n.* lélekván-
dorlás
transmission *n.* átadás
transmit *v.t.* sugároz
transmitter *n.* adó
transparent *a.* átlátszó
transplant *v.t.* átültet

154

transplant *n.* átültetés
transport *v.t.* szállít
transport *n.* fuvarozás
transportation *n.* szállítás
trap *n.* csapda
trap *v.t.* csapdába-csal
trash *n.* szemét
travel *v.i.* utazik
travel *n* utazás
traveller *n.* utazó
tray *n.* tálca
treacherous *a.* áruló
treachery *n.* árulás
tread *v.t.* tapos
tread *n* keréktár
treason *n.* árulás
treasure *n.* kincs
treasure *v.t.* megőriz
treasurer *n.* kincstárnok
treasury *n.* kincstár
treat *v.t.* bánik
treat *n* élvezet
treatise *n.* értekezés
treatment *n.* kezelés
treaty *n.* szerződés
tree *n.* fa
trek *v.i.* vándorol
trek *n.* vándorlás
tremble *v.i.* reszket
tremendous *a.* hatalmas
tremor *n.* remegés
trench *n.* árok
trend *n.* irányzat
trendy *a.* divatos
trespass *v.i.*
   birtokában-háborít
trial *n.* próba
triangle *n.* háromszög
triangular *a.* háromszögű
tribal *a.* törzsi
tribe *n.* törzs
tribulation *n.* gyötrelem

tribunal *n.* bíróság
tributary *n.* adófizető
tributary *a.* mellékfolyó
trick *n* trükk
trick *v.t.* csal
trickery *n.* csalás
trickle *v.i.* csörgedez
trickster *n.* csaló
tricky *a.* trükkös
tricolour *a.* háromszínű
tricolour *n* trikolór
tricycle *n.* tricikli
trifle *n.* apróság
trifle *v.i* elpazarol
trigger *n.* ravasz
trim *a.* rendes
trim *n* szegély
trim *v.t.* lenyír
trinity *n.* háromság
trio *n.* hármas
trip *v.t.* elgáncsol
trip *n.* kirándulás
tripartite *a.* háromoldalú
triple *a.* háromszoros
triple *v.t.,* megháromszoroz
triplicate *a.* hármas
triplicate *n* három-példányban
triplicate *v.t.* megháromszoroz
triplication *n.*
   megháromszorozás
tripod *n.* háromlábú
triumph *n.* diadal
triumph *v.i.* diadalmaskodik
triumphal *a.* diadalmas
triumphant *a.* diadalmas
trivial *a.* jelentéktelen
troop *n.* csapat
trooper *n.* lovas-katona
trophy *n.* trófea
tropic *n.* tropikus
tropical *a.* trópusi
trot *v.i.* üget

trot n ügetés
trouble n. baj
trouble v.t. aggaszt
troublesome a. aggasztó
troupe n. színtársulat
trousers n. pl nadrág
trowel n. vakolókanál
truce n. fegyverszünet
truck n. teherautó
true a. igaz
trump n. harsona
trump v.t. adut-játszik
trumpet n. trombita
trumpet v.i. trombitál
trunk n. bőrönd
trust n. bizalom
trust v.t bízik
trustee n. megbízott
trustful a. becsületes
trustworthy a. hiteles
trusty n. megbízható
truth n. igazság
truthful a. igazmondó
try v.i. megpróbál
try n megpróbáltatás
trying a. nehéz
tryst n. találka
tub n. kád
tube n. cső
tuberculosis n. tuberkulózis
tubular a. csöves
tug v.t. húz
tuition n. oktatás
tumble v.i. összekuszál
tumble n. esés
tumbler n. akrobata
tumour n. tumor
tumult n. felfordulás
tumultuous a. lármás
tune n. dallam
tune v.t. felhangol
tunnel n. alagút

tunnel v.i. alagútépít
turban n. turbán
turbine n. turbina
turbulence n. turbulencia
turbulent a. zajongó
turf n. pázsit
turf v.t. pázsitoz
turkey n. pulyka
turmeric n. kurkuma
turmoil n. felfordulás
turn v.i. fordul
turn v.t. fordít
turn n fordulat
turner n. esztergályos
turpentine n. terpentin
turtle n. viziteknősbéka
tusk n. agyar
tussle n. verekedés
tussle v.i. tusakodik
tutor n. oktató
tutorial a. tanítási
tutorial n. különóra
twelfth a. tizenkettedik
twelfth n. tizenkettedik
twelve a. tizenkét
twelve n tizenkettő
twentieth a. huszadik
twentieth n huszadik
twenty a. húsz
twenty n húsz
twice adv. kétszer
twig n. gally
twilight n szürkület
twin n. iker
twin a kettős-
twinkle v.i. kacsint
twinkle n. szemvillanás
twist v.t. csavar
twist n. csavarás
twitter n. csicsergés
twitter v.i. csicsereg
two n. kettő

156

two *a.* két
twofold *a.* kettős
type *n.* típus
type *v.t.* gépel
typhoid *n.* tífusz
typhoon *n.* tájfun
typhus *n.* tífusz
typical *a.* tipikus
typify *v.t.* jellemez
typist *n.* gépírónő
tyranny *n.* zsarnokság
tyrant *n.* zsarnok
tyre *n.* gumi

udder *n.* tőgy
uglify *v.t.* elcsúfít
ugliness *n.* csúnyaság
ugly *a.* csúnya
ulcer *n.* fekély
ulcerous *a.* fekélyes
ulterior *a.* későbbi
ultimate *a.* végső
ultimately *adv.* végül
ultimatum *n.* ultimátum
umbrella *n.* esernyő
umpire *n.* játékvezető
umpire *v.t.* játékvezet
unable *a.* képtelen
unanimity *n.* egyhangúság
unanimous *a.* egyhangú
unaware *a.* önkéntelen
unawares *adv.* önkéntelenül
unburden *v.t.* megkönnyít
uncanny *a.* rejtélyes
uncertain *a.* bizonytalan
uncle *n.* nagybácsi
uncouth *a.* faragatlan
under *prep.* alatt

under *adv* alatta
under *a* alsó
undercurrent *n.*
vízalatti-áramlás
underdog *n* gyengébb-fél
undergo *v.t.* keresztülmegy
undergraduate *n.* hallgató
underhand *a.* alattomos
underline *v.t.* aláhúz
undermine *v.t.* aláás
underneath *adv.* alul
underneath *a.* alsó
understand *v.t.* ért
undertake *v.t.* vállal
undertone *n.* suttogás
underwear *n.* alsóruha
underworld *n.* alvilág
undo *v.t.* kibont
undue *a.* jogtalan
undulate *v.i.* hullámzik
undulation *n.* hullámzás
unearth *v.t.* felfedez
uneasy *a.* kényelmetlen
unfair *a* tisztességtelen
unfold *v.t.* kibontakozik
unfortunate *a.* szerencsétlen
ungainly *a.* félszeg
unhappy *a.* boldogtalan
unification *n.* egyesítés
union *n.* unió
unionist *n.* unionista
unique *a.* páratlan
unison *n.* összhang
unit *n.* egység
unite *v.t.* egyesít
unity *n.* egység
universal *a.* egyetemes
universality *n.* egyetemesség
universe *n.* világegyetem
university *n.* egyetem
unjust *a.* igazságtalan
unless *conj.* hacsaknem

unlike *a* különböző
unlike *prep* szemben
unlikely *a.* valószínűtlen
unmanned *a.* személyzet-nélküli
unmannerly *a* modortalan
unprincipled *a.* elvtelen
unreliable *a.* megbízhatatlan
unrest *n* nyugtalanság
unruly *a.* makrancos
unsettle *v.t.* megzavar
unsheathe *v.t.* kiránt
until *prep.* míg
until *conj* amíg
untoward *a.* kellemetlen
unwell *a.* beteg
unwittingly *adv.* akaratlanul
up *adv.* felfelé
up *prep.* fel
upbraid *v.t* megszid
upheaval *n.* felfordulás
uphold *v.t* támogat
upkeep *n* fenntartás
uplift *v.t.* felemel
uplift *n* fellendülés
upon *prep* alapján
upper *a.* felső
upright *a.* függőleges
uprising *n.* felkelés
uproar *n.* zajongás
uproarious *a.* lármás
uproot *v.t.* kiirt
upset *v.t.* felborít
upshot *n.* következmény
upstart *n.* újgazdag
up-to-date *a.* naprakész
upward *a.* emelkedő
upwards *adv.* felfelé
urban *a.* városi
urbane *a.* udvarias
urbanity *n.* udvariasság
urchin *n.* csibész

urge *v.t* ösztökél
urge *n* ösztönzés
urgency *n.* sürgősség
urgent *a.* sürgős
urinal *n.* vizelde
urinary *a.* vizelési
urinate *v.i.* vizel
urination *n.* vizelés
urine *n.* vizelet
urn *n* urna
usage *n.* használat
use *n.* használat
use *v.t.* használ
useful *a.* hasznos
usher *n.* jegyszedő
usual *a.* szokásos
usually *adv.* rendszerint
usurer *n.* uzsorás
usurp *v.t.* bitorol
usurpation *n.* bitorlás
usury *n.* uzsora
utensil *n.* szerszám
uterus *n.* méh
utilitarian *a.* haszonelvű
utility *n.* hasznosság
utilisation *n.* hasznosítás
utilise *v.t.* hasznosít
utmost *a.* legvégső
utopia *n .* utópia
utopian *a.* utópisztikus
utter *v.t.* kiejt
utter *a* teljes
utterance *n.* beszédmód
utterly *adv.* beszédmód

vacancy *n.* üresség
vacant *a.* üres
vacate *v.t.* kiürít

vacation *n.* vakáció
vaccinate *v.t.* beolt
vaccination *n.* oltás
vaccinator *n.* beoltó
vaccine *n.* oltóanyag
vacillate *v.i.* tétovázik
vacuum *n.* vákuum
vagabond *n.* csavargó
vagabond *a* vándorló
vagary *n.* hóbort
vagina *n.* vagina
vague *a.* homályos
vagueness *n.* homályosság
vain *a.* hiú
vainglorious *a.* hencegő
vainglory *n.* hencegés
vainly *adv.* hiún
vale *n.* völgy
valiant *a.* bátor
valid *a.* érvényes
validate *v.t.* érvényesít
validity *n.* érvényesség
valley *n.* völgy
valour *n.* vitézség
valuable *a.* értékes
valuation *n.* értékelés
value *n.* érték
value *v.t.* értékel
valve *n.* szelep
van *n.* kisteherautó
vanish *v.i.* eltűnik
vanity *n.* hiúság
vanquish *v.t.* leküzd
vapourise *v.t.* párolog
vapourous *a.* párás
vapour *n.* pára
variable *a.* változó
variance *n.* eltérés
variation *n.* variáns
varied *a.* változatos
variety *n.* választék
various *a.* különféle

varnish *n.* lakk
varnish *v.t.* lakkoz
vary *v.t.* váltogat
vasectomy *n.* férfi-sterilizálás
vaseline *n.* vazelin
vast *a.* hatalmas
vault *n.* boltozat
vault *n.* ugrás
vault *v.i.* ugrik
vegetable *n.* zöldség
vegetable *a.* növényi
vegetarian *n.* vegetáriánus
vegetarian *a* vegetáriánus
vegetation *n.* növényzet
vehemence *n.* hév
vehement *a.* heves
vehicle *n.* jármű
vehicular *a.* közlekedési
veil *n.* fátyol
veil *v.t.* lefátyoloz
vein *n.* ér
velocity *n.* sebesség
velvet *n.* bársony
velvety *a.* bársonyos
venal *a.* megvesztegethető
venality *n.* megvesztegethetőség
vendor *n.* eladó
venerable *a.* tiszteletreméltó
venerate *v.t.* tisztel
veneration *n.* tisztelet
vengeance *n.* bosszú
venial *a.* megbocsátható
venom *n.* méreg
venomous *a.* mérgező
vent *n.* nyílás
ventilate *v.t.* szellőztet
ventilation *n.* szellőzés
ventilator *n.* ventilátor
venture *n.* vállalkozás
venture *v.t.* vállalkozik
venturesome *a.* kalandos
venturous *a.* merész

venue *n.* helyszín
veracity *n.* igazmondás
verendah *n.* veranda
verb *n.* ige
verbal *a.* szóbeli
verbally *adv.* élőszóban
verbatim *adv.* szó-szerint
verbose *a.* bőbeszédű
verbosity *n.* bőbeszédűség
verdant *a.* zöldellő
verdict *n.* ítélet
verge *n.* szegély
verification *n.* ellenőrzés
verify *v.t.* ellenőriz
verisimilitude *n.* élethűség
veritable *a.* valóságos
vermillion *n.* cinóberfesték
vermillion *a.* karmazsinvörös
vernacular *n.* helyi-nyelv
vernacular *a.* hazai
vernal *a.* tavaszi
versatile *a.* sokoldalú
versatility *n.* sokoldalúság
verse *n.* vers
versed *a.* tapasztalt
versification *n.* verselés
versify *v.t.* versel
version *n.* változat
versus *prep.* ellen
vertical *a.* függőleges
verve *n.* lelkesedés
very *adj.* nagyon
vessel *n.* edény
vest *n.* mellény
vestige *n.* nyom
vestment *n.* díszruha
veteran *n.* veterán
veteran *a.* öreg
veterinary *a.* állatorvosi
veto *n.* vétó
veto *v.t.* vétót-emel
vex *v.t.* bosszant

vexation *n.* bosszantás
via *prep.* keresztül
viable *a.* járható
vial *n.* üvegcse
vibrate *v.i.* rezeg
vibration *n.* rezgés
vicar *n.* plébános
vicarious *a.* megbízott
vice *n.* bűn
vice *adj.* helyettes
viceroy *n.* alkirály
vice-versa *adv.* fordítva
vicinity *n.* környék
vicious *a.* erőszakos
vicissitude *n.* viszontagság
victim *n.* áldozat
victimise *v.t.* feláldoz
victor *n.* győztes
victorious *a.* győztes
victory *n.* győzelem
victuals *n. pl* eleség
vie *v.i.* versenyez
view *n.* kilátás
view *v.t.* megtekint
vigil *n.* virrasztás
vigilance *n.* éberség
vigilant *a.* éber
vigorous *a.* élénk
vile *a.* hitvány
vilify *v.t.* becsmérel
villa *n.* nyaraló
village *n.* falu
villager *n.* falusi
villain *n.* gazember
vindicate *v.t.* megvéd
vindication *n.* fenntartás
vine *n.* szőlőtőke
vinegar *n.* ecet
vintage *n.* szüret
violate *v.t.* sértik
violation *n.* megsértés
violence *n.* erőszak

160

violent *a.* erőszakos
violet *n.* ibolya
violin *n.* hegedű
violinist *n.* hegedűművész
virgin *n.* szűz
virgin *adj.* szűz-
virginity *n.* szüzesség
virile *a.* férfias
virility *n.* férfiasság
virtual *a* tényleges
virtue *n.* erény
virtuous *a.* erényes
virulence *n.* fertőzőképesség
virulent *a.* fertőző
virus *n.* vírus
visage *n.* tekintet
visibility *n.* láthatóság
visible *a.* látható
vision *n.* látomás
visionary *a.* látó
visionary *n.* látnok
visit *n.* látogatás
visit *v.t.* látogat
visitor *n.* látogató
vista *n.* kilátás
visual *a.* vizuális
visualise *v.t.* elképzel
vital *a.* fontos
vitality *n.* életerő
vitalise *v.t.* élénkít
vitamin *n.* vitamin
vitiate *v.t.* megront
vivacious *a.* élénk
vivacity *n.* élénkség
viva-voce *adv.* szóbelileg
viva-voce *a* szóbeli
viva-voce *n* szóbeli
vivid *a.* eleven
vixen *n.* nőstény-róka
vocabulary *n.* szókincs
vocal *a.* zengő
vocalist *n.* énekes

vocation *n.* hivatás
vocational *adj.* szakképzés
vogue *n.* divat
voice *n.* hang
voice *v.t.* kifejez
void *a.* üres
void *v.t.* érvénytelenít
void *n.* űr
volcanic *a.* vulkanikus
volcano *n.* vulkán
volition *n.* akarat
volley *n.* sortűz
volley *v.t.* röptézik
volleyball *n.* röplabda
volt *n.* volt
voltage *n.* elektromos-
feszültség
volume *n.* térfogat
voluminous *a.* terjedelmes
voluntarily *adv.* önként
voluntary *a.* önkéntes
volunteer *n.* önkéntes
volunteer *v.t.*
önként-jelentkezik
voluptuary *n.* kéjenc
voluptuous *a.* kéjes
vomit *v.t.* hány
vomit *n* hányás
voracious *a.* falánk
votary *n.* szerzetes
vote *n.* szavazás
vote *v.i.* szavaz
voter *n.* szavazó
vouch *v.i.* tanúsít
voucher *n.* utalvány
vouchsafe *v.t.* megenged
vow *n.* eskü
vow *v.t.* megfogad
vowel *n.* magánhangzó
voyage *n.* hajóút
voyage *v.i.* hajóutazik
voyager *n.* hajóutas

vulgar *a.* közönséges
vulgarity *n.* közönségesség
vulnerable *a.* sebezhető
vulture *n.* keselyű

wade *v.i.* átgázol
waddle *v.i.* kacsázik
waft *v.t.* lebegtet
waft *n* szélfúvás
wag *v.i.* csóvál
wag *n* csóválás
wage *v.t.* fogad
wage *n.* munkabér
wager *n.* fogadás
wager *v.i.* fogad
wagon *n.* kocsi
wail *v.i.* jajgat
wail *n* jajgatás
wain *n.* szekér
waist *n.* derék
waistband *n.* övrész
waistcoat *n.* mellény
wait *v.i.* vár
wait *n.* várakozás
waiter *n.* pincér
waitress *n.* pincérnő
waive *v.t.* lemond
wake *v.t.* felébreszt
wake *n* halottvirrasztás
wakeful *a.* éber
walk *v.i.* sétál
walk *n* séta
wall *n.* fal
wallet *n.* pénztárca
wallop *v.t.* elnádrágol
wallop *n* elnádrágolás
wallow *v.i.* hentereg
walnut *n.* dió

walrus *n.* rozmár
wan *a.* sápadt
wand *n.* pálca
wander *v.i.* vándorol
wane *v.i.* fogy
wane *n* fogyatkozás
want *v.t.* akar
want *n* hiány
wanton *a.* buja
war *n.* háború
war *v.i.* háborúzik
warble *v.i.* trilláz
warble *n* trillázás
warbler *n.* poszáta
ward *n.* kórterem
ward *n* gyámság
warden *n.* gondnok
warder *n.* börtönőr
wardrobe *n.* gardrób
wardship *n.* gyámság
ware *n.* áru
warehouse *v.t* raktár
warfare *n.* hadviselés
warlike *a.* harcias
warm *a.* meleg
warm *v.t.* melegít
warmth *n.* melegség
warn *v.t.* figyelmeztet
warning *n.* figyelmeztetés
warrant *n.* biztosíték
warrant *v.t.* jótáll
warrantee *n.* garancia
warrantor *n.* szavatos
warranty *n.* szavatosság
warren *n.* nyúlkert
warrior *n.* harcos
wart *n.* szemölcs
wary *a.* óvatos
wash *v.t.* mos
wash *n* mosás
washable *a.* mosható
washer *n.* mosó

wasp *n.* darázs
waspish *a.* csípős
wassail *n.* sörösköszöntés
wastage *n.* hulladék
waste *a.* puszta
waste *n.* pazarlás
waste *v.t.* pazarol
wasteful *a.* pazarló
watch *v.t.* figyel
watch *n.* karóra
watchful *a.* éber
watchword *n.* jelszó
water *n.* víz
water *v.t.* locsol
waterfall *n.* vízesés
water-melon *n.* görögdinnye
waterproof *a.* vízálló
waterproof *n* esőkabát
waterproof *v.t.* vízállóvátenni
watertight *a.* vízhatlan
watery *a.* vizes
watt *n.* watt
wave *n.* hullám
wave *v.t.* integet
waver *v.i.* habozik
wax *n.* viasz
wax *v.t.* viaszol
way *n.* út
wayfarer *n.* vándor
waylay *v.t.* kirabol
wayward *a.* csökönyös
weak *a.* gyenge
weaken *v. i* gyengül
weaken *v.t.* gyengít
weakling *n.* nyápic
weakness *n.* gyengeség
weal *n.* jólét
wealth *n.* vagyon
wealthy *a.* gazdag
wean *v.t.* elválaszt
weapon *n.* fegyver
wear *v.t.* visel

weary *a.* fáradt
weary *v.t.* elfáraszt
weary *v.l.* kimerül
weather *n* időjárás
weather *v.t.* túlél
weave *v.t.* sző
weaver *n.* takács
web *n.* háló
webbed *a.* úszóhártyás
wed *v.t.* házasodik
wedding *n.* esküvő
wedge *n.* ék
wedge *v.t.* beékel
wedlock *n.* házasság
Wednesday *n.* szerda
weed *n.* gyom
weed *v.t.* kigyomlál
week *n.* hét
weekly *a.* heti
weekly *adv.* hetente
weekly *n.* hetilap
weep *v.i.* sír
weevil *n.* zsizsik
weigh *v.t.* megmér
weight *n.* súly
weighty *a.* súlyos
weir *n.* duzzasztógát
weird *a.* furcsa
welcome *a.* kellemes
welcome *n* fogadtatás
welcome *v.t* üdvözöl
weld *v.t.* hegeszt
weld *n* hegesztés
welder *n.* hegesztő
welfare *n.* jólét
well *a.* helyes
well *adv.* jól
well *n.* kút
wellington *n.* csizma
well-known *a.* közismert
well-read *a.* olvasott
well-timed *a.* jól-időzített

well-to-do *a.* jómódú
welt *n.* varróráma
welter *v.l.* hempereg
wen *n.* faggyúdaganat
wench *n.* szajha
west *n.* nyugat
west *a.* nyugati
west *adv.* nyugatra
westerly *a.* nyugati
westerly *adv.* nyugatra
western *a.* nyguati
wet *a.* nedves
wet *v.t.* bevizez
wetness *n.* nedvesség
whack *v.t.* elnadrágol
whale *n.* bálna
wharf *n.* rakpart
wharfage *n.* rakpartilleték
what *a.* amennyi
what *pron.* ami
what *interj.* mi
whatever *pron.* akármi
wheat *n.* búza
wheedle *v.t.* hízeleg
wheel *n.* kerék
wheel *v.t.* gurít
whelm *v.t.* elnyel
whelp *n.* kölyök
when *pron.* amikor
when *conj.* mikor
whence *adv.* honnan
whenever *conj* bármikor
where *adv.* hol
where *conj.* ahol
whereabouts *adv.* merre
whereas *conj.* mivel
whereat *conj.* amin
wherein *adv.* miben
whereupon *conj.* amikor
wherever *adv.* bárhol
whet *v.t.* köszörül
whether *conj.* vajon

which *pron.* ami
which *a* melyik
whichever *pron* bármelyik
whiff *n.* fuvallat
while *conj.* míg
while *v.t.* időz
whim *n.* szeszély
whimper *v.i.* nyafog
whimsical *a.* szeszélyes
whine *v.i.* nyafog
whine *n* nyafogás
whip *v.t.* megkorbácsol
whip *n.* ostor
whipcord *n.* ostorvég
whir *n.* zúgás
whirl *n.i.* zúg
whirl *n* forgás
whirligig *n.* búgócsiga
whirlpool *n.* örvény
whirlwind *n.* forgószél
whisk *v.t.* suhint
whisk *n* habverő
whisker *n.* darukar
whisky *n.* whisky
whisper *v.t.* suttog
whisper *n* suttogás
whistle *v.i.* fütyül
whistle *v.t.* sípol
whistle *n* síp
white *a.* fehér
whiten *v.t.* fehérít
whitening *n.* fehérítés
whitewash *n.* meszelés
whitewash *v.t.* kimeszel
whither *adv.* ahova
whitish *a.* fehéres
whittle *v.t.* faragcsál
whizz *v.i.* zúg
who *pron.* aki
whoever *pron.* bárki
whole *a.* egész
whole *n* teljesség

whole-hearted *a.* készséges	**winch** *n.* forgattyú
wholesale *n.* nagykereskedés	**wind** *n.* szél
wholesale *a* nagybani	**wind** *v.t.* felteker
wholesale *adv.* nagyban	**windbag** *n.* fújtató
wholesaler *n.* nagykereskedő	**winder** *n.* csévélő
wholesome *a.* egészséges	**windlass** *v.t.* csörlő
wholly *adv.* teljesen	**windmill** *n.* szélmalom
whom *pron.* akit	**window** *n.* ablak
whore *n.* kurva	**windy** *a.* szeles
whose *pron.* kié	**wine** *n.* bor
why *adv.* miért	**wing** *n.* szárny
wick *n.* kanóc	**wink** *v.i.* hunyorít
wicked *a.* gonosz	**wink** *n* hunyorítás
wicker *n.* vesszőfonás	**winner** *n.* győztes
wicket *n.* rácsajtó	**winnow** *v.t.* szitál
wide *a.* széles	**winsome** *a.* elbájoló
wide *adv.* távol	**winter** *n.* tél
widen *v.t.* szélesít	**winter** *v.i* teleltet
widespread *a.* kiterjedt	**wintry** *a.* téli
widow *n.* özvegyasszony	**wipe** *v.t.* töröl
widow *v.t.* özveggyé-tesz	**wipe** *n.* törlés
widower *n.* özvegy	**wire** *n.* drót
width *n.* szélesség	**wire** *v.t.* sürgönyöz
wield *v.t.* kezel	**wireless** *a.* vezeték-nélküli
wife *n.* feleség	**wireless** *n* rádió
wig *n.* paróka	**wiring** *n.* vezeték
wigwam *n.* indián-sátor	**wisdom** *n.* bölcsesség
wild *a.* vad	**wisdom-tooth** *n.* bölcsesség-
wilderness *n.* pusztaság	fog
wile *n.* fortély	**wise** *a.* bölcs
will *n.* akarat	**wish** *n.* kívánság
will *n.* végrendelet	**wish** *v.t.* kíván
will *v.t.* végrendelkezik	**wishful** *a.* sóvárgó
willing *a.* hajlandó	**wisp** *n.* szalmacsutak
willingness *n.* hajlandóság	**wistful** *a.* vágyakozó
willow *n.* fűzfa	**wit** *n.* ész
wily *a.* fortélyos	**witch** *n.* boszorkány
wimble *n.* kézifúró	**witchcraft** *n.* boszorkányság
wimple *n.* apácafátyol	**witchery** *n.* bűbájosság
win *v.t.* győz	**with** *prep.* val
win *n* győzelem	**withal** *adv.* ráadásul
wince *v.i.* összerezzen	**withdraw** *v.t.* visszavon

withdrawal *n.* visszavonás
withe *n.* fűzfavesszőkötés
wither *v.i.* elhervad
withhold *v.t.* visszatart
within *prep.* belül
within *adv.* benn
without *prep.* kívül
without *adv.* nélkül
withstand *v.t.* ellenáll
witless *a.* ostoba
witness *n.* tanú
witness *v.i.* tanúsít
witticism *n.* szellemeskedés
witty *a.* szellemes
wizard *n.* varázsló
wobble *v.i* inog
woe *n.* baj
woebegone *a.* levert
woeful *n.* bánatos
wolf *n.* farkas
woman *n.* nő
womanhood *n.* asszonyiság
womanish *n.* asszonyos
womaniser *n.* szoknyavadász
womb *n.* méh
wonder *n* csoda
wonder *v.i.* csodálkozik
wonderful *a.* csodálatos
wondrous *a.* meglepő
wont *a.* megszokott
wont *n* szokás
wonted *a.* szokásos
woo *v.t.* udvarol
wood *n.* erdő
woods *n.* erdő
wooden *a.* faipari
woodland *n.* erdőség
woodland *a.* erdei
woof *interj.* vau
wool *n.* gyapjú
woollen *a.* gyapjúszövet
word *n.* szó

word *v.t* szövegez
wordy *a.* bőbeszédű
work *n.* munka
work *v.t.* dolgozik
workable *a.* működőképes
workaday *a.* hétköznapi
worker *n.* munkás
workman *n.* munkás
workmanship *n.* szakszerűség
workshop *n.* műhely
world *n.* világ
worldly *a.* világias
worldly-wise *a.* gyakorlatias
worm *n.* giliszta
wormwood *n.* üröm
worn *a.* kopott
worry *n.* gond
worry *v.i.* aggódik
worsen *v.t.* rosszabbodik
worship *n.* imádás
worship *v.t.* imád
worshipper *n.* imádó
worst *n.* legrosszabb
worst *a* legrosszabb
worst *adv.* legrosszabbul
worsted *n.* gyapjúfonal
worth *n.* érték
worth *a* érdemes
worthless *a.* értéktelen
worthy *a.* méltó
would-be *a.* állítólagos
wound *n.* seb
wound *v.t.* megsebesít
wrack *n.* pusztulás
wraith *n.* képmás
wrangle *v.i.* vitatkozik
wrangle *n.* összetűzés
wrap *v.t.* csomagol
wrap *n* borítás
wrapper *n.* csomagolás
wrath *n.* harag
wreath *n.* koszorú

wreathe *v.t.* megkoszorúz
wreck *n.* roncs
wreck *v.t.* leront
wreckage *n.* összeomlás
wrecker *n.* romboló
wren *n.* ökörszem
wrench *n.* csavarkulcs
wrench *v.t.* kihúz
wrest *v.t.* kicsavar
wrestle *v.i.* birkózik
wrestler *n.* birkózó
wretch *n.* szerencsétlen-alak
wretched *a.* nyomorult
wrick *n* rándulás
wriggle *v.i.* csavargat
wriggle *n* kanyargás
wring *v.t* kicsavar
wrinkle *n.* ránc
wrinkle *v.t.* ráncol
wrist *n.* csukló
writ *n.* végzés
write *v.t.* ír
writer *n.* író
writhe *v.i.* vonaglik
wrong *a.* helytelen
wrong *adv.* helytelenül
wrong *v.t.* megsért
wrongful *a.* jogtalan
wry *a.* fanyar

xerox *n.* fénymásolás
xerox *v.t.* fénymásol
Xmas *n.* Karácsony
x-ray *n.* röntgen
x-ray *a.* röntgen-
x-ray *v.t.* röntgenez
xylophagous *a.* xilofág
xylophone *n.* xilofon

yacht *n.* jacht
yacht *v.i* vitorlázik
yak *n.* jak
yap *v.i.* ugat
yap *n* ugatás
yard *n.* udvar
yarn *n.* fonál
yawn *v.i.* ásít
yawn *n.* ásítás
year *n.* év
yearly *a.* évi
yearly *adv.* évenként
yearn *v.i.* sóvárog
yearning *n.* sóvárgás
yeast *n.* élesztő
yell *v.i.* ordít
yell *n* ordítás
yellow *a.* sárga
yellow *v.t.* sárgít
yellowish *a.* sárgás
Yen *n.* Yen
yeoman *n.* kisgazda
yes *adv.* igen
yesterday *a.* tegnapi
yesterday *adv.* tegnap
yet *adv.* még
yet *conj.* mégis
yield *v.t.* terem
yield *n* termelés
yoke *n.* iga
yoke *v.t.* járomba-hajt
yolk *n.* tojássárgája
yonder *a.* amaz
yonder *adv.* amott
young *a.* fiatal
young *n* kölyök
youngster *n.* ifjú
youth *n.* ifjúság
youthful *a.* fiatalos

Z

zany *a.* dilis
zeal *n.* buzgóság
zealot *n.* zelóta
zealous *a.* buzgó
zebra *n.* zebra
zenith *n.* zenit
zephyr *n.* zefír
zero *n.* nulla
zest *n.* lelkesedés
zigzag *n.* cikcakk
zigzag *a.* cikcakkos

zigzag *v.i.* cikcakkban-megy
zinc *n.* cink
zip *n.* cipzár
zip *v.t.* süvít
zodiac *n* állatöv
zonal *a.* övezetes
zone *n.* zóna
zoo *n.* állatkert
zoological *a.* állattani
zoologist *n.* zoológus
zoology *n.* állattan
zoom *n.* zúgás
zoom *v.i.* zúg

HUNGARIAN-ENGLISH

A

abbahagy *v.t.* relinquish
ábécé *n.* alphabet
ábécérend *a.* alphabetical
ábécéskönyv *n.* primer
ablak *n.* window
ablakborda *n.* mullion
ablaktábla *n.* pane
ábrázol *v. t.* depict
ábrázol *v.t.* illustrate
ábrázol *v.t.* profile
ábrázolás *n.* imagery
ábrázolás *n.* portrayal
abroncs *n.* rim
absztrakt *a* abstract
abszurd *a* absurd
abszurd *a.* nonsensical
abszurdum *n* absurdity
acél *n.* steel
ácsmesterség *n.* carpentry
ácsorog *v.i.* lounge
ad *v. t* bestow
ad *v.t.* give
adag *n* dose
adag *n* portion
adakozó *a.* munificent
adaptáció *n.* adaptation
adaptál *v.t.* adapt
adás *n* broadcast
adminisztrátor *n.* administrator
adó *n.* tax
adó *n.* transmitter
adófizető *n.* tributary
adóköteles *a.* taxable
adomány *n.* donation
adományoz *v. t* donate
adományoz *v. t* endow
adományozó *n* donor
adós *n* debtor

adósság *n* debt
adottság *n* facility
adózás *n.* taxation
adóztat *v.t.* tax
adut-játszik *v.t.* trump
affinitás *n* affinity
aforizma *n* aphorism
aforizma *n.* maxim
ág *n* branch
ágacska *n* spray
agancs *n.* antler
agár *n.* greyhound
ágaskodó *a.* rampant
aggaszt *v.t.* trouble
aggasztó *a.* troublesome
agglegény *n.* bachelor
aggodalom *n.* misgiving
aggódik *v.i.* worry
aggódó *a.* anxious
agilis *a.* agile
agilitás *n.* agility
agitáció *n* agitation
agonista *n* agonist
agresszió *n* aggression
agresszív *a.* aggressive
agronómus *n.* agriculturist
agy *n* brain
ágy *n* bed
agyag *n* clay
agyagföld *n* argil
agyar *n.* tusk
ágyastárs *n* concubine
ágyban *adv.* abed
ágyék *n.* loin
agyhártyagyulladás *n.* meningitis
agyi *a* cerebral
ágynemű *n.* bedding
agyonüt *v.t.* slay
ágytakaró *n.* coverlet
ágyú *n.* cannon
ágyútűz *n.* cannonade

172

agyvérzés *n* stroke
áhítatos *a.* reverential
ahogy *adv.* like
ahogyan *pron.* as
ahol *conj.* where
ahova *adv.* whither
ajak *n.* lip
ajándék *n.* gift
ajándék *n.* largesse
ajándék *n.* present
ajánlat *n* bid
ajánlat *n.* offering
ajánlat *n.* proposition
ajánlatos *n* advisability
ajánlattevő *n* bidder
ajkak *n.pl.* lips
ajtó *n* door
ájulás *n.* faint
ájulás *n.* swoon
ajvédelem *n.* racialism
akadály *n.* bar
akadály *n.* hindrance
akadály *n.* impediment
akadály *n.* obstacle
akadály *n.* obstruction
akadályoz *v.t.* antagonise
akadályoz *v.t.* handicap
akadályoz *v.t.* impede
akadályoz *v.t.* obstruct
akadályozó *a.* obstructive
akadémia *n* academy
akadémiai *a* academic
akar *v.t.* want
akarat *n.* volition
akarat *n.* will
akaratlanul *adv.* unwittingly
akaratos *a.* headstrong
akármelyik *pron.* either
akármi *pron.* whatever
akasztófa *n.* gallows
aki *pron.* who
akit *pron.* whom

akklimatizál *v.t* acclimatise
akkord *n.* chord
akkori *a* then
akkreditál *v.t.* accredit
akrobata *n.* acrobat
akrobata *n.* tumbler
akt *n* nude`
aktív *a.* active
aktivista *n* militant
aktivizál *v.t.* activate
akusztika *n.* acoustics
akusztikus *a* acoustic
akut *a.* acute
akvárium *n.* aquarium
aláás *v.t.* undermine
alacsony *a.* low
alacsonyabb *a.* lower
alacsonyan *adv.* low
alácsövez *v.i* pipe
alagsor *n.* basement
alagút *n.* tunnel
alagútépít *v.i.* tunnel
aláhúz *v.t.* underline
aláír *v.t.* sign
aláírás *n.* signature
aláíró *n.* signatory
alak *n* build
alak *n* form
alak *n.* shape
alakít *v. t* enact
alakít *v.t.* form
alakít *v.t* shape
alámerül *v.i.* submerge
alamizsna *n.* pittance
alantas *a.* base
alantas *a.* menial
alantas *a.* subordinate
alantas-származású *a.* ignoble
alap *n.* base
alap *n.* fund
alapelv *n.* principle
alapfokú *a* elementary

alapít *v.t.* found
alapító *n.* founder
alapítvány *n.* foundation
alapján *prep.* from
alapján *prep* upon
alapos *a* thorough
alapoz *v.t.* base
alaptalan *a.* baseless
alapvető *a* basal
alapvető *a.* basic
alapvető *a* essential
alapvető *a.* fundamental
alapvetően *adv.* basically
alárendel *v.t.* subordinate
alárendelt *a.* inferior
alárendelt *n.* junior
alárendelt *a.* subordinate
alárendeltség *n.* subordination
alátámaszt *v.t.* substantiate
alátámasztás *n.* substantiation
alatt *prep* below
alatt *prep* beneath
alatt *prep* during
alatt *prep.* pending
alatt *prep.* under
alatta *adv* under
alattomos *a.* underhand
alávaló *a.* abject
alávet *v.t.* submit
alávetett *a* subject
alávetettség *n.* subjection
alázatos *a.* humble
alázatos *a.* lowly
alázatosság *n.* humility
alázatosság *n.* lowliness
albérletbe-ad *v.t.* sublet
Albion *n* Albion
album *n.* album
álcáz *v.t.* mask
áld *v. t* bless
áldás *n* boon

áldozat *n.* oblation
áldozat *n.* sacrifice
áldozat *n.* victim
áldozati *a.* sacrificial
alfa *n* alpha
algebra *n.* algebra
álhír *n.* hoax
alibi *n.* alibi
alig *adv.* barely
alig *adv.* hardly
alig *adv.* scarcely
aligátor *n* alligator
aljas *a.* foul
aljas *a.* nefarious
alkalmanként *adv.* occasionally
alkalmas *a.* handy
alkalmasság *n.* aptitude
alkalmasság *n.* suitability
alkalmatlan *a.* incapable
alkalmatlan *a.* incompetent
alkalmaz *v.t.* apply
alkalmaz *v. t* employ
alkalmaz *v.t.* ply
alkalmazhatatlan *a.* inapplicable
alkalmazkodás *n.* conformity
alkalmazott *n* domestic
alkalmazott *n* employee
alkalmi *a.* casual
alkalmi *a.* occasional
alkalmi *a.* topical
alkalom *n.* occasion
alkalom *n.* opportunity
alkirály *n.* viceroy
alkohol *n* alcohol
alkot *v. t* constitute
alkotmány *n* constitution
alkotó *adj.* constituent
alkotó *a* creative
alkotó *n.* maker
alkotóelem *n.* constituent

alkotórész *n.* ingredient
alku *n.* bargain
alku *n* deal
alkudozik *v.t.* bargain
alkudozik *v.i.* haggle
alkudozik *v.i* parley
áll *n.* chin
áll *v. i* consist
áll *v.i.* stand
állag *n.* consistency
állam *n.* state
államcsíny *n.* coup
állami *a* state
államosít *v.t.* nationalise
államosítás *n.* nationalisation
államszövetség *n* federation
államvezetés *n.* polity
állandó *a* constant
állandó *a.* permanent
állandó *a.* stationary
állapot *n* condition
állapot *n.* status
állás *n* post
álláspont *n.* standpoint
állat *n.* animal
állat *n* brute
állatkert *n.* zoo
állatorvosi *a.* veterinary
állatöv *n* zodiac
állattan *n.* zoology
állattani *a.* zoological
állattartás *n.* husbandry
állatvilág *n* fauna
allegória *n.* allegory
allegorikus *a.* allegorical
allergia *n.* allergy
állhatatos *a.* persistent
állhatatos *a.* steadfast
állhatatos *a.* steady
állhatatos *a.* tenacious
állhatatosság *n.* persistence
állít *v.t.* allege

állít *v. t* claim
állít *v. t.* declare
állít *v.t* state
állítás *n.* allegation
állítás *n* contention
alliteráció *n.* alliteration
alliterál *v.* alliterate
állítmány *n.* predicate
állítólagos *a.* would-be
állkapocs *n.* jaw
álló *a* erect
álló *a.* standing
állomás *n.* station
állott *a.* stale
állvány *n.* mount
állvány *n.* stand
alma *n.* apple
álmodik *v. i.* dream
álmodozás *n.* reverie
álmos *a.* sleepy
álmos *n.* somnolent
álmosság *n.* somnolence
álnév *n.* alias
álnév *n.* pseudonym
álöltözet *n.* masquerade
álom *n* dream
alperes *n* defendant
alpinista *n* alpinist
alpok *n.pl.* alps
álruha *n* disguise
alsó *a* bottom
alsó *a.* nether
alsó *a* under
alsó *a.* underneath
alsóbbrendűség *n.* inferiority
alsókar *n* forearm
alsóruha *n.* underwear
alsószoknya *n.* petticoat
álszent *n.* hypocrite
álszent *a.* hypocritical
álszenvedő *n.* deponent
alszik *v.i.* sleep

175

alt *n* alto
által *prep.* per
általában *adv.* generally
általában *a.* ordinary
általános *a.* general
alternatív *a.* alternative
aludttej *n* curd
alul *adv* below
alul *adv* beneath
alul *adv.* bottom
alul *adv.* underneath
alultápláltság *n.* malnutrition
alumínium *n.* aluminium
alva *adv.* asleep
alvajárás *n.* somnambulism
alvajáró *n.* somnambulist
alvás *n.* sleep
alvilág *n.* underworld
alvó *a* asleep
alvó *n.* sleeper
amalgám *n* amalgam
amatőr *n.* amateur
amaz *a.* yonder
ambíció *n.* ambition
ambiciózus *a.* ambitious
ámbra *n.* ambergris
ambuláns *a* ambulant
ámen *interj.* amen
amennyi *a.* what
ametiszt *n* amethyst
amfiteátrum *n* amphitheatre
ami *rel. pron.* that
ami *pron.* what
ami *pron.* which
amíg *prep.* till
amíg *conj* until
amikor *pron.* when
amikor *conj.* whereupon
amin *conj.* whereat
amnesztia *n.* amnesty
amnézia *n* amnesia
ámokfutó *adv.* amuck

Ámor *n* Cupid
amott *adv.* yonder
amper *n* ampere
ámulat *n.* amazement
amulett *n.* amulet
anabaptista *n* anabaptist
anakonda *n* anaconda
anakronizmus *n* anachronism
anális *a* anal
analitikai *a* analytical
analógia *n.* analogy
ananász *n.* pineapple
anarchia *n* anarchy
anarchista *n* anarchist
anarchizmus *n.* anarchism
anatómia *n.* anatomy
anekdota *n.* anecdote
anémia *n* anaemia
angina *n* angina
angol *n* English
angol-hold *n.* acre
angyal *n* angel
ánizsmag *n* aniseed
antagonista *n.* antagonist
antenna *n.* aerial
antennák *n.pl.* antennae
anti *pref.* anti
antialkoholista *a.* teetotal
antialkoholista *n.* teetotaller
antik *a.* antique
antikvitás *n.* antiquity
antilop *n.* antelope
antimon *n.* antinomy
antipódus *n.pl* antipodes
antológia *n.* anthology
antonímia *n.* antonym
anya *n* mother
anyag *n* material
anyag *n.* stuff
anyagcsere *n.* metabolism
anyagelvűség *n.* materialism
anyagi *a.* material

anyagi *a.* pecuniary
anyagyilkos *a.* matricidal
anyagyilkosság *n.* matricide
anyai *a.* maternal
anyai *a.* motherlike
anyai *a.* motherly
anyajegy *n.* mole
anyajuh *n* ewe
anyaként-gondoz *v.t.* mother
anyakönyvvezető *n.* registrar
anyaság *n.* maternity
anyaság *n.* motherhood
anyu *n.* ma
anyu *n* mum
anyu *n* mummy
apa *n* father
apa *n.* pa
apáca *n.* nun
apácafátyol *n.* wimple
apácarend *n.* sisterhood
apácazárda *n.* nunnery
apad *v. i* ebb
apad *a.* neap
apagyilkos *n.* patricide
apai *a.* paternal
apai-örökség *n.* patrimony
apály *n* ebb
apátság *n.* abbey
apnoe *n* apnoea
ápol *v.t* nurse
ápolónő *n.* nurse
apostol *n.* apostle
aposztróf *n.* apostrophe
apró *a.* minuscule
apró *a.* minute
apró *a.* puny
apró *a.* tiny
apróhal *n* fry
aprólékoskodik *v.i.* quibble
apróra *adv.* small
apróság *n.* trifle
apu *n* dad

apuci *n* daddy
ár *n.* price
áradás *n* flush
áradás *n.* spate
áradat *n.* tide
áram *n* current
áramkör *n.* circuit
arany *n.* gold
arány *n.* proportion
arány *n.* rate
aranycsinálás *n.* alchemy
aranyér *n.* piles
aranyfüst *n.* tinsel
aranyműves *n.* goldsmith
arányos *a.* proportional
arányos *a.* proportionate
arányosít *v.t.* proportion
aranyozott *a.* gilt
aranyrög *n.* nugget
aranysárga *a.* golden
arányszám *n.* ratio
árapály *a.* tidal
arasz *n.* span
araszol *v.t.* span
aratás *n* crop
aratógép *n.* harvester
árboc *n.* mast
arc *n* face
arc- *a* facial
arckép *n.* portrait
arcképfestés *n.* portraiture
arckifejezés *n.* countenance
arcszín *n* complexion
arcvonás *n.* physiognomy
aréka *n* areca
arisztokrácia *n.* aristocracy
arisztokrata *n.* aristocrat
árkád *n* arcade
arkangyal *n* archangel
ármánykodik *v.t.* intrigue
árnyal *v.t.* tincture
árnyalat *n.* nuance

árnyalat *n.* tinge
árnyék *n.* shade
árnyék *n.* shadow
árok *n* ditch
árok *n.* trench
árpa *n.* barley
árpa *n.* stye
arrafelé *adv.* thereabouts
ártalmas *a.* pernicious
ártatlan *a.* innocent
ártatlanság *n.* innocence
ártatlanság *n.* naivete
articsóka *n.* artichoke
áru *n.* merchandise
áru *n.* ware
árubőség *n* glut
árucikk *n.* commodity
árucsere *n.* barter
árulás *n* betrayal
árulás *n.* treachery
árulás *n.* treason
áruló *a.* treacherous
árusít *v.t.* retail
árva *n.* orphan
árvaház *n.* orphanage
árvánmarad *v.l* orphan
árverés *n* auction
árvíz *n* flood
arzén *n* arsenic
ás *v.t.* dig
ás *v.t.* spade
ásás *n* dig
ásít *v.i.* yawn
ásítás *n.* yawn
ásítozik *v.i.* gape
ásó *n.* spade
asszimiláció *n* assimilation
asszony *n..* missus
asszonyiság *n.* womanhood
asszonyos *n.* womanish
ásvány *n.* mineral
ásványi *a* mineral

ásványtan *n.* mineralogy
ász *n* ace
aszaltszilva *v.t.* prune
aszály *n* drought
aszkéta *n.* ascetic
asztal *n.* table
asztalos *n.* carpenter
asztalos *n.* joiner
asztma *n.* asthma
át *prep.* over
át *prep.* through
átad *v.t* hand
átad *v.t.* impart
átadás *n.* transmission
átalakít *v.t* convert
átalakít *v.* transform
átalakítás *n* conversion
átalakítás *n.* transformation
átáztat *v.t* drench
átdolgoz *v.t.* revise
ateista *n* atheist
ateizmus *n* atheism
átél *v.t.* experience
átesés *n.* stall
átfedés *n* overlap
átfogó *a* comprehensive
átfogó *a* overall
átfut *v.t* overrun
átgázol *v.i.* wade
áthág *v.t.* transgress
áthágás *n.* transgression
áthat *v.t.* pervade
áthatolhatatlan *a.* impenetrable
áthidal *v.t.* bridge
átír *v.t.* transcribe
átírás *n.* transcription
átjárás *n.* passage
átjárás *n.* thoroughfare
átjáró *n.* alley
atka *n.* mite
átkel *v.t* ferry

178

átkelés n. crossing
átkozódik v. t. damn
átkutat v.t. rifle
átlag n. average
átlag n. mean
átlagos a. average
átlagos a. mean
átlagot-elér v.t. average
atlasz n. atlas
átlátszatlan a. opaque
átlátszatlanság n. opacity
átlátszó a. transparent
atlétika n. athletics
atlétikai a. athletic
átmegy v.i. pass
átmenet n. transition
átmeneti a interim
átmeneti a. transition
átmenő a through
átmérő n diameter
átok n curse
átok n. malediction
átolvas v.t. peruse
átolvasás n. perusal
atom n. atom
atommag n. nucleus
atomos a. atomic
átruházható a. negotiable
átruházható a. transferable
átszűr v.t. leach
attasé n. attache
áttekint v.t. review
áttekint v.t. survey
áttekintés n. conspectus
áttekintés n. synopsis
áttért n convert
átültet v.t. transplant
átültetés n. transplant
átüt v.t. punch
átutal v.t. transfer
átutalás n. remittance
átutalás n. transfer

átvált v.t. switch
átváltozás n. transfiguration
átváltoztat v.t. transfigure
átvevő n. recipient
auditív a auditive
Augusztus n. August
autó n. automobile
autó n. car
autogram n. autograph
automatikus a. automatic
autonóm a autonomous
autós n. motorist
avas a. rancid
avas a rank
az pron. it
az dem. pron. that
azaz adv. namely
azbeszt n. asbestos
azok a. their
azonfelül adv besides
azonnal adv. forthwith
azonnal adv. straightaway
azonnali a. instant
azonnali a. prompt
azonos a. identical
azonos a. same
azonosít v.t. identify
azonosító n. indentification
azóta conj. thence
áztat v.t. soak
áztatás n. soak
azután conj. after
azután adv. next

B

bab n. bean
báb n. puppet
baba n. baby
Babel n babel

babér *n.* laurel
babérlevél *n.* bayleaf
babona *n.* superstition
babonás *a.* superstitious
babrál *v.i* fuss
babrál *v.i.* meddle
bábú *n* doll
bádogdoboz *n.* canister
bádogos *n.* tinker
bagoly *n.* owl
baj *n.* trouble
baj *n.* woe
báj *n.* charm
bajnok *n.* champion
bájos *a.* charming
bajusz *n.* moustache
bajusz *n.* mustache
Bak *n* Capricorn
bakancs *n* boot
baklövés *n* blunder
baktérium *n.* germ
baktériumok *n.* bacteria
bal *a.* left
bála *n.* bale
bálába-csomagol *v.t.* bale
baldachin *n.* canopy
baleset *n* accident
baleset *n.* mishap
balett *sn.* ballet
baljós *a.* sinister
baljóslatú *a.* inauspicious
baljóslatú *a.* ominous
ballada *n.* ballad
bálna *n.* whale
baloldal *n.* left
baloldali *n* leftist
balsors *n.* adversity
balsors *n.* calamity
balszerencse *n.* misadventure
balszerencse *n.* mischance
balszerencse *n.* misfortune
balta *n.* axe

bálvány *n.* idol
bálványimádó *n.* idolater
balzsam *n.* balsam
bambusz *n.* bamboo
bámészkodó *adv* agaze
bámul *v.t.* gaze
bámul *v.i.* stare
bámulás *n.* stare
bámuló *a.* agape
banális *a.* banal
banán *n.* banana
bánat *n.* sorrow
bánatos *a.* rueful
bánatos *a.* sorry
bánatos *n.* woeful
banda *n.* gang
bandita *n.* bandit
bánik *v. i* deal
bánik *v.t.* treat
bank *n.* bank
bankár *n.* banker
bankár *n* financier
bankba-küld *v.t.* bank
bánkódik *v.i.* languish
bankpénztáros *n.* teller
bankutalvány *n.* cheque
bánya *n* mine
bányász *n.* miner
bányász *n.* pitman
bányászik *v.i.* quarry
bár *conj.* although
bár *n.* bar
bár *conj.* though
bárány *n.* lamb
barát *n.* friend
barátkozik *v. t.* befriend
barátok *n.* kith
barátságos *adj.* amicable
barátságtalan *a.* inhospitable
barbár *a.* barbarian
barbár *n.* barbarian
barbárság *n* barbarity

bárhol *adv.* wherever
barikád *n.* barricade
bárka *n* ark
bárki *pron.* whoever
barlang *n.* cave
barlang *n.* cavern
bármelyik *pron.* either
bármelyik *pron* whichever
bármennyire *conj* however
bármikor *conj* whenever
barna *a* brown
barnássárga *a* buff
barnaszén *n.* lignite
barnít *v.t.* brown
baromfi *n.* poultry
bársony *n.* velvet
bársonyos *a.* velvety
basszusgitár *n.* bass
bástya *n* bulwark
bátor *a.* bold
bátor *a* brave
bátor *a.* courageous
bátor *a.* gallant
bátor *a.* manful
bátor *a.* valiant
bátorság *n* boldness
bátorság *n* bravery
bátorság *n.* courage
bátorság *n* pluck
bátorság *n* stalwartness
bázis *n.* basis
bazsalikom *n.* basil
be *prep.* into
beállít *v.t.* adjust
beállítás *n.* adjustment
beáramlás *n.* influx
bearanyoz *v.t.* gild
beáraz *v.t.* price
beárnyékol *v.t.* overshadow
beárnyékol *v.t.* shade
beárnyékol *v.t* shadow
beavatkozás *n.* interference

beavatkozás *n.* intervention
beavatkozik *v.i.* interfere
beavatkozik *v.i.* intervene
beáztat *v.t.* steep
bebalzsamoz *v.t* embalm
beborít *v.t* envelop
bebörtönöz *v.t.* imprison
bebugyolál *v.t.* muffle
beburkol *v.t.* involve
becenév *n.* nickname
becsap *v.t* deceive
becsap *v.t.* delude
becsap *v.t.* slam
becsapódás *n.* impact
becsavar *v.t.* furl
becsíp *v.t* nip
becsípés *n.* nip
becsípett *a.* tipsy
becslés *n.* estimate
becslés *n* estimation
becsmérel *v.t.* depreciate
becsmérel *v.t.* malign
becsmérel *v.t.* miscall
becsmérel *v.t.* vilify
becstelen *a* dishonest
becstelen *a.* infamous
becstelenség *n.* infamy
becsül *v.t* honour
becsület *n.* honour
becsületes *a.* trustful
becsületesség *n.* honesty
becsületesség *n.* integrity
becsületszó *n.* parole
becsuk *v.i.* mew
bedörzsöl *v.t.* anoint
bedugaszol *v.t.* plug
beékel *v.t.* wedge
beenged *v.t.* adhibit
befecskendez *v.t.* inject
befed *v.t.* roof
befejez *v.t* complete
befejez *v.t* conclude

181

befejez *v.t* finish
befejez *v.t.* terminate
befejezés *n* completion
befejezetlen *a*. incomplete
befejezhető *a.* terminable
befeketít *v. t.* blacken
befektet *v.t.* invest
befelé *adv.* inwards
befizet *v. t* deposit
befogad *v.t.* adopt
befolyás *n.* influence
befolyásol *v.t.* influence
befolyásos *a.* influential
befőtt *n.* preserve
befűz *v.t.* lace
befűz *v.t* thread
béget *v. i* bleat
bégetés *n* bleat
begipszel *v.t.* plaster
begy *n.* craw
behajóz *v. t* embark
behajóz *v.t.* ship
behálóz *v.t* mesh
behatol *v.t.* penetrate
behatolás *n.* intrusion
behatolás *n.* penetration
beheged *v.t.* scar
behint *v.t.* powder
behív *v. t* draft
behív *v.t.* induct
behív *v.t.* summon
behívó *n* draft
behódolás *n.* submission
beiktat *v.t* tape
beiktatás *n.* induction
beiktatás *n.* registry
beiratkozás *n.* matriculation
beiratkozik *v.t.* matriculate
bejárás *n.* admittance
bejárat *n* entrance
bejárat *n* entry
bejárat *n.* portal

bejegyez *v.t.* register
bejegyzés *n.* registration
bejelent *v.t.* announce
bejelent *v.t.* notify
bejelentés *n.* notification
béka *n.* frog
béke *n.* peace
bekebelezés *n* annexation
beken *v. t.* daub
beképzeltség *n* egotism
bekerítés *n.* enclosure
békés *a.* pacific
békés *a.* peaceful
békés *a.* placid
békeszerető *a.* peaceable
béklyó *n* fetter
béklyóz *v.t* fetter
beköt *n* anadem
bekötöz *v.t* bandage
bél *n.* bowel
bél *n.* intestine
bél- *a.* intestinal
beládáz *v. t* encase
belebonyolít *v. t* entangle
beleegyezés *n.* acquiescence
beleegyezés *n.* consent
beleegyezés *n* deference
beleegyezik *v.i.* acquiesce
beleegyezik *v. i* consent
beleért *v.t.* imply
beleértett *a.* implicit
beleértett *a.* inclusive
belefoglalás *n.* inclusion
beleivódott *a.* ingrained
belekever *v.t.* implicate
belekeveredés *n.* implication
belélegez *v.i.* inhale
belemárt *v.t.* plunge
belép *v. t* enter
belépés *n.* admission
bélés *n* lining
belföld *n.* inland

182

belföld *n.* interior	benyomás *n.* impression
belországi *n.* midland	benzin *n.* petrol
belső *a.* inner	beolt *v.t.* inoculate
belső *n.* inside	beolt *v.t.* vaccinate
belső *a* inside	beoltó *n.* vaccinator
belső *a.* interior	beolvad *v.t.* merge
belső *a.* internal	beolvaszt *v.* assimilate
belső *a.* inward	beöntés *n.* irruption
beltenyésztett *a* inbred	beoszt *v.t.* assign
beltéri *a.* indoor	beperel *v.t.* sue
belül *prep.* within	bepiszkít *v.i* mess
bélyeg *n.* stamp	bepiszkít *v.t.* stain
bemagol *v. t* cram	bepiszkol *v. t* blot
bemagolás *n.* cramming	beragyog *v.i.* irradiate
bemárt *v. t* dip	bérel *v.t* hire
bemártás *n.* dip	bérel *v.t.* rent
bemenet *n.* input	bérenc *n.* hireling
bemerít *v.t.* immerse	berendez *v.t.* furnish
bemetsz *v.t.* score	bérgyilkos *n.* assassin
bemetszés *n.* notch	bérlés *n.* rent
bemocskol *v.t.* attaint	bérlet *n.* hire
bemocskol *v.t.* mire	bérlet *n.* lease
bemocskol *v.t.* smear	bérleti *n.* tenancy
bemutat *v. t* demonstrate	bérlő *n.* lessee
bemutat *v.t.* present	bérlő *n.* occupier
bemutatás *n.* demonstration	bérlő *n.* tenant
bemutató *n.* premiere	beruházás *n.* investment
béna *a.* paralytic	besorol *v.t.* list
bendzsó *n.* banjo	besorol *v.t.* rank
benépesít *v.t.* people	besoroz *v. t* enlist
benépesít *v.t.* populate	besóz *v.t* salt
benn *adv.* inside	besúgás *n.* denunciation
benn *adv.* within	besúgó *n.* informer
bennszülött *a.* indigenous	beszámoló *n.* account
bennszülött *a.* native	beszámoz *v.t.* number
bennszülött *n* native	beszéd *n.* parlance
bent *prep.* inside	beszéd *n.* speech
bent-lévő *a* in	beszéd *n.* tirade
bénulás *n.* palsy	beszédes *a.* talkative
bénulás *n.* paralysis	beszédmód *n* diction
benyálaz *v. t* beslaver	beszédmód *n.* utterance
benyom *v.t.* impress	beszédmód *adv.* uttering

beszeg *v.t.* seam
beszél *v.i.* speak
beszélget *v.i.* talk
beszélgetés *n* conversation
beszélgetés *n* talk
beszélő *n.* speaker
beszennyez *v.t.* soil
beszerez *v.t.* procure
beszerzés *n.* procurement
beszorul *v.t.* jam
beszúrás *n.* insertion
beteg *a.* ill
beteg *a.* infirm
beteg *n* patient
beteg *a.* sick
beteg *a.* unwell
beteges *a.* sickly
betegeskedik *v.i.* ail
betegség *n.* ailment
betegség *n* disease
betegség *n.* illness
betegség *n.* malady
betegség *n.* sickness
bétel *n* betel
betervez *v.t.* schedule
betesz *v.t.* insert
betetőz *v.t.* top
betilt *v.t.* ban
betolakodik *v. i* encroach
betölt *v.t.* infuse
beton *n* concrete
betonoz *v. t* concrete
betör *v.t.* invade
betörés *n* burglary
betörő *n* burglar
betű *n* letter
betud *v.t.* impute
betűz *v.t.* spell
betűzés *n* spelling
betyár *n.* outlaw
bevádol *v.* arraign
bevádol *v.t.* impeach

bevágás *n.* furrow
bevágás *n.* nick
bevall *v.t.* admit
bevall *v. t.* confess
bevándorlás *n.* immigration
bevándorló *n.* immigrant
bevándorol *v.i.* immigrate
bevásárlás *n* shopping
bevégez *v. t* end
bevés *v. t* engrave
bevés *v.t.* inscribe
bevétel *n.* proceeds
bevétel *n.* revenue
bevezet *v.t.* install
bevezet *v.t.* introduce
bevezet *v.t.* prelude
bevezetés *n.* installation
bevezetés *n.* introduction
bevezetés *n.* preamble
bevezetés *n.* prelude
bevezető *a.* introductory
bevezető *n* preliminary
bevizez *v.t.* wet
bevonat *n* coating
bezár *v.t* lock
bezár *v.t.* shut
bezárás *n.* closure
bezsebel *v. i.* bag
Biblia *n* bible
bibliográfia *n* bibliography
bibliográfus *n* bibliographer
bíbor *a.* purple
bíboros *n.* cardinal
bíborvörös *a* crimson
bicepsz *n* biceps
bigámia *n* bigamy
bigott *n* bigot
bika *n* bull
bilincs *n.* handcuff
bilincs *n.* shackle
bilincsel *v.t* handcuff
billen *v.i.* tilt

billenés *n.* tilt
biológia *n* biology
biológus *n* biologist
bioszféra *n* biosohere
bír *v.t.* have
bírálat *n.* censure
bírálat *n.* stricture
birka *n.* sheep
birkózik *v.i.* wrestle
birkózó *n.* wrestler
bíró *n.* judge
birodalom *a.* realm
bírói *n.* judiciary
biroladom *n* empire
bíróság *n.* court
bíróság *n.* judicature
bíróság *n.* tribunal
bírósági *a.* judicial
bírósági-hivatal *n.* magistracy
bírság *n* forfeit
birtok *n* domain
birtok *n* estate
birtokában-háborít *v.i.* trespass
birtoklás *n.* occupancy
birtoklás *n.* tenure
birtokol *v.t.* own
birtokol *v.t.* possess
birtokos *n.* occupant
biszexuális *a* bisexual
bitang *a* stray
bitorlás *n.* usurpation
bitorol *v.t.* usurp
bivaly *n.* buffalo
bizalmas *a.* confidential
bizalmatlanság *n* distrust
bizalmatlanság *n.* mistrust
bizalom *n.* reliance
bizalom *n.* trust
bizarr *a* bizarre
bízik *v.t* trust
bizonyára *adv.* certainly

bizonyít *v.t.* prove
bizonyíték *n* evidence
bizonyíték *n.* proof
bizonyítvány *n.* certificate
bizonyítvány *n.* testimonial
bizonyosság *n.* certainty
bizonytalan *a.* insecure
bizonytalan *a.* uncertain
bizonytalanság *n.* insecurity
bizonytalanság *n.* quandary
bizottság *n* committee
biztonság *n.* safety
biztonság *n.* security
biztonságos *a.* safe
biztos *a* certain
biztos *a.* secure
biztos *a.* sure
biztosan *adv.* surely
biztosít *v.t.* assure
biztosít *v. t* ensure
biztosít *v.t.* insure
biztosít *v.t.* secure
biztosítás *n.* insurance
biztosíték *n.* assurance
biztosíték *n* fuse
biztosíték *n.* warrant
blöff *n* bluff
blöfföl *v. t* bluff
blokád *n* blockade
blokk *n* bloc
blúz *n* blouse
bőbeszédű *a.* verbose
bőbeszédű *a.* wordy
bőbeszédűség *n.* verbosity
bocsánat *n.* apology
bocsánat *interj.* sorry
bocsánatkérés *n* apologue
böfög *v. l* belch
böfögés *n* belch
bőg *v.i* moo
bogáncs *n.* thistle
bogár *n* beetle

185

bogár *n.* bug
boglya *n.* rick
bögöly *n.* gadfly
bögre *n.* mug
bohóc *n* clown
bohóckodás *n* antic
bója *n* buoy
bojkott *n* boycott
bojkottál *v. t.* boycott
bojler *n* boiler
böjt *n* fast
böjtöl *v.i* fast
bók *n.* compliment
bök *v.t.* poke
boka *n.* ankle
bokalánc *n* anklet
bökés *n.* poke
bőkezű *a.* generous
bőkezűség *n.* generosity
bókol *v. t* compliment
bokor *n* bush
boksz *n* boxing
bölcs *a.* sage
bölcs *a.* wise
bölcsesség *n.* wisdom
bölcsességfog *n.* wisdom-tooth
bölcső *n* cradle
bölcső *n.* crib
bölcsődal *n.* lullaby
boldog *a.* happy
boldogság *n* felicity
boldogság *n.* happiness
boldogtalan *a.* unhappy
boldogtalanság *n.* misery
bölény *n* bison
bolha *n.* flea
bólint *v.i.* nod
bolond *n* fool
bolond *a.* lunatic
bolt *n.* shop
bolt *n.* store
boltív *n.* arch

boltozat *n.* vault
bolygó *n.* planet
bomba *n* bomb
bombáz *v. t* bomb
bombáz *v. t* bombard
bombázás *n* bombardment
bombázó *n* bomber
boncolás *n* dissection
böngészés *n* browse
bontócsákány *n.* mattock
bonyodalom *n.* complication
bonyolít *v. t* complicate
bonyolult *a* complex
bonyolult *a* elaborate
bonyolult *a.* intricate
bor *n.* wine
bőr *n.* hide
bőr *n.* leather
bőr *n.* skin
borbély *n.* barber
borda *n.* rib
bordai *a* costal
bordélyház *n* brothel
borissza *n* bibber
borítás *n* wrap
boríték *n* envelope
borjú *n.* calf
borogat *v.t* foment
bőrönd *n.* trunk
borostyán *n.* ivy
borotva *n.* razor
borotvál *v.t.* shave
borotválkozás *n* shave
borravaló *n.* gratuity
borravaló *n.* tip
borravalót-ad *v.t.* tip
bors *n.* pepper
borsó *n.* pea
börtön *n.* jail
börtön *n.* prison
börtönőr *n.* jailer
börtönőr *n.* warder

borz n. badger
borzadás n shudder
borzalom n. horror
borzasztó a. awful
borzasztó a. horrible
bőség n abundance
bőség n. affluence
bőség n. opulence
bőség n. plenty
bőség n. superabundance
bőséges a abundant
bőséges a. ample
bőséges a bountiful
bőséges a. plentiful
bőséges a. superabundant
bosszant v.t. aggravate
bosszant v.t. aggrieve
bosszant v.t. annoy
bosszant v. t displease
bosszant v.t. fret
bosszant v.t. vex
bosszantás n. annoyance
bosszantás n vexation
bosszantó a. irksome
bosszú n. revenge
bosszú n. vengeance
bosszúvágyó a. revengeful
boszorkány n. hag
boszorkány n. witch
boszorkányság n. witchcraft
bot n. staff
bot n. stick
botladozik v.i. stumble
botlás n. slip
botlás n. stumble
botrány n scandal
botrányos a flagrant
bővelkedik v.i. abound
bővelkedik v.i. teem
bőven adv. galore
bozót n. thicket
brekeg v.t. croak

brekegés n croak
bricsesznadrág n. breeches
brigád n. brigade
Brit a British
brokát n brocade
bróker n broker
brokkoli n. broccoli
bronz n. bronze
bronzszínű a bronze
brutális a. atrocious
brutális a beastly
brutális a brutal
bruttó a gross
bűbájosság n. witchery
bubi n. knave
buborék n bubble
búcsú n farewell
búcsú n. goodbye
bükkfa n. beech
büntet v. t. castigate
büntet v.t. punish
büntetés n. penalty
büntetés n. punishment
büntetlenség n. impunity
büntető a. penal
büntető a. punitive
büntető-eljárás n. prosecution
bürokrácia n. bureaucracy
bürokrata n bureaucrat
büszke a. proud
büszkélkedik v.t. pride
büszkeség n. pride
búgócsiga n. whirligig
buja a. lascivious
buja a. lush
buja a. luxuriant
buja a. wanton
bujkál v.i. lurk
bukás n downfall
bukás n fall
bukás n spill

bukfenc *n.* somersault
bukfencet-hány *v.i.*
 somersault
buldog *n* bulldog
buli *n.* party
bulizik *v.i.* party
bumm *n.* bam
bűn *n.* sin
bűn *n.* vice
bűnbak *n.* scapegoat
bűnbánat *n.* repentance
bűnbánó *a.* repentant
bűncselekmény *n* crime
bungaló *n* bungalow
bűnhődés *n.* atonement
bunker *n* bunker
bunkó *a* brutish
bűnös *a* culpable
bűnös *n* culprit
bűnös *a.* sinful
bűnös *n.* sinner
bűnösség *n.* guilt
bűnöző *n* criminal
bűntárs *n* accomplice
bűntudat *n.* compunction
bűnügyi *a* criminal
burgonya *n.* potato
burkolat *n.* casing
bús *a* blue
búskomor *a.* melancholic
búskomor *adj* melancholy
búskomorság *n.* melancholia
búskomorság *n.* melancholy
busz *n* bus
busz *n* coach
buta *a* stupid
butaság *n* folly
bútor *n.* furniture
búvárkodik *v. i* dive
bűvész *n.* magician
búvónyílás *n.* manhole
bűz *n.* stench

bűz *n* stink
búza *n.* wheat
buzgalom *n* fervour
buzgó *a* eager
buzgó *a.* zealous
buzgóság *n.* zeal
bűzlik *v.i.* stink
buzogány *n* mace

cáfol *v.t.* confute
cáfolat *n.* refutation
cápa *n.* shark
cedar *n.* cedar
cédrus *n.* ceiling
cég *n.* firm
céh *n.* guild
cél *n.* aim
cél *n.* goal
cél *n.* purpose
célállomás *n* destination
célkitűzés *n.* objective
céloz *v.i.* aim
céloz *v.i* hint
célozgat *v.t.* insinuate
célozgatás *n.* insinuation
célpont *n.* target
Celsius-fok *a.* centigrade
célszerű *a* expedient
céltárgy *n.* object
céltévesztés *n.* miss
célzás *n* allusion
célzás *n.* hint
célzó *a.* allusive
cement *n.* cement
cent *n* cent
centenárium *n.* centenary
centenáriumi *a* centennial
centrifugális *a* centrifugal

centrum *n* centre
cenzor *n.* censor
cenzori *a* censorious
cenzúra *n.* censorship
cérna *n.* thread
ceruza *n.* pencil
ceruzával-megjelöl *v.t.* pencil
chili *n.* chilli
cica *n.* kitten
cickány *n.* shrew
cigaretta *n.* cigarette
cikcakk *n.* zigzag
cikcakkban-megy *v.i.* zigzag
cikcakkos *a.* zigzag
cikk *n* article
ciklikus *a* cyclic
ciklon *n.* cyclone
cím *n.* address
cím *n.* heading
cím *n.* title
cimbora *n* mate
címer *n* crest
címjegyzék *n* directory
címke *n.* label
címke *n.* tag
címzetes *a.* titular
címzett *n.* addressee
cinikus *n* cynic
cink *n.* zinc
cinóber *n* cinnabar
cinóberfesték *n.* vermillion
cipel *v. t.* carry
cipó *n.* loaf
cipő *n.* shoe
cipőt-húz *v.t.* shoe
ciprusfa *n* cypress
cipzár *n.* zip
cirkál *v.i.* cruise
cirkáló *n* cruiser
cirkusz *n.* circus
cirógat *v. t.* caress
cirógatás *a.* caress

citrom *n.* lemon
citrom- *a.* citric
civakodás *n* brawl
civakodik *v. i.* brawl
civakodó *a.* quarrelsome
civilizáció *n.* civilisation
civilizált *a.* civilised
cölibátus *n.* celibacy
cölöp *n.* stake
comb *n.* thigh
Corinth *n.* Corinth
cövek *n.* peg
cövek *n.* picket
csábít *v.t.* allure
csábít *v. t.* entice
csábít *v.t.* tempt
csábítás *n.* seduction
csábító *a* seductive
csak *prep* but
csak *adv.* only
csákány *n.* pick
csaknem *adv.* nearly
csal *v. t.* cheat
csal *v.t.* trick
család *n* family
családanya *n.* matron
csalán *n.* nettle
csalás *n.* cheat
csalás *n* deceit
csalás *n* deception
csalás *n.* fraud
csalás *n.* imposture
csalás *n.* trickery
csalhatatlan *a.* infallible
csali *n* bait
csali *n.* lure
csaló *a* crook
csaló *a.* fraudulent
csaló *n.* sharper
csaló *n.* swindler
csaló *n.* trickster
csalódás *n.* delusion

csalódottság *n.* frustration
csalogat *v.t.* bait
csalogat *v. t* coax
csalogat *v.t.* lure
csap *v.t.* slap
csap *n.* tap
csapás *n.* slap
csapat *n.* team
csapat *n.* troop
csapda *n.* snare
csapda *n.* trap
csapdába-csal *v.t.* trap
csapkod *v.t* flutter
csapódás *n* slam
csarnok *n.* mart
csarnok *n.* portico
császár *n* emperor
császári *a.* imperial
császárnő *n* empress
csat *n* buckle
csat *n* clasp
csata *n* battle
csatangol *v.i.* loaf
csatangol *v.i.* straggle
csatár *n.* striker
csatlakozás *n* accession
csatlakozik *v.t.* accede
csatlakozik *v.l.* affiliate
csatlakozik *v.t.* join
csatlakozik *v.t* link
csatol *v.t.* affix
csatol *v.t.* attach
csatorna *n.* canal
csatorna *n* channel
csatorna *n* drain
csatornahálózat *n.* sewerage
csatornáz *v. t* drain
csatornázás *n* drainage
csattan *v.t.* snap
csattanás *n* crash
csattanás *n.* smack
csattanás *n* snap

csattant *v. i.* click
csavar *n.* screw
csavar *v.t.* twist
csavarás *n.* twist
csavargat *v.t.* screw
csavargat *v.i.* wriggle
csavargó *n.* vagabond
csavarkulcs *n.* spanner
csavarkulcs *n.* wrench
csecsemő *n.* infant
csecsemőkor *n.* infancy
csekély *a.* meagre
csekély *a.* paltry
csel *n.* ruse
cselekszik *v.i.* act
cselekvés *n.* action
cselleng *v.i.* dawdle
cselszövés *n* intrigue
csemege *n.* dainty
csempe *n.* tile
csempész *n.* smuggler
csempészik *v.t.* smuggle
csempéz *v.t.* tile
csend *n* hush
csend *n.* silence
csendes *a.* quiet
csendes *a.* silent
Csendes-óceán *n* Pacific
csenget *v.t.* toll
csépel *v.t.* thresh
csépelő *n.* thresher
csepp *n* drip
csepp *n* drop
cseppfolyós *a* fluid
cser *n.* tan
csere *n* exchange
csere *n.* interchange
cserépedény *n.* crockery
cserez *v.t.* tan
cserje *n.* shrub
cserjés *n.* coppice
cserszínű *a.* tan

cserzőműhely *n.* tannery
cserzővarga *n.* tanner
csésze *n.* cup
csészealj *n.* saucer
csetepaté *n* affray
csetepaté *n.* melee
csetepaté *n.* skirmish
csettint *v.i.* smack
cseveg *v. i.* chat
csevegés *n.* chat
csévélő *n.* winder
cséza *n* chaise
csibész *n.* urchin
csicsereg *v. i.* chatter
csicsereg *v.i.* twitter
csicsergés *n.* twitter
csiga *n.* snail
csík *n.* stripe
csiklandós *a.* ticklish
csiklandoz *v.t.* tickle
csiklandozás *n.* tickle
csikorgó *a.* strident
csikorog *v.t* grate
csíkos *a.* stripy
csilingel *v.i.* jingle
csilingelés *n.* jingle
csillag *n.* asterisk
csillag *n.* star
csillagász *n.* astronomer
csillagászat *n.* astronomy
csillagjós *n.* astrologer
csillagjóslás *n.* astrology
csillagkép *n.* constellation
csillagos *a.* starry
csillagos *a.* stellar
csillámlás *n* glitter
csillámpala *n.* mica
csillapít *v.t.* soothe
csimpánz *n.* chimpanzee
csinál *v. t* do
csinál *v.t.* make
csintalan *a.* mischievous

csintalan *a.* naughty
csíny *n* mischief
csíp *v.t.* pinch
csípés *n.* peck
csípés *n.* pinch
csípés *n.* sting
csipke *n.* lace
csipked *v.t.* pick
csipkés *a.* lacy
csípő *n* hip
csipog *v. i* cheep
csípős *a.* pungent
csípős *a.* waspish
csípősség *n.* pungency
csíra *n.* chit
csíraölő *n.* germicide
csírázás *n.* germination
csírázik *v.i.* germinate
csiripel *v.i.* chirp
csiripelés *n* chirp
csirke *n.* chicken
csirkefogó *n.* scoundrel
csiszolt-felület *n* facet
csizma *n* boot
csizma *n.* wellington
cső *n.* pipe
cső *n.* tube
csöcs *n.* teat
csőcselék *n.* mob
csőd *n.* bankruptcy
csoda *n.* marvel
csoda *n.* miracle
csoda *n* wonder
csodál *v.t.* admire
csodálat *n.* admiration
csodálatos *a.* admirable
csodálatos *a.* marvellous
csodálatos *a.* miraculous
csodálatos *a.* terrific
csodálatos *a.* wonderful
csodálkozás *n.* astonishment
csodálkozik *v.i* marvel

csodálkozik *v.i.* wonder
csodaszer *n.* nostrum
csodaszer *n.* panacea
csődör *n.* stallion
csődület *n* rout
csók *n.* kiss
csökevény *n.* rudiment
csökken *v. t* dwindle
csökken *v.t* lessen
csökkenés *n* decrease
csökkent *v.t.* abate
csökkent *v. t* decrease
csökkent *v. t* diminish
csökkent *v.t.* reduce
csökkentés *n.* abatement
csökkentés *n.* reduction
csókol *v.t.* kiss
csokoládé *n* chocolate
csökönyös *a.* mulish
csökönyös *a.* wayward
csokor *n* bouquet
csokor *n* bunch
csomag *n* bundle
csomag *n.* pack
csomag *n.* parcel
csomagol *v.t.* pack
csomagol *v.t.* wrap
csomagolás *n.* package
csomagolás *n.* packing
csomagolás *n.* wrapper
csomagtartó *n* boot
csomó *n.* knot
csomó *n.* lump
csomópont *n.* junction
csomópont *n.* node
csomót-köt *v.t.* knot
csónakázik *v.i* boat
csöng *v.t.* ring
csonkítás *n.* mutilation
csont *n.* bone
csontleves *n* broth
csontváz *n.* skeleton

csöpög *v. i* drip
csöpögtet *v. t* distil
csoport *n* complex
csoport *n.* group
csoportosít *v.t.* aggregate
csoportosít *v.t.* group
csoportosít *v.t.* tabulate
csőr *n* beak
csorda *n.* herd
csörgedez *v.i.* trickle
csörgő *n* rattle
csörlő *v.t.* windlass
csörög *v.i.* rattle
csoszog *v.i.* shuffle
csoszogás *n.* shuffle
csótány *n* cockroach
csóvál *v.i.* wag
csóválás *n* wag
csöves *a.* tubular
csúcs *n.* apex
csúcs *n.* peak
csúcs *n.* pinnacle
csúcs *n.* tip
csúcsérték *n* maximum
csücsörít *v.t.* purse
csüggedtség *n* dejection
csütörtök *n.* Thursday
csúfolódás *n.* mockery
csuklás *n.* hiccup
csuklik *v.l.* hiccup
csukló *n.* wrist
csuklya *n.* hood
csukócsonti *a* carpal
csúnya *a.* ugly
csúnyaság *n.* ugliness
csupasz *a.* bare
csűr *n.* barn
csúszás *n* crawl
csúszás *n.* glide
csúszás *n* skid
csúszda *n* slide
csúszik *v. t* crawl

csúszik *v.t.* glide
csúszik *v.i.* skid
csúszik *v.i.* slide
csúszós *a.* slippery
cukor *n.* sugar
cukorbetegség *n* diabetes
cukorka *n.* candy
cukorka *n.* comfit
cukorka *n.* sweetmeat
cukorrépa *n* beet
cukorszerű *a.* saccharine
cukrász *n* confectioner
cukrászda *n* confectionery
cukros *a* sugary
cukroz *v.t.* sugar
cuppan *v.t.* smack
cuppanás *n* smack

dacára *adv.* notwithstanding
dadog *v.i* falter
dadog *v.i.* stammer
dagad *v.i.* swell
dákó *n* cue
dal *n* lay
dal *n.* song
dallam *n.* melody
dallam *n.* tune
dallamos *a.* melodious
dalnok *n.* bard
dalnok *n.* songster
dandártábornok *n* brigadier
darab *n* bit
darab *n.* piece
darabka *n.* scrap
darabol *v.t.* piece
darál *v.i.* grind
darál *v.t.* mill
darálógép *n.* grinder

darázs *n.* wasp
dárda *n.* dart
dáridó *n.* spree
daru *n* crane
darukar *n.* whisker
dátum *n* date
de *conj.* but
december *n* december
decillion *n.* decillion
dédelget *v.t* fondle
dédelget *v.t.* pet
dedikáció *n.* inscription
dedikál *v. t.* dedicate
dedikálás *n* dedication
defláció *n.* deflation
deista *n.* deist
dekadens *a* decadent
dékán *n.* dean
dél *n.* midday
dél *n.* noon
dél *n.* south
delegáció *n* delegation
delejesség *n.* mesmerism
delejez *v.t.* mesmerise
délelőtt *n* forenoon
déli *a.* south
déli *a.* southerly
déli *a.* southern
délibáb *n.* mirage
délisarki *a.* antarctic
délkör *a.* meridian
délre *adv* south
delta *n* delta
délutáni-előadás *n.* matinee
demokrácia *n* democracy
demokratikus *a* democratic
démon *n.* demon
demoralizál *v. t.* demoralise
denevér *n* bat
dengue-láz *n.* dengue
deportál *v.t.* deport
derék *n.* waist

derékszögben *adv.* square
dereng *v.i.* loom
derű *n.* serenity
derűlátó *a.* optimistic
derűlátó *a.* sanguine
derűs *a.* serene
despota *n* despot
deszka *n* board
deszkáz *v.t.* plank
dettó *n.* ditto
dézsma *n.* tithe
diadal *n.* triumph
diadalmas *a.* triumphal
diadalmas *a.* triumphant
diadalmaskodik *v.i.* triumph
diagnosztizál *v.t* diagnose
diagnózis *n* diagnosis
diagram *n* diagram
diák *n.* student
dicsekszik *v.i* boast
dicsekvés *n* boast
dicsér *v.t.* laud
dicsér *v.t.* praise
dicséret *n* commendation
dicséret *n* laud
dicséret *n.* praise
dicséretes *a.* commendable
dicséretes *a.* praiseworthy
dicséretreméltó *a.* laudable
dicshimnusz *n.* panegyric
dicső *a.* glorious
dicsőít *v.t.* glorify
dicsőítés *n.* glorification
dicsőség *n.* glory
diéta *n* diet
díj *n.* award
díj *n.* charge
díj *n* fare
díj *n* fee
díj *n.* prize
díj *n* toll
díjas *a.* laureate

díjaz *v.t.* award
díjazás *n.* remuneration
díjnyertes *n* laureate
diktál *v.t* dictate
diktálás *n* dictation
diktátor *n* dictator
diktatúra *n* dictatorship
dilemma *n* dilemma
dilis *a* foolish
dilis *a.* zany
dimenzió *n* dimension
dinamika *n.* dynamics
dinamit *n* dynamite
dinamó *n* dynamo
dinasztia *n* dynasty
dinnye *n.* melon
dió *n* nut
dió *n.* walnut
diplomácia *n* diplomacy
diplomás *n* graduate
diplomata *n* diplomat
diplomatikus *a* diplomatic
diplomázik *v.i.* graduate
díszít *v.t.* adorn
díszít *v.t* deck
díszít *v.t* decorate
díszít *v.t.* ornament
díszítés *n* decoration
díszítés *n.* ornamentation
díszítmény *n.* ornament
díszítő *a.* ornamental
diszkréció *n* discretion
díszlet *n.* scenery
disznó *n.* pig
disznóól *n.* sty
díszruha *n.* vestment
divat *n* fad
divat *n* fashion
divat *n.* vogue
divatos *a* fashionable
divatos *a.* trendy
dob *v.t.* cast

dob *n* drum	**döntőbíráskodás** *n.* arbitration
dob *v.t.* pitch	**döntőbíró** *n.* arbiter
dob *v.t.* throw	**döntőbíró** *n.* arbitrator
dobás *n.* throw	**dorbézolás** *n* debauch
dobás *n* toss	**dörgés** *n.* rumble
dobog *v.i.* throb	**dörög** *v.i.* rumble
dobogás *n.* palpitation	**dörög** *v.i.* thunder
dobogás *n* pulse	**dorombol** *v.i.* purr
dobogás *n.* throb	**dorombolás** *n.* purr
dobókocka *n.* dice	**dörzsöl** *v.t.* rub
dobol *v.i.* drum	**dörzsölés** *n.* friction
doboz *n* box	**dörzsölés** *n* rub
döf *v.t.* jab	**drága** *a.* costly
döfés *n.* stab	**drága** *a* dear
dogma *n* dogma	**drága** *a* expensive
dogmatikus *a* dogmatic	**drágakő** *n* gem
dögunalom *n* drag	**drágakő** *n.* jewel
dögvész *n.* pestilence	**dráma** *n* drama
dohány *n.* tobacco	**drámai** *a* dramatic
dohányzik *v.i.* smoke	**drámaíró** *n* dramatist
dohos *a.* musty	**drasztikus** *a* drastic
dohos *a.* stuffy	**drót** *n.* wire
dokk *n.* dock	**duda** *n.* bagpipe
doktorátus *n* doctorate	**düh** *n.* fury
dől *v.i.* lean	**dühöng** *v.i.* rage
dolgozik *v.i.* labour	**dühös** *a.* furious
dolgozik *v.t.* work	**dühös** *a.* irate
dollár *n* dollar	**dürög** *n.* rut
dolog *n.* thing	**dugattyú** *n.* piston
dőlt *a.* italic	**dugó** *n.* cork
dőlt *n.* italics	**dugó** *n.* plug
dölyfös *a.* supercilious	**dulakodás** *n.* grapple
domb *n.* hill	**dulakodás** *n.* scuffle
domb *n* mount	**dupla** *a* double
dombocska *n.* hillock	**dupla** *n* double
dombocska *n.* mound	**durranás** *n.* bang
domború *a* convex	**durva** *a* coarse
döngöl *v.t.* ram	**durva** *a.* crass
dönt *v. t* decide	**durva** *a.* harsh
döntés *n* decision	**durva** *a.* rough
döntés *n.* resolution	**durvaság** *n.* barbarism
döntő *a* decisive	**dúsgazdag** *a.* opulent

duzzadás *n* swell
duzzasztógát *n.* weir
dzseki *n.* jacket
dzsungel *n.* jungle

ebéd *n.* lunch
ebédel *v.i.* lunch
ébenfa *n* ebony
éber *a.* alert
éber *a* awake
éber *a.* vigilant
éber *a.* wakeful
éber *a.* watchful
éberség *n.* alertness
éberség *n.* vigilance
ébreszt *v.i.* rouse
ecet *n.* vinegar
ecetes *v.* acetic
eddig *adv.* hitherto
edény *n* bowl
edény *n.* vessel
édes *a.* sweet
édesít *v.t.* sweeten
édeskés *a.* mawkish
édesség *n* sweet
édesség *n.* sweetness
edz *v.t.* temper
edzés *n.* training
edzett *adj.* hardy
edző *n* coach
ég *v.i* flare
ég *n.* sky
egér *n.* mouse
égés *n* burn
egész *a.* whole
egészen *adv.* quite
egészség *n.* health
egészséges *a.* hale

egészséges *a.* healthy
egészséges *a.* wholesome
egészségügyi *a.* medical
egészségügyi *a.* sanitary
éget *v. t* burn
éghajlat *n.* climate
égi *a* celestial
ego *n* ego
egres *n.* gooseberry
egy *a.* a
egy *art* an
egy *a.* one
egybeesik *v. i* coincide
egyéb *a* else
egyébként *conj.* otherwise
egyedi *a.* individual
egyedül *adv.* singularly
egyedülálló *a.* alone
egyedülálló *a.* lone
egyedülálló *a.* single
egyedülálló *a.* singular
egyenértékű *a* equivalent
egyenértékű *a.* tantamount
egyenes *a* downright
egyenes *a.* straight
egyenetlen *a.* rugged
egyéniség *n.* individuality
egyenlet *n* equation
egyenletes *a* consistent
egyenletes *a* even
egyenlít *v.i* amount
egyenlítő *n* equator
egyenlő *a.* co-ordinate
egyenlő *a* equal
egyenlő-oldalú *a* equilateral
egyenlőség *n* equality
egyenlőség *n.* parity
egyenlőtlenség *n* disparity
egyenrangú *a* peer
egyenrangú *n* equal
egyensúly *n* poise
egyes *adv.* solo

egyesít *v.t.* adjoin
egyesít *v. t* combine
egyesít *v.t.* rejoin
egyesít *v.t.* unite
egyesítés *n* amalgamation
egyesítés *n.* incorporation
egyesítés *n.* unification
egyesül *v.t.* ally
egyesült *a.* incorporate
egyetem *n.* university
egyetemes *a.* universal
egyetemesség *n.* universality
egyetemi-tanár *n.* professor
egyetért *v.t.* addict
egyetért *v.i.* agree
egyetértés *n.* accord
egyetértés *n.* concord
egyetértés *n.* rapport
egyetlen *a.* only
egyetlen *n.* single
egyetlen *a* sole
egyezmény *n.* pact
egyező *a* congenial
egyformán *adv* alike
egyhangú *a.* unanimous
egyhangúság *n* monotony
egyhangúság *n.* unanimity
egyidejű *a.* simultaneous
egyik *pron.* one
egyistenhit *n.* monolatry
egyistenhit *n.* monotheism
egykori *a.* sometime
egymásrautalt *a.*
  interdependent
egymásrautaltság *n.*
  interdependence
egymásután *adv* consecutively
egymásutáni *adj.* consecutive
egynejű *a.* monogynous
egynejűség *n.* monogamy
egység *n* entity
egység *n.* oneness

egység *n.* unit
egység *n.* unity
egyszer *adv.* once
egyszerű *a.* plain
egyszerű *a.* simple
egyszerű-ember *n.* simpleton
egyszerűség *n.* simplicity
egyszerűsít *v.t.* simplify
egyszerűsítés *n.* simplification
egyszínű *a.* monochromatic
egytagos *a.* monosyllabic
egytagú-szó *n.* monosyllable
együgyű *a.* daft
együtt *adv.* altogether
együtt *adv.* together
együttél *v. t* cohabit
együttélés *n* co-existence
együttható *n.* coefficient
együttlétezik *v. i* co-exist
együttműködés *n* collaboration
együttműködés *n* co-operation
együttműködik *v. i* collaborate
együttműködik *v. i* co-operate
egyveleg *n.* miscellany
éhes *a.* hungry
ehető *a* eatable
ehető *a* edible
éhezés *n.* starvation
éhezik *v.i.* starve
éhínség *n* famine
éhség *n* hunger
ejfájás *n.* headache
éjfél *n.* midnight
ejnye *interj* fie
éjszaka *n.* night
éjszakai *adv.* nightly
éjszakai *a.* nocturnal
éjszakai *a* overnight
ejtőernyő *n.* parachute
ejtőernyős *n.* parachutist
ék *n.* wedge
eke *n.* plough

ékesszólás *n* eloquence
ékesszólás *n.* oratory
ékesszóló *a* eloquent
ékszer *n.* jewel
ékszerek *n.* jewellery
ékszerész *n.* jeweller
ékszerládika *n* casket
eksztázis *n* bliss
él *v.i.* live
él *n.* poignacy
elad *v.t.* sell
eladás *n.* sale
eladó *a.* salable
eladó *n.* seller
eladó *n.* vendor
eladósodott *a.* indebted
elagyabugyál *v.t.* lambaste
elájul *v.i* faint
elájul *v.i* swoon
elámaszt *v.t.* macerate
elámít *v.t.* mystify
eláraszt *v.t* engulf
eláraszt *v.t* flood
eláraszt *v.t.* swamp
elárul *v.t.* betray
elárverez *v.t.* auction
elátkozott *a.* accursed
elavult *a.* antiquated
elavult *a.* obsolete
elavult *a.* outdated
elbájol *v. t.* charm
elbájoló *a.* winsome
elbarikádoz *v.t.* barricade
elbátorít *v. t.* embolden
elbátortalanít *v. t.* discourage
elbeszél *v.t.* recount
elbeszélés *n.* recital
elbeszélő *a.* narrative
elbírál *v. t* criticise
elbizakodottság *n.* immodesty
elbliccel *v. t.* bilk
elbocsát *v. t* discharge

elbocsátás *n.* discharge
elbódít *v. t* bemuse
elborít *v.t.* overwhelm
elbuktat *v.t.* tip
elbutít *v. t.* dull
elbűvöl *v. t* enchant
elbűvöl *v. t.* entrance
elbűvöl *v.t* fascinate
elbűvölő *a.* enchanting
elbűvölt *a.* rapt
elcsábít *v. t* beguile
elcsábít *n.* seduce
elcsacsog *v.i.* prattle
elcsen *v.t.* pilfer
elcserél *v.t.* barter
elcsíp *v.t.* nab
elcsontosít *v.t.* ossify
elcsüggeszt *v. t* deject
elcsüggeszt *v. t* dishearten
elcsúfít *v.t.* uglify
eldob *v. t* discard
eldönt *v.t.* adjudge
eldönt *v.t.* arbitrate
elefánt *n* elephant
elefántápoló *n.* mahout
elefántcsont *n.* ivory
elég *a* enough
elegancia *n* elegance
elegáns *a* dapper
elegáns *a.* elegant
elegáns *a.* smart
elégedetlen *a.* malcontent
elégedetlenkedő *n* malcontent
elégedetlenség *n* discontent
elégedetlenség *n* dissatisfaction
elegendő *a.* suffice
elegendő *a.* sufficient
eleget-tesz *v. t* content
eléggé *adv* enough
eléggé *adv.* pretty
elégia *n* elegy

elégséges *a.* satisfactory
elégtelen *a.* insufficient
elégtelenség *n.* shortcoming
eléje-told *v.t.* prefix
elejt *v. i* drop
elektromos *a* electric
elektromos-feszültség *n.* voltage
élelmiszer *n* food
élelmiszeradag *n.* ration
elem *n* battery
elem *n* element
elemez *v.t.* analyse
elemzés *n.* analysis
elemző *n* analyst
elengedhetetlen *a.* indispensable
élénk *a.* lively
élénk *a.* vigorous
élénk *a.* vivacious
élénkít *v.t.* vitalise
élénkítőszer *n.* stimulant
élénkség *n* animation
élénkség *n.* vivacity
elér *v.t.* achieve
elér *v.t.* reach
éles *a.* sharp
éles *a.* shrill
eleség *n. pl* victuals
éleselméjűség *n.* insight
élesít *v.t.* sharpen
élesítő *n.* sharpener
éles-szemű *a* argute
élesztő *n.* yeast
élet *n* life
életerő *n.* vitality
élethossziglan *a.* lifelong
élethűség *n.* verisimilitude
életmód *n* living
életrajz *n* biography
életrajzíró *n* biographer
élettelen *a.* inanimate

élettelen *a.* inert
élettelen *a.* lifeless
élettelenség *n.* inertia
eleven *a.* sprightly
eleven *a.* vivid
elevenen *adv* alive
elfajult *a* bastard
elfáraszt *v.t.* weary
elfegyverez *v.t.* arm
elfelejt *v.t* forget
elfog *v. t.* capture
elfogad & accept
elfogadás *n* acceptance
elfogadhatatlan *a.* inadmissible
elfogadható *a* acceptable
elfogadható *a.* admissible
elfoglal *v.t* engross
elfoglalt *a* busy
elfojt *v.t* extinguish
elfojt *v.t.* quench
elfojt *v.t.* smother
elforgat *v.t.* invert
elfuserál *v. t* bungle
elgáncsol *v.t.* trip
elgázosít *v.t.* aerify
elgondolás *n* concept
elgörbített *a* bent
elhagy *v.t.* abandon
elhagy *v. t.* desert
elhagy *v.t.* forsake
elhagy *v.t.* leave
elhagyatott *a* forlorn
elhajol *v.i.* duck
elhalaszt *v.t.* adjourn
elhalaszt *v.t.* postpone
elhalasztás *n.* postponement
elhallgattat *v.t.* silence
elhány *v.t.* misplace
elhanyagol *v.t.* neglect
elhanyagolás *n* neglect
elhanyagolható *a.* negligible

elhárít *v.t.* avert	**eljövetel** *n.* advent
elhárít *v.t.* parry	**elkap** *v. t.* catch
elhatárolás *n.* demarcation	**elkápráztat** *v. t.* dazzle
elhatároz *v. t* determine	**elkényeztet** *v.t.* indulge
elhelyez *v.t* house	**elkényeztet** *v.t.* lavish
elhelyez *v.t.* locate	**elkényeztet** *v.t.* pamper
elhelyez *v.t.* place	**elkényeztetett** *a* pampered
elhelyez *v.t.* position	**elképeszt** *v.t.* stupefy
elhelyez *v.t* set	**elképesztő** *a.* stupendous
elhelyez *v.t.* space	**elképzel** *v.t* fancy
elhelyezés *n.* location	**elképzel** *v.t.* imagine
elherdál *v.t.* squander	**elképzel** *v.t.* picture
elhervad *v.i.* wither	**elképzel** *v.t.* visualise
elhíresztel *v. t* divulge	**elképzelés** *n.* notion
elhízottság *n.* obesity	**elkerül** *v.t.* avoid
elhomályosít *v.t.* blur	**elkerül** *v. t* elude
elhomályosít *v.t.* outshine	**elkerül** *v. t* evade
elhomályosít *v.t.* tarnish	**elkerül** *v.t.* shun
elhoz *v.t* fetch	**elkerül** *v.t.* skirt
elhullat *v.t.* shed	**elkerülés** *n.* avoidance
elidegenít *v.t.* alienate	**elkerülhetetlen** *a.* inevitable
elindul *v. i.* depart	**elkeseredett** *adj.* jaundiced
elintézetlen *a* pending	**elkeserít** *v. t* embitter
elismer *v.* acknowledge	**elkésett** *a* belated
elismer *v.t.* avow	**elkísér** *v.t.* accompany
elismer *v.t.* concede	**elkoboz** *v. t* confiscate
elismerés *n.* acknowledgement	**elkobzás** *n* confiscation
elismerés *n.* recognition	**elkobzás** *n* forfeiture
elítél *v. t.* censure	**elkobzás** *n.* seizure
elítél *v. t.* condemn	**elkövet** *v. t.* commit
elítél *v. t.* doom	**elkülönít** *v.t.* isolate
elítél *v.t.* sentence	**elkülönít** *v.t.* segregate
eljárás *n.* procedure	**elkülönítés** *n.* isolation
eljárásmód *n.* proceeding	**elkülönítés** *n.* segregation
eljátszik *v.t* forfeit	**elkülönülés** *n* detachment
eljegyez *v. t* betroth	**ellát** *v. i* cater
eljegyzés *n.* betrothal	**ellát** *v.i.* provide
eljegyzés *n.* engagement	**ellát** *v.t.* supply
éljenez *v.t* acclaim	**ellát** *v.i.* tend
éljenzés *n* acclaim	**ellátás** *n.* care
éljenzés *n.* cheer	**ellátás** *n.* sufficiency
	ellátás *n* supply

ellen *prep.* against
ellen *pref.* contra
ellen *prep.* versus
ellenáll *v.t.* resist
ellenáll *v.t.* withstand
ellenállás *n.* resistance
ellenálló *a.* resistant
ellenanyag *n* antibody
ellenére *prep.* despite
ellenez *v.t.* negative
ellenez *v.t.* oppose
ellenfél *n.* adversary
ellenfél *n.* opponent
ellenjegyez *v. t.* countersign
ellenkezik *v. i* conflict
ellenkezik *v. i* disagree
ellenkező *a* adverse
ellenméreg *n.* antidote
ellenőr *n.* controller
ellenőr *n.* inspector
ellenőriz *v. t.* check
ellenőriz *v. t* control
ellenőriz *v.t.* inspect
ellenőriz *v.t.* verify
ellenőrzés *n* check
ellenőrzés *n* control
ellenőrzés *n.* inspection
ellenőrzés *n.* scrutiny
ellenőrzés *n.* verification
ellenség *n* enemy
ellenség *n* foe
ellenséges *a.* hostile
ellenséges *a.* inimical
ellenségeskedés *n* animosity
ellenségeskedés *n* enmity
ellenségeskedés *n.* hostility
ellenszegül *v.t.* counteract
ellenszegülés *n* defiance
ellenszenv *n.* antipathy
ellenszenv *n* dislike
ellenszenv *n* grudge

ellenszenves *a.* obnoxious
ellentámadás *n.* countercharge
ellentét *n* antagonism
ellentét *n.* disagreement
ellentéte *n* reverse
ellentétes *a* contrary
ellentétes *a.* opposite
ellentétesen *adv* counter
ellentmond *v. t* contradict
ellentmond *v.t.* gainsay
ellentmondás *n* contradiction
ellenzék *n.* opposition
elme *n.* mind
elmélet *n* doctrine
elmélet *n.* theory
elméleti *a.* theoretical
elmélkedés *n* contemplation
elmélkedés *n.* meditation
elmélkedik *v.t.* meditate
elmélkedő *a.* meditative
elmesélés *n.* narrative
elmond *v.t.* relate
elmondás *n.* narration
elmorzsol *v. t* crumble
elmozdít *v. t* displace
elmozdítható *a.* removable
elmulaszt *v.t.* miss
elmúlik *n* lapse
elmúlt *a.* past
elnadrágol *v.t.* whack
elnádrágol *v.t.* wallop
elnádrágolás *n* wallop
elnapol *v.t.* prorogue
elnevez *v.t.* name
elnézés *n.* lenience
elnézés *n.* oversight
elnéző *a.* lenient
elnök *n* chairman
elnök *n.* president
elnöki *a.* presidential
elnököl *v.i.* preside

201

elnyel v.t.	whelm	
elnyelik v.t	absorb	

elnyel v.t. whelm
elnyelik v.t absorb
elnyom v.t. oppress
elnyom v.t. repress
elnyom v.t. trample
elnyomás n. oppression
elnyomás n. repression
elnyomás n. suppression
elnyomó a. oppressive
élő a alive
élő a. animate
élő a. live
élő a. living
előad v.l. lecture
előad v.t. perform
előadás n. lecture
előadás n. performance
előadás n. presentation
előadás n. recitation
előadás n. show
előadó n. lecturer
előadó n. performer
előadóterem n. auditorium
előbb adv. before
előbbi pron former
előcsarnok n. lobby
előd n. ancestor
előd n forefather
előd n. predecessor
élő-ember n mortal
előérzet n. anticipation
előérzet n. hunch
előérzet n. premonition
előétel n appetiser
előfeltétel n prerequisite
előfeltétel n requisite
előfeltevés n. presupposition
előfizet v.t. subscribe
előfizetés n. subscription
előfordul v.i. occur
előfordulás n. prevalence
előfutár n forerunner

előfutár n. precursor
élőhely n. habitat
előírás n. precept
előítélet n. prejudice
előjog n. prerogative
előkelő a eminent
előkelőség n. notability
előkészítő a. preparatory
élőlény n creature
előlépés n. promotion
előléptet v.t. promote
elölről adv. afresh
elolvad v.i. melt
előmozdít v.t forward
előmozdít v.i. prosper
előny n. advantage
előnyös a. advantaged
előnyös a. advantageous
előnyös a beneficial
előőrs n. outpost
előre adv. ahead
előre adv. along
előre adv forward
előre-elhatároz v.t. predetermine
előrehalad v.i. progress
előrehaladó a. forward
előrehaladó a. onward
előrejelez v.t herald
előrejelez v.t. portend
előrejelzés n forecast
előrelát v.t forecast
előrelát v.t foresee
előrelátás n foresight
előrelátás n forethought
előre-megfontol v.t. premeditate
előre-megfontolás n. premeditation
előre-megmond n. auger
előrenyomul v.i. advance
elősegítés n. subservience

elősegítő a. subservient
előszó n foreword
előszó n. preface
előszó n. prologue
előszoba n. hall
élőszóban adv. verbally
először adv first
előszóval-ellát v.t. preface
eloszt v.t. apportion
eloszt v.t. portion
előszülöttségi-jog n. birthright
előtag n. prefix
előtt prep. afore
előtt prep before
elővigyázat a. precautionary
elővigyázatosság n. precaution
előzékeny a complaisant
előzékenység n. complaisance
előzetes a. preliminary
előzetes a. previous
előzetes a. prior
előzetesen adv. beforehand
előzetesen-szükséges a. prerequisite
előzmény n. antecedent
elparasztosít v.t. rusticate
elparasztosítás n. rustication
elpazarol v.i trifle
elpirul v.i blush
elpusztít v. t destroy
elpusztíthatatlan a. imperishable
elpusztul v.i. perish
elrabol v.t. abduct
elragadtat v. t. delight
elragadtat v. t enrapture
elragadtatás n. rapture
elragadtatott a overjoyed
elrak v.t. stow
elrejt v. t. conceal
elrejt v. t disguise

elrejt v.t hide
elrejt v.t. obscure
elrejt v.t. secrete
elrendel n adjure
elrendel v. i decree
elrendel v.t. prescribe
elrendez v.t marshal
elrendezés n. arrangement
elrendezés n disposal
elront v.t. mar
elront v.t. spoil
elront v.i. tamper
elsápad v.l. blanch
elsápaszt v.i. pale
elsatnyít v.t. stunt
első a first
első a. prime
elsőbbség n. precedence
elsőbbség n. priority
elsődleges a. primary
elsősorban adv. primarily
elsötétedik v.i. darkle
elszakad v.i. secede
elszakadás n. tear
elszakadó n. secessionist
elszakít v.t. splinter
elszállásol v.t accommodate
elszállásol v.t. lodge
elszállásol v.i. roost
elszámol v.t. account
elszánt a. intent
elszánt a. resolute
elszántság n. hardihood
elszántság n. intrepidity
elszédít v. t daze
elszegényít v.t. impoverish
elszomorít v.t. sadden
eltakar v.t mantle
eltávolít v.t. remove
eltávolítás n. removal
eltelik v. t elapse
eltemet v. t. bury

eltemetés *n.* sepulture
eltér *v. i* deviate
eltér *v.t.* mismatch
elterel *v.t.* deflect
eltérés *n.* aberration
eltérés *n* deviation
eltérés *n.* variance
eltérít *v.t.* angle
eltérít *v. t* bias
eltérít *v. t* divert
elterült *a.* prostrate
eltevedt *adv.,* astray
eltiltás *n* disqualification
eltör *v.t* fracture
eltorlaszol *v.t.* blockade
eltöröl *v. t.* cancel
eltorzít *v. t* distort
eltulajdonít *v.t.* appropriate
eltulajdonítás *n.* appropriation
eltűnés *n* disappearance
eltűnik *v. i* disappear
eltűnik *v.i.* vanish
eltűnődik *v.i.* muse
elutasít *v. t.* dismiss
elutasít *v.t.* overrule
elutasít *v.t.* rebuff
elutasít *v.t.* refuse
elutasít *v.t.* reject
elutasít *v.t.* spurn
elutasítás *n* dismissal
elutasítás *n.* rebuff
elutasítás *n.* refusal
elutasítás *n.* rejection
elűz *v.t.* oust
elv *n.* theorem
elvakult *a.* purblind
elválaszt *v. t* ablactate
elválaszt *v.t* abstract
elválaszt *v. t* detach
elválaszt *v.t.* part
elválaszt *v.t.* wean
elválasztás *n* ablactation

elválasztás *n.* separation
elválasztás *n.* severance
elválaszthatatlan *a.* inseparable
elválik *v. t* divorce
elválik *v.t.* sunder
elvár *v. t* expect
elvékonyít *v.t.* taper
elvékonyodó *n* taper
elver *v.t.* thrash
elveszés *n.* miscarriage
elvetél *v.i* abort
elvetél *v.i.* miscarry
elvetélt *adv* abortive
élvez *v. t* enjoy
élvez *v.t.* relish
élvezet *n* delight
élvezet *n* enjoyment
élvezet *n* treat
elvisel *v.i* abide
elvisel *v.t.* endure
elvisel *v.t.* sustain
elvisel *v.t.* tolerate
elviselhető *a.* tolerable
elvonás *n.* abstraction
elvonult *a.* secluded
elvonultság *n.* seclusion
elvtárs *n.* comrade
elvtelen *a.* unprincipled
elzálogosít *v.t.* mortgage
elzár *v.t.* seclude
ember *n.* man
emberáramlat *n* billow
emberbarát *n.* philanthropist
emberfölötti *a.* susperhuman
embergyűlölő *n.* misanthrope
emberi *a.* human
emberiség *n.* humanity
emberiség *n.* mankind
emberölés *n.* homicide
emberrablás *n* abduction
emberrablás *v.t.* kidnap

emberrabol *n.* kidnap
emberrétesz *v.t.* humanise
emberséges *a.* humane
emberszabású *a* anthropoid
embertelen *a.* inhuman
emel *v.t.* hoist
emel *v.t.* jack
emel *v.t.* lever
emel *v.t.* lift
emel *v.t.* raise
emelés *n* elevation
emelet *n* floor
emelet *n.* storey
emelkedés *n* boost
emelkedés *n.* climb
emelkedik *v.i.* rise
emelkedő *a.* upward
emelőcsiga *n.* pulley
emelőrúd *n.* jack
emelt *a.* raised
emelvény *n.* dais
emelvény *n.* platform
emésztés *n* digestion
emészthetetlen *a.* indigestible
emésztődik *v.i.* pine
emésztőgödör *n.* cesspool
emlék *n.* memory
emlékes *a* memorial
emlékezés *n.* recollection
emlékezés *n.* remembrance
emlékezetes *a.* memorable
emlékezik *v.t.* recollect
emlékezőképesség *n*
    anamnesis
emlékeztet *v.t.* remind
emlékeztető *n.* memento
emlékeztető *n.* reminder
emlékirat *n.* memoir
emlékmű *n.* memorial
emlékmű *n.* monument
emlékszik *v.t.* remember
emléktárgy *n.* keepsake

emléktárgy *n.* souvenir
említ *v.t.* mention
említés *n.* mention
emlős *n.* mammal
én *pron.* I
én *a.* my
enciklopédia *n.* encyclopaedia
ének *n* chant
énekel *v.i.* sing
énekes *n.* singer
énekes *n.* vocalist
energia *n.* energy
energikus *a* energetic
enged *v.t.* allow
enged *v.t.* let
enged *v.i.* succumb
engedékeny *a* compliant
engedékeny *a.* indulgent
engedékenység *n.* indulgence
engedékenység *n.* leniency
engedelmes *a.* obedient
engedelmes *a.* submissive
engedelmeskedik *v.t.* obey
engedelmesség *n.* obedience
engedély *n.* permission
engedélyes *n.* licensee
engedélyez *v.t.* grant
engedélyez *v.t.* permit
engedmény *n* concession
engedményes *n.* assignee
engem *pron.* me
én-magam *pron.* myself
enyém *pron.* mine
enyhe *a.* mild
enyhe *a.* slight
enyhít *v.t.* allay
enyhít *v.t.* alleviate
enyhít *v. t* ease
enyhít *v.t.* mitigate
enyhítés *n.* alleviation
enyhítés *n.* mitigation
enyhül *v.l.* lighten

ép *a.* intact
ép *a.* scot-free
epe *n* bile
épelméjű *a.* sane
épelméjűség *n.* sanity
eper *n.* strawberry
eperfa *n.* mulberry
epigramma *n* epigram
epikus *n* epic
epilepszia *n* epilepsy
épít *v. t* build
épít *v. t.* construct
építés *n* construction
építészet *n.* architecture
építészmérnök *n.* architect
epizód *n* episode
éppen *adv.* just
épület *n* building
épület *n* edifice
ér *n.* streamlet
ér *n.* vein
érc *n.* ore
erdei *a.* sylvan
erdei *a.* woodland
érdek *n.* interest
érdekében *n.* sake
érdekelt *a.* interested
érdekes *a.* interesting
érdeklődik *v.t.* inquire
érdem *n.* merit
érdemes *a.* meritorious
érdemes *a* worth
erdész *n* forester
erdészet *n* forestry
erdő *n* forest
erdő *n.* wood
erdő *n.* woods
erdőkerülő *n.* ranger
erdőség *n.* woodland
erdősít *v.t.* afforest
eredeti *a.* original
eredeti *n* original

eredetiség *n.* originality
eredmény *n.* outcome
eredmény *n.* result
eredményesség *n* efficiency
eredményez *v.i.* result
erekció *n* erection
ereklye *n.* relic
ereklyeként-őriz *v. t* enshrine
érem *n.* medal
éremgyűjtő *n.* medallist
erény *n.* morality
erény *n.* virtue
erényes *a.* virtuous
ereszcsatorna *n.* gutter
éretlen *a.* immature
éretlenség *n.* immaturity
érett *a.* mature
érett *a.* mellow
érett *a* ripe
érettség *n.* maturity
érez *v.t* feel
érezhető *a.* sensible
érik *v.i.* ripen
érint *v. t* concern
érint *v.t.* touch
érintés *n* touch
érintkezés *n.* contact
erjedés *n* ferment
erjedés *n* fermentation
erjeszt *v.t* ferment
erkély *n.* balcony
érkezés *n.* arrival
érkezik *v. i.* come
erkölcs *n.* moral
erkölcsi *a.* moral
erkölcsnélküli *a.* amoral
erkölcsös *a.* puritanical
erkölcstelen *a.* immoral
erkölcstelen *a.* lewd
erkölcstelenség *a.* immorality
ernyőz *v.t.* screen
erő *n* force

erő *n* main
erő *n.* strength
erőd *n.* fort
erőd *n.* fortress
erőd *n.* stronghold
erőfeszítés *n* effort
erőfeszítés *n.* toil
erőforrások *n* means
erőltetett *a.* laboured
erős *a.* intense
erős *a.* potent
erős *a.* strong
erősít *v.t.* amplify
erősít *v.t.* assert
erősítés *n* amplification
erősítő *n* amplifier
erősödik *v.t.* intensify
erőszak *n.* rape
erőszak *n.* violence
erőszakos *a* forcible
erőszakos *a.* vicious
erőszakos *a.* violent
erőteljes *a* dynamic
erőteljes *a* forceful
erőteljes *a.* powerful
erotikus *a* erotic
érsek *n.* archbishop
erszényes-állat *n.* marsupial
ért *v.t.* understand
érték *n.* value
érték *n.* worth
értékel *v.t.* appraise
értékel *v.t.* prize
értékel *v.t.* rate
értékel *v.t.* value
értékelés *n.* assessment
értékelés *n.* valuation
értékes *a.* precious
értékes *a.* valuable
értékesít *v.t* market
értekezés *n.* essay
értekezés *n.* treatise

értekezlet *n.* session
értéktelen *a.* worthless
értelem *n.* intelligence
értelem *n.* purport
értelem *n.* rationale
értelmes *a.* intelligent
értelmes *a.* judicious
értelmetlen *a.* meaningless
értelmiség *n.* intelligentsia
értelmiségi *n.* intellectual
értesít *v.t.* apprise
értesítés *n.* notice
érthető *a.* intelligible
érthető *a.* lucid
érthetően *adv* clearly
érthetőség *n.* lucidity
érvényes *a.* valid
érvényesít *v.t.* validate
érvényesség *n.* validity
érvényesül *v.i.* prevail
érvénytelen *a.* invalid
érvénytelen *a.* null
érvénytelenít *v. t.* abrogate
érvénytelenít *v.t.* annul
érvénytelenít *v.t.* invalidate
érvénytelenít *v.t.* void
érzék *n.* sense
érzékel *v.t.* perceive
érzékelő *a.* perceptive
érzékeny *a.* sensitive
érzékenység *n.* sensibility
érzéketlen *a.* senseless
érzéketlenség *a.* insensibility
érzéki *a.* sensual
érzéki *a.* sensuous
érzékiség *n.* sensuality
érzelem *n* emotion
érzelgős *a* maudlin
érzelmi *a* emotional
érzés *n* feeling
érzés *n.* sensation
érzés *n.* sentience

érzés n. sentiment
érzéstelenítés n anaesthesia
érzéstelenítő n. anaesthetic
érző a. sentient
és conj. and
esdekel v.t. solicit
esedékes a due
esély n. odds
esemény n event
esemény n. happening
esemény n. occurrence
esernyő n. umbrella
esés n. tumble
esik v.i. fall
esik v.i. rain
eskü n. oath
eskü n. vow
esküdt n. juror
esküdt n. juryman
esküszik v.t. forswear
esküszik v.t. swear
esküvő n. wedding
eső n rain
esőkabát n waterproof
esős a. rainy
esszéista n essayist
ésszerű a. rational
ésszerű a. reasonable
ésszerűség n. rationality
este n evening
estétől-reggelig adv. overnight
ész n. intellect
ész n. wit
észak n. north
északfelé adv. northerly
északi a north
északi a. northerly
északi a. northern
északra adv. north
Északsarki a Arctic
észbeli a. intellectual
eszesség n. acumen

eszik v. t eat
eszik v.i. sup
eszköz n device
észlelés n. perception
észlelhető a. appreciable
eszmény n ideal
eszményít v.t. idealise
észrevehető adj perceptible
észrevesz v. t behold
észrevesz v.t. notice
esztergályos n. turner
esztergályoz v.t. lathe
esztergapad n. lathe
esztétika n.pl. aesthetics
esztétikus a. aesthetic
éter n ether
etetés n feed
etika n. ethics
etikai a ethical
etikett n etiquette
etimológia n. etymology
étkezés n. meal
étkező n eatery
étlap n. menu
étterem n. restaurant
étvágy n. appetite
étvágy n relish
eunuch n eunuch
év n. year
Evangélium n. Gospel
évelő-növény n. perennial
évenként adv. yearly
evez v.i. paddle
evez v.t. row
evezés n row
evezős n. oar
evezős n. oarsman
évezred n. millennium
évforduló n. anniversary
évi a. annual
évi a. yearly
évkönyv n. almanac

208

évkönyv *n.pl.* annals
évkönyvíró *n.* annalist
évődés *n.* banter
évődik *v.t.* banter
evolúció *n* evolution
évszak *n.* season
évszaki *a.* seasonable
évtized *n* decade
expedíció *n* expedition
exponens *n* exponent
exportál *v. t.* export
expressz *a* express
expressz *n* express
ezáltal *conj.* thereby
ezelőtt *adv.* ago
ezentúl *adv.* hence
ezentúl *adv.* henceforth
ezer *n.* thousand
ezer *a* thousand
ezért *conj.* therefore
ezred *n.* regiment
ezredbe-oszt *v.t.* regiment
ezredes *n.* colonel
ezüst *n.* silver
ezüst *a* silver
ezüsttel-bevon *v.t.* silver
ezután *adv.* henceforward
ezután *conj.* thereafter

fa *n.* tree
faág *n* bough
faanyag *n.* timber
facsemete *n.* sapling
faggyúdaganat *n.* wen
fagy *n.* frost
fagyöngy *n.* mistletoe
fagyos *a.* frigid
fahéj *n* cinnamon

faipari *a.* wooden
faj *n.* species
fáj *v.i.* ache
fáj *v.l.* hurt
fáj *v.t.* pain
fáj *v.i* smart
fájdalmas *a.* painful
fájdalom *n.* ache
fájdalom *n.* pain
fájdalom *n.* throe
faji *a.* racial
fájó *a.* sore
fajta *n* breed
fajta *n.* kind
fajta *n.* sort
fajtalanság *n.* perversion
fajtiszta *a.* pedigree
fakéreg *n.* bark
fáklya *n.* torch
fal *n.* wall
falánk *a.* voracious
falánkság *n.* gluttony
falat *n.* mouthful
falatozás *n.* snack
falfestmény *n.* mural
fali *a.* mural
falu *n.* village
falucska *n.* hamlet
falusi *n.* villager
falusias *a.* rustic
fanatizmus *n* bigotry
fantasztikus *a* fantastic
fantom *n.* phantom
fanyar *a.* wry
fáradalmak *n. pl.* toils
fáradhatatlan *a.* painstaking
fáradhatatlan *a.* strenuous
fáradságos *a.* arduous
fáradságos *a.* laborious
fáradt *a.* weary
fáradtság *n* fatigue
farag *v. t.* carve

faragatlan *a.* uncouth
faragcsál *v.t.* whittle
fáraszt *v.t* fatigue
fárasztó *a.* tiresome
farkas *n.* wolf
farmernadrág *n.* jeans
farok *n.* tail
farönk *n.* log
farsang *n* carnival
fásultság *n.* apathy
fásultság *n.* lethargy
faszeggel-erősít *v.t.* peg
faszkalap *n.* jerk
fatábla *n.* panel
fatönk *n.* stump
fattyú *n.* bastard
fátyol *n.* veil
fazék *n.* pot
fazekas *n.* potter
fazekasság *n.* pottery
fazékba-tesz *v.t.* pot
fázik *v.i.* freeze
Február *n* February
fecseg *v. i* blab
fecseg *v.t.* jabber
fecske *n.* swallow
fecskendez *v.t.* syringe
fecskendő *n.* syringe
feddés *n* blame
fedél *n.* lid
fedélzet *n* deck
fedezék *n* blindage
fedő *n.* cover
fegyelem *n* discipline
fegyelemsértés *n.* insubordination
fegyelmezetlen *a.* insubordinate
fegyelmezetlenség *n.* indiscipline
fegyelmező *n.* martinet
fegyenc *n* convict

fegyver *n.* weapon
fegyverláda *n.* ambry
fegyverraktár *n.* arsenal
fegyverszünet *n.* armistice
fegyverszünet *n.* truce
fegyvertár *n.* armoury
fegyverzet *n.* armament
fehér *a.* white
fehéres *a.* whitish
fehérít *v. t.* blanch
fehérít *v.t.* whiten
fehérítés *n.* whitening
fehérítő *n* bleach
fehérje *n.* protein
fej *n.* head
fejedelmi *a.* palatial
fejesugrás *n* plunge
fejezet *n.* chapter
fejgerenda *n.* lintel
fejleszt *v. t.* develop
fejlesztés *n.* development
fejletlen *a.* backward
fejlődés *n.* advancement
fejlődik *v.t* evolve
fejteget *v.i.* reason
fejtegetés *n* commentary
fejvesztett-menekül *v.i* stampede
fejvesztett-menekülés *n.* stampede
fék *n* brake
fék *n* break
fekély *n* fistula
fekély *n.* ulcer
fekélyes *a.* ulcerous
fekete *a* black
fékez *v. t* brake
fékez *v.l* break
fekszik *v.i.* lie
fektet *v.t.* lay
fekvés *n.* locus
fel *prep.* up

fél *v.i* fear
fél *n.* half
fél *a* half
felad *v.t.* mail
feladat *n.* project
feladat *n.* task
felakaszt *v.t.* hang
feláldoz *v.t.* sacrifice
feláldoz *v.t.* victimise
felállít *v. t* erect
felállít *v.t.* post
felavatás *n.* inauguration
felbátorít *v. t* encourage
felbecsül *v.t.* assess
felbecsül *v. t* estimate
felbecsülhetetlen *a.* invaluable
félbeszakít *v.t.* interrupt
félbeszakítás *n.* interruption
felbillen *v. i.* capsize
felbolydulás *n* commotion
felbomlás *n.* decomposition
felboncol *v. t* dissect
felborít *v.t.* upset
felborzol *v.l.* bristle
felbosszant *v.t.* infuriate
felbujt *v.t.* abet
felbujtás *n.* abetment
felbujtás *n.* instigation
felbukkan *v. i* emerge
felcsavar *n.* scroll
felderít *v.t* explore
felderít *v.i* scout
felderítés *n* exploration
felderítés *n* scout
feldühít *v. t* enrage
feldühít *v.t.* incense
felé *prep.* towards
felébreszt *v.t.* arouse
felébreszt *v.t.* awake
felébreszt *v.t.* wake
feledékeny *a* forgetful
feledékeny *a.* oblivious

feledés *n.* oblivion
felel *v. i* correspond
feléledés *n.* revival
félelem *n.* awe
félelem *n* fear
féléleszt *v.i.* revive
felelevenít *v.t.* reproduce
félelmet-ébreszt *v.t.* misgive
félelmetes *a.* fearful
félelmetes *a* formidable
felelős *a* accountable
felelős *a.* liable
felelős *a.* responsible
felelősség *n.* liability
felelősség *n.* onus
felelősség *n.* responsibility
felelőtlen *a.* irresponsible
felemel *v. t* elevate
felemel *v.t.* uplift
félemelet *n.* mezzanine
felemelkedés *n.* ascent
felemelkedik *v.t.* ascend
felenged *v.t.* liquefy
félénk *a.* shy
félénk *a.* timid
félénk *a.* timorous
félénkség *n.* timidity
feleség *n.* wife
feleségtartásidíj *n.* alimony
felesleges *a.* superfluous
feleslegesség *n.* superfluity
felett *adv.* beyond
felettes *a.* superior
félévenkénti *adj.* biannual
felez *v.t.* halve
felfal *v. t* devour
felfedez *v. t* discover
felfedez *v.t.* unearth
felfedezés *n.* discovery
felfegyverez *v.t* forearm
felfejlődik *v.t.* deploy
felfelé *adv.* up

felfelé *adv.* upwards
félfenék *n* buttock
felfogás *n* comprehension
felfordított *a.* topsy turvy
felfordulás *n.* tumult
felfordulás *n.* turmoil
felfordulás *n.* upheaval
felforgat *v.t.* subvert
felforgat *v.t.* topsy turvy
felforgatás *n.* subversion
felforgató *a.* subversive
felfrissít *v.t.* refresh
felfrissülés *n.* refreshment
felfüggeszt *v.t.* suspend
felfüggesztés *n.* abeyance
felfüggesztés *n.* adjournment
felfüggesztés *n.* suspension
félgömb *n.* hemisphere
felgyújt *v.i.* spark
felháborodás *n.* indignation
felháborodás *n.* outcry
felháborodás *n.* outrage
felháborodik *v.t.* outrage
felháborodott *a.* indignant
felhalmoz *v.t.* amass
felhalmozódás *n* accumulation
felhangol *v.t.* tune
felhasznál *v.i.* resort
felhatalmaz *v. t* depute
felhatalmaz *v. t* empower
felhatalmaz *v. t* enable
felhő *n.* cloud
felhorgosít *v.t.* barb
felhős *a* cloudy
felhős *a.* overcast
felhőszakadás *n* downpour
felhoz *v.t.* adduce
felhúroz *v.t.* string
felidéző *a.* reminiscent
félig-nyitva *adv.* ajar
felirat *n.* caption
felismer *v.t.* recognise

felizgat *v. t* excite
feljegyez *v. t.* book
feljegyez *v.t.* record
feljelent *v.t.* report
feljelentés *n.* report
feljogosít *v. t.* entitle
feljogosít *v.t.* license
feljogosít *v.t.* qualify
felkantároz *v.t* harness
felkap *v.t.* snatch
felkapaszkodik *v.i.* scramble
felkel *v.i.* arise
felkelés *n.* insurrection
felkelés *n.* uprising
felkelő *a.* insurgent
felkelő *n.* insurgent
felkiált *v.i* exclaim
felkiáltás *n* acclamation
felkiáltás *n* exclamation
fellázad *v. i* mutiny
fellázad *v.i.* rebel
fellebbez *v.t.* appeal
fellebbezés *n.* appeal
fellebbező *n.* appellant
fellegvár *n.* citadel
fellendít *v. t* boost
fellendülés *n* uplift
fellobbanás *n* flare
felmagzik *v.t.* seed
felmászik *v.t.* mount
felment *v.t* absolve
felment *v.t.* acquit
felment *v.t.* release
felmentés *n.* acquittal
felmérés *n.* survey
felmerül *v.i.* incur
felmond *v.t.* quit
felmos *v.t.* mop
felnevel *v.t.* foster
felnevel *v.t.* rear
felnőtt *a* adult
felnőtt *n.* adult

felold *v.t* dissolve
felolvaszt *v.t.* smelt
felolvaszt *v.i* thaw
félős *a.* afraid
feloszt *v.t.* parcel
feloszt *v.t.* partition
felosztás *n.* partition
felpeckel *v.t.* gag
felpeckel *v.t* muzzle
felperes *n* claimant
felperes *n.* plaintiff
félre *adv.* aside
félrebeszél *v.i.* rave
félreért *v.t.* misapprehend
félreért *v.t.* misconceive
félreért *v.t.* misunderstand
félreértés *n* misapprehension
félreértés *n.* misconception
félreértés *n.* misunderstanding
félremagyaráz *v.t.* misconstrue
félrevezet *v.t.* hoodwink
félrevezet *v.t.* misguide
félrevezet *v.t.* mislead
felrobban *v. t.* explode
felruház *v.t.* apparel
felség *n.* majesty
felső *a.* upper
felsőbbrendűség *n.* pre-eminence
felsőbbrendűség *n.* superiority
felsőfok *n.* superlative
felsőfokú *a.* superlative
felsőkabát *n.* overcoat
felsorakoztat *v.t.* align
felsorol *v. t.* enumerate
felszabadít *v.t.* liberate
felszabadít *v.t.* manumit
felszabadítás *n.* emancipation
felszabadítás *n.* manumission
felszabadító *n.* liberator

felszabadulás *n.* liberation
felszáll *v.i.* board
felszáll *v.i.* soar
felszállás *n.* rise
felszámít *v.t.* levy
felszámol *v.t.* liquidate
felszámolás *n.* liquidation
félszeg *a.* ungainly
félszemű *a.* monocular
felszerel *v. t* equip
felszerel *v.t* outfit
felszerelés *n.* apparel
felszerelés *n* equipment
felszerelés *n.* outfit
felszerelés *n.* tackle
felszínes *a.* superficial
felszínesség *n.* superficiality
felszív *v.t.* adsorb
felszúr *v.t.* puncture
feltalál *v.t.* invent
feltaláló *n.* inventor
feltámadó *a.* resurgent
feltartóztat *v.t.* delay
feltartóztat *v.t.* intercept
feltartóztatás *n.* interception
féltékeny *a.* jealous
féltékenység *n.* jealousy
felteker *v.t.* wind
feltérképez *v.t.* map
feltesz *v.i.* pose
feltétel *n.* proviso
feltételes *a* conditional
feltételez *v.t.* assume
feltételez *v. t* conjecture
feltételez *v.t.* presume
feltételez *v.t.* presuppose
feltételez *v.t.* suppose
feltételez *v.t.* surmise
feltételezés *n.* supposition
feltevés *n.* assumption
feltevés *n.* surmise
feltűnő *a.* conspicuous

felügyel *v.t.* invigilate	**fenntartás** *n.* sustenance
felügyel *v.t.* oversee	**fenntartás** *n* upkeep
felügyel *v.t.* superintend	**fenntartás** *n.* vindication
felügyel *v.t.* supervise	**Fenség** *n.* Highness
felügyelés *n.* invigilation	**fenség** *n.* sublimity
felügyelet *n.* superintendence	**fenséges** *a.* majestic
felügyelet *n.* supervision	**fenséges** *a.* sublime
felügyelet *n.* surveillance	**fény** *n.* light
felügyelő *n.* monitor	**fény** *n.* refulgence
felügyelő *n.* overseer	**fenyeget** *v.t* menace
felügyelő *n.* superintendent	**fenyeget** *v.t.* threaten
felügyelő *n.* supervisor	**fenyegetés** *n* menace
felül *adv* above	**fenyegetés** *n.* threat
felül *adv* over	**fenyegető** *a.* imminent
felület *n.* surface	**fényes** *a* bright
felületes *a* cursory	**fényes** *a.* glossy
felülmúl *v.t* exceed	**fényes** *a.* refulgent
felülmúl *v.t.* outweigh	**fényes** *a.* shiny
felülmúl *v.t.* surmount	**fényesít** *v. t* brighten
felülmúl *v.t.* surpass	**fényesít** *v.t.* polish
felülmúl *v.t.* transcend	**fényezés** *n* polish
felülvizsgálat *n* review	**fénykép** *n* photo
felülvizsgálat *n.* revision	**fénykép** *n* photograph
félúton *a* mid-way	**fényképész** *n.* photographer
felvált *v. t.* cash	**fényképészeti** *a.* photographic
felvázol *v.t.* trace	**fényképez** *v.t.* photograph
felvesz *v. t* enrol	**fényképezés** *n.* photography
felvet *v.t.* propound	**fényképezőgép** *n.* camera
felvidul *v. t.* cheer	**fénylés** *n.* lustre
felvilágosít *v. t.* enlighten	**fénylik** *v.i.* glitter
felvilágosít *v.t.* illuminate	**fénylő** *a.* luminous
felvillanyoz *v. t* electrify	**fénylő** *a.* lustrous
felvonó *n.* lift	**fénylő** *a.* resplendent
fém *n.* metal	**fénymásol** *v.t.* xerox
fémes *a.* metallic	**fénymásolás** *n.* xerox
fémjel *n.* hallmark	**fenyő** *n* fir
fémkapocs *n.* staple	**fenyőfa** *n.* pine
fémpénz *n* coin	**fénysugár** *n.* ray
fenék *n* bottom	**fénytelen** *a.* lacklustre
fennmarad *v.i.* subsist	**fényűző** *a.* luxurious
fennsík *n.* plateau	**ferde** *a* cross
fenntart *v.t.* maintain	**ferde** *a.* oblique

ferdén *prep.* athwart
férfi *n* male
férfi *n.* man
férfias *a.* manlike
férfias *a.* manly
férfias *a.* masculine
férfias *a.* virile
férfiasság *n.* manhood
férfiasság *n* manliness
férfiasság *n.* virility
férfisellő *n.* merman
férfi-sterilizálás *n.* vasectomy
férj *n* husband
fertőtlenítő *a.* antiseptic
fertőtlenítőszer *n.* antiseptic
fertőzés *n.* infection
fertőző *a* contagious
fertőző *a.* infectious
fertőző *a.* virulent
fertőzőképesség *n.* virulence
fest *v.t.* paint
festék *n* dye
festék *n.* paint
festmény *n.* painting
festő *n.* painter
fésű *n* comb
fészek *n.* nest
fészer *n* shed
feszít *v.t.* strain
feszítés *n* strain
fészkel *v.i.* nestle
fészket-rak *v.t.* nest
fesztivál *n* festival
feszület *n.* rood
feszült *a.* tense
feszültség *n.* stress
feszültség *n.* tension
feudális *a* feudal
fiaskó *n* fiasco
fiatal *a.* young
fiatalkori *a.* juvenile
fiatalos *a.* youthful

ficánkol *v.i.* frolic
ficánkolás *n.* frolic
fickó *n* fellow
figyel *v.t.* heed
figyel *v.t.* mind
figyel *v.t.* watch
figyelem *n.* attention
figyelem *n* heed
figyelembe-véve *prep.* considering
figyelemreméltó *a.* noteworthy
figyelmes *a.* attentive
figyelmes *a.* mindful
figyelmes *a.* observant
figyelmetlen *a.* inattentive
figyelmetlenség *n* disregard
figyelmeztet *v.t.* admonish
figyelmeztet *v. t.* caution
figyelmeztet *v.t* forewarn
figyelmeztet *v.t.* warn
figyelmeztetés *n.* admonition
figyelmeztetés *n.* warning
figyelmeztető *a.* monitory
fikció *n* fiction
filantróp *a.* philanthropic
filantrópia *n.* philanthropy
film *n* film
filmek *n.* movies
filológia *n.* philology
filológus *n.* philologist
filozófia *n.* philosophy
filozófiai *a.* philosophical
filozófus *n.* philosopher
finanszíroz *v.t* finance
finom *a* delicious
finom *a* fine
finomít *v.t.* refine
finomító *n.* refinery
finomság *n.* subtlety
fiók *n* drawer
firkál *v.t.* scrawl

215

firkál v.t. scribble
firkálás n scrawl
firkálás n. scribble
fiú n boy
fiú n. lad
fiúdal n. son
fiúslány n. tomboy
fizet v.t. pay
fizetés n pay
fizetés n. payment
fizetés n. salary
fizetésképtelen a bankrupt
fizetésképtelen a. insolvent
fizetésképtelenség n. insolvency
fizetőképes a. solvent
fizetőképesség n. solvency
fizika n. physics
fizikai a. physical
fizikus n. physicist
flanel n flannel
flört n flirt
flörtöl v.i flirt
flotta n fleet
fő a. capital
fő a. chief
fő a principal
fodor n. frill
fodor v.t. ruffle
fodroz v.t. ripple
fodrozódás n. ripple
fog v.t hold
fog n. tooth
fogad v.i bet
fogad v.i. gamble
fogad v.t. wage
fogad v.i. wager
fogadás n gamble
fogadás n. reception
fogadás n. wager
fogadó n better
fogadó n. inn

fogadtatás n welcome
fogak n.pl. teeth
fogalmaz v.t formulate
fogalmazó a draftsman
fogalmazópapír n foolscap
fogamzás n conception
fogamzásgátlás n. contraception
fogan v. t conceive
fogantyú n crank
fogantyú n. handle
fogantyú n. lever
fogas n. perch
fogás n. catch
fogás n. decrement
fogás n grip
fogaskerék n cog
fogda n. clink
fogékony a docile
fogékony a. receptive
fogfájás n. toothache
foghang n alveolus
foglal v.t. reserve
foglalás n. reservation
foglalat n. socket
foglalkozás n. occupation
foglalkozó n. dealing
foglalkoztatás n employment
fogó n clamp
fogó n. pl. tongs
fogoly n. captive
fogoly n. prisoner
fogolytárs n. inmate
fogorvos n dentist
fogság n bondage
fogság n. captivity
fogságban a. captive
fogy v.i. wane
fogyaszt v. t consume
fogyasztás n consumption
fogyatékosság n disability
fogyatkozás n eclipse

fogyatkozás *n* wane
fogzik *v.i.* teethe
főiskola *n* college
fojt *v. t.* choke
fojtogat *v.t.* stifle
fok *n* degree
fok *n.* grade
fóka *n.* seal
fokhagyma *n.* garlic
főkönyv *n.* ledger
főkötő *n* coif
fokozat *n.* gradation
fokozatos *a.* gradual
fókusz *n* focus
föld *n* earth
föld *n.* land
földalatti *a.* subterranean
földesúr *n.* squire
földgömb *n.* globe
földi *a* earthen
földi *a* earthly
földi *a.* mundane
földi *a.* planetary
földműves *n* farmer
földrajz *n.* geography
földrajzi *a.* geographical
földrajztudós *n.* geographer
földrengés *n* earthquake
fölé *prep.* above
főleg *adv.* mainly
fölény *n.* supremacy
fólia *n* foil
fölösleg *n.* surplus
fölösleges *a.* needless
fölösleges *a.* redundant
fölösleges *a.* surplus
folt *n* blemish
folt *n.* blot
folt *n.* mottle
folt *n.* stain
folyadék *n* fluid
folyadék *n* liquid

folyam *n.* stream
folyamat *n.* process
folyamatos *a* continual
folyamatos *a* continuous
folyás *n* flow
folyékony *a* fluent
folyékony *a.* liquid
folyik *v.i* flow
folyik *v.i.* leak
folyik *v.i.* stream
folyó *n.* river
folyóirat *n.* journal
folyóirat *n* magazine
folyóirat *n.* periodical
folyosó *n.* corridor
folytatás *n.* continuation
folytatás *n.* sequel
folytatódik *v. i.* continue
folytatódik *v.i.* persist
folytonos *a.* successive
folytonosság *n* continuity
fonákütés *n.* backhand
fonál *n.* yarn
főnemes *n.* peer
fonetika *n.* phonetics
fonetikus *a.* phonetic
főnév *n.* noun
fonógép *n.* spinner
főnök *n* boss
főnök *n.* chieftain
főnök *n.* principal
font *n.* pound
font *n.* sterling
fontolgat *v. t* consider
fontolgat *v. t* contemplate
fontolgat *v.i.* matter
fontos *a.* important
fontos *a.* major
fontos *a.* vital
fontoskodás *n.* pedantry
fontoskodó *a.* officious
fontoskodó *n.* pedant

fontoskodó *n.* pedantic
fontosság *n.* importance
főpap *n.* prelate
fordít *v.t.* turn
fordítás *n.* translation
fordító *n.* translator
fordított *a.* reverse
fordítva *adv.* vice-versa
fordul *v.i.* turn
fordulat *n* turn
forgalom *n.* traffic
forgás *n.* rotation
forgás *n.* spin
forgás *n* whirl
forgat *v.i.* spin
forgatókönyv *n.* script
forgattyú *n.* winch
forgó *a.* rotary
forgórész *n.* armature
forgószél *n.* whirlwind
formás *a.* shapely
formátum *n* format
forog *v.i.* revolve
forog *v.i.* rotate
forr *v.i.* boil
forr *v.i.* seethe
forradalmár *n* revolutionary
forradalmi *a.* revolutionary
forradalom *n.* revolution
forrás *n.* resource
forrás *n.* source
forraszt *v.t.* solder
forrasztófém *n.* solder
forró *a.* hot
forte *n.* forte
fortély *n.* wile
fortélyos *a.* wily
fórum *n.* forum
fosszilis *n.* fossil
fösvény *n.* miser
főszereplő *n.* protagonist
foszfát *n.* phosphate

foszfor *n.* phosphorus
fosztogat *v.i.* maraud
fosztogató *n.* marauder
föveny *n.* quicksand
főz *v.t* cook
főzésmód *n.* cuisine
frakció *n.* fraction
francia *a.* French
francia *n* French
friss *a.* fresh
front *n.* front
fű *n* grass
füge *n* fig
függ *v.i.* depend
függelék *n.* appendage
függelék *n.* appendix
független *a.* independent
független *a.* irrespective
függetlenség *n.* independence
függő *n* dependant
függő *a* dependent
függőleges *a.* perpendicular
függőleges *a.* upright
függőleges *a.* vertical
függöny *n* curtain
függőón *n.* perpendicular
függőség *n.* addiction
függőség *n* dependence
fül *n* ear
fül-alakú *a* auriform
fülcimpa *n.* lobe
fülemüle *n.* nightingale
fülke *n* booth
fülke *n.* compartment
fülke *n.* niche
fülledt *a.* muggy
fürdik *v.t* bathe
fürdő *n* bath
fürge *a* brisk
fürge *a.* nimble
fürgeség *n.* alacrity
fürj *n.* quail

fürkész *v.t.* scan
fürt *n* cluster
füst *n.* smoke
füstölő *n* censer
füstös *a.* smoky
fütyül *v.i.* whistle
füves *a.* grassy
füzérdíszítés *n* festoon
füzet *n* booklet
fúj *v.i.* blow
fújtató *n.* bellows
fújtató *n.* windbag
fukar *a.* mean
fukar *a.* miserly
fukar *a.* stingy
fukarság *n.* meanness
fúr *v. t* bore
fúr *v. t.* drill
fura *a.* quaint
furcsa *a.* odd
furcsa *a.* queer
furcsa *a* rum
furcsa *a.* strange
furcsa *a.* weird
furcsaság *n.* oddity
fűrész *n.* saw
fűrészel *v.t.* saw
furfangos *a* arch
furfangos *a.* smart
fúró *n* drill
fűszer *n.* herb
fűszer *n.* spice
fűszeres *a.* spicy
fűszerez *v.t.* season
fűszerez *v.t.* spice
fut *v.i.* run
fűt *v.t* heat
futár *n.* courier
futás *n.* run
futó *n.* runner
fűtő *n.* stoker
futóz *v.t.* retread

fuvallat *n.* whiff
fuvar *n.* freight
fuvardíj *n.* cartage
fuvarozás *n.* transport
fuvola *n* flute
fúvóshangszer *n.* brass
fűzfa *n.* willow
fűzfapoéta *n.* rhymester
fűzfavesszőkötés *n.* withe
fúzió *n.* merger
fűzőlyuk *n* eyelet

G

gabona *n.* cereal
gabona *n.* grain
gabona- *a* cereal
gagyogás *n.* prattle
galagonya *n.* hawthorn
galamb *n* dove
galamb *n.* pigeon
galaxis *n.* galaxy
galéria *n.* gallery
gallér *n* collar
gallon *n.* gallon
gally *n.* sprig
gally *n.* twig
galopp *n.* gallop
galvanizál *v.t.* galvanise
garancia *n.* guarantee
garancia *n.* safeguard
garancia *n.* warrantee
garázs *n.* garage
gardrób *n.* wardrobe
gargarizál *v.i.* gargle
gát *n* dam
gát *n.* hurdle
gátat-fut *v.t* hurdle
gátlás *n.* inhibition
gaz *a.* roguish

gáz *n.* gas
gazda *n.* master
gazdag *a.* affluent
gazdag *a.* rich
gazdag *a.* wealthy
gazdagít *v. t* enrich
gazdagság *n.* pelf
gazdagság *n.* profusion
gazdagság *n.* riches
gazdagság *a.* richness
gazdaság *n* economy
gazdasági *a* economic
gazdaságos *a* economical
gazember *n* cad
gazember *n.* rascal
gazember *n.* villain
gázkar *n.* throttle
gazság *n.* knavery
gazság *n.* roguery
gaztett *n.* misdeed
gebe *n.* nag
generáció *n.* generation
generátor *n.* generator
gengszter *n.* gangster
genny *n.* pus
gennytüsző *n* blain
geológia *n.* geology
geológiai *a.* geological
geológus *n.* geologist
geometria *n.* geometry
gép *n* machine
gépel *v.t.* type
gépezet *n* machinery
gépírónő *n.* typist
gerely *n.* javelin
gerely *n.* lance
gerenda *n* beam
gerenda *n.* girder
gerilla *n.* guerilla
gerinc *n.* ridge
gerinc *n.* spine
gerinc- *a.* spinal

gerundium *n.* gerund
gesztenye *n.* chestnut
gesztenyebarna *n.* maroon
gesztenyebarna *a* maroon
gesztus *n.* gesture
gibbon *n.* gibbon
gigantikus *a.* gigantic
giliszta *n.* worm
gitár *n.* guitar
gleccser *n.* glacier
glicerin *n.* glycerine
globális *a.* global
glukóz *n.* glucose
gobelin *n.* tapestry
gödör *n.* pit
gőg *n.* arrogance
gőgös *a.* arrogant
gőgös *a.* haughty
golf *n.* golf
golfpálya *n.* green
gólya *n.* stork
gólyaláb *n.* stilt
golyó *n* bullet
gomb *n* button
gömb *n.* orb
gömb *n.* sphere
gomba *n.* mushroom
gombaféle *n.* fungus
gombol *v. t.* button
gombolyag *n.* skein
gömbölyű *a.* spherical
gond *n.* worry
gondatlan *a.* careless
gondatlan *a.* mindless
gondatlan *a.* negligent
gondatlanság *n.* negligence
gondnok *n* custodian
gondnok *n.* warden
gondol *v.t* figure
gondol *v.t.* think
gondolat *n* thought

gondolatait-kitölti *v.t.*	preoccupy
gondolkodó *a.*	pensive
gondolkodó *n.*	thinker
gondolkodó *a.*	thoughtful
göndörít *v.t.*	crimp
gondos *a.*	solicitious
gondoskodás *n.*	solicitude
gondoz *v.t.*	nurture
gondozás *n.*	nurture
gondviselésszerű *a.*	providential
gong *n.*	gong
gonosz *a*	evil
gonosz *a.*	wicked
gonoszság *n*	evil
gonosztevő *n.*	malefactor
gonosztevő *n.*	miscreant
görbe *n*	curve
görbít *v. t*	curve
görbül *prep.*	round
görcs *n.*	spasm
görcsös *a.*	spasmodic
görget *v.i*	bowl
gorilla *n.*	gorilla
görnyed *v.i.*	stoop
görnyedés *n*	stoop
görög *n.*	Greek
görög *a*	Greek
görögdinnye *n.*	water-melon
goromba *a.*	rude
göröngyös *a*	bumpy
gőz *n*	steam
gőzhajó *n.*	steamer
gőzölög *v.i.*	steam
grafikon *n.*	graph
gramm *n.*	gramme
gramofon *n.*	gramophone
gránát *n.*	grenade
gratuláció *n*	congratulation
gratulál *v. t*	congratulate
gravitáció *n.*	gravitation

gravitáció *n.*	gravity
gróf *n.*	count
grófnő *n.*	countess
groteszk *a.*	grotesque
gubanc *n.*	tangle
gügye *a*	moronic
gügyög *v.i.*	babble
gügyög *v. i*	crow
gügyögés *n.*	babble
guggol *v.i.*	squat
gujávafa *n.*	guava
gulyás *n.*	herdsman
gumi *n.*	rubber
gumi *n.*	tyre
gúnár *n.*	gander
gúny *n.*	ridicule
gúny *n.*	sarcasm
gúnyirat *n.*	lampoon
gúnymosoly *n*	sneer
gúnymosolyog *v.i*	sneer
gúnyol *v.i.*	mock
gúnyolódás *n*	gibe
gúnyolódás *n*	taunt
gúnyolódik *v.i.*	gibe
gúnyolódik *v.i.*	jeer
gurít *v.i.*	roll
gurít *v.t.*	wheel
gusztusos *a.*	toothsome
gyakori *n.*	frequent
gyakoriság *n.*	frequency
gyakorlat *n.*	exercise
gyakorlat *n.*	practice
gyakorlati *a.*	practical
gyakorlatias *a.*	worldly-wise
gyakorlatiatlan *a.*	quixotic
gyakorlott *a.*	proficient
gyakornok *n.*	apprentice
gyakornok *v.t.*	intern
gyakornok *n.*	trainee
gyakorol *v. t*	exercise
gyakorol *v.t.*	practise
gyakran *adv.*	oft

221

gyakran *adv.* often
gyaláz *v.t.* abuse
gyalázat *n.* odium
gyalázat *n.* slur
gyalázkodó *a* abusive
gyaloghintó *n.* palanquin
gyalogos *n.* pedestrian
gyalogosan *adv.* afoot
gyalogság *n.* infantry
gyám *n.* guardian
gyámkő *n.* corbel
gyámság *n* ward
gyámság *n.* wardship
gyanakodik *v.t.* mistrust
gyanít *v.t.* suspect
gyanú *n.* suspicion
gyanús *a.* suspect
gyanús *a.* suspicious
gyanúsított *n* suspect
gyapjú *n* fleece
gyapjú *n.* wool
gyapjúfonal *n.* worsted
gyapjúszövet *a.* woollen
gyár *n* factory
gyarapszik *v.i.* thrive
gyarmat *n* colony
gyarmati *a* colonial
gyárt *v.t.* manufacture
gyártás *n* fabrication
gyártás *n* manufacture
gyártó *n* manufacturer
gyász *n* bereavement
gyász *n.* grief
gyász *n.* mourning
gyászének *n* lament
gyászjelentés *a.* obituary
gyászol *v.t.* grieve
gyászol *v.i.* mourn
gyászoló *n* bereaved
gyászoló *n.* mourner
gyászos *n.* mournful
gyáva *n.* coward

gyávaság *n.* cowardice
gyémánt *n* diamond
gyenge *a* faint
gyenge *a* feeble
gyenge *a.* frail
gyenge *a.* weak
gyengébb-fél *n* underdog
gyengéd *a* delicate
gyengélkedés *n.* malaise
gyengélkedő *a.* indisposed
gyengeség *n* debility
gyengeség *n.* infirmity
gyengeség *n.* weakness
gyengít *v.t.* weaken
gyengül *v. i* weaken
gyep *n.* sod
gyér *a.* scant
gyér *a.* sparse
gyerek *n* child
gyerekes *a.* childish
gyermekágy *n.* cot
gyermekes *a.* infantile
gyermekes *a.* puerile
gyermekgyilkosság *n.* infanticide
gyermekkocsi *n.* perambulator
gyermekkor *n* boyhood
gyermekkor *n.* childhood
gyertya *n.* candle
gyík *n.* lizard
gyilkol *v.t.* murder
gyilkos *n.* murderer
gyilkos *a.* murderous
gyilkosság *n.* murder
gyógyhatású *a* curative
gyógyhatású *a.* medicinal
gyógyír *n.* balm
gyógyít *n* cure
gyógyít *v.i.* heal
gyógyíthatatlan *a.* incurable
gyógyítható *a* curable

gyógyító *a.* remedial
gyógymód *v. t.* cure
gyógyszer *n.* medicament
gyógyszerész *n* druggist
gyógyszertár *n.* pharmacy
gyógyulás *n.* recovery
gyökér *n.* root
gyökeres *a.* radical
gyökerezik *v.i.* root
gyom *n.* weed
gyömbér *n.* ginger
gyomor *n.* stomach
gyomori *a.* gastric
gyomorrontás *n.* indigestion
gyónás *n* confession
gyöngéd *a* fond
gyöngysor *n.* necklet
gyöngyszem *n.* pearl
gyors *a* fast
gyors *a.* fleet
gyors *a.* quick
gyors *a.* rapid
gyors *a.* speedy
gyorsan *adv.* apace
gyorsan *adv* fast
gyorsan *adv.* quick
gyorsan *adv.* speedily
gyorsaság *n.* rapidity
gyorsírás *n.* stenography
gyorsíró *n.* stenographer
gyorsít *v.t* accelerate
gyorsít *v.i.* speed
gyorsítás *n* acceleration
gyötör *v.t.* persecute
gyötör *v.t.* plague
gyötör *v.t.* tantalize
gyötrelem *n.* agony
gyötrelem *n.* pang
gyötrelem *n.* tribulation
győz *v.t.* win
győzelem *n.* victory
győzelem *n* win

győzhetetlen *a.* invincible
győztes *n.* victor
győztes *a.* victorious
győztes *n.* winner
gyülekezés *n.* assembly
gyülekezik *v.t.* muster
gyülekezik *v.t.* rally
gyümölcs *n.* fruit
gyümölcsöskert *n.* orchard
gyümölcsöző *a.* fruitful
gyümölcstelen *a* acarpous
gyütthangzás *n.* consonance
gyufa *n* match
gyújt *v.t.* light
gyújtáskihagy *v.i.* misfire
gyűjtemény *n* collection
gyűjtő *n* collector
gyújtogatás *n* arson
gyújtóponti *a* focal
gyúlékony *a.* inflammable
gyűlés *n* rally
gyűlik *v.t.* gather
gyulladás *n.* inflammation
gyulladásos *a.* inflammatory
gyűlnek *v.i.* accrue
gyűlöl *v.t.* abhor
gyűlöl *v.t.* hate
gyűlölet *n.* abhorrence
gyűlölet *n.* hate
gyűrű *n.* ring
gyűrűs-díszítés *n* annulet
gyűszű *n.* thimble

ha *conj.* if
hab *n* foam
habár *conj.* albeit
habarcs *v.t.* mortar
háborgat *v.t.* perturb

háború *n.* war	hajlandó *a.* willing
háborúzik *v.i.* war	hajlandóság *n.* willingness
habozás *n.* hesitation	hajlat *n* bight
habozik *v.i.* hesitate	hajlékony *a* limber
habozik *v.i.* linger	hajlékony *a.* supple
habozik *v.i.* waver	hajlik *v. t* bend
habozó *a.* hesitant	hajlik *v.i.* incline
habverő *n* whisk	hajnal *n* aurora
habzik *v.t* foam	hajnal *n* dawn
hacsaknem *conj.* unless	hajnalodik *v. i.* dawn
hadar *v.i.* gabble	hajó *n* boat
hadászati *a.* strategic	hajó *n* craft
hadicsel *n.* stratagem	hajó *n.* ship
hadirokkant *n* invalid	hajóálláspénz *n.* demurrage
haditengerészet *n.* navy	hajóhad *n.* armada
haditengerészeti *a.* naval	hajókötél *n.* moorings
hadnagy *n.* lieutenant	hajón *adv* aboard
hadsereg *n.* army	hajóorr *n.* rostrum
hadtest *n* corps	hajórakomány *n.* shipment
hadviselés *n* belligerency	hajóút *n.* voyage
hadviselés *n.* warfare	hajóutas *n.* voyager
hadviselő *a* belligerent	hajóutazik *v.i.* voyage
hadviselő-fél *n* belligerent	hajózható *a.* navigable
hagyaték *n.* heritage	hajózik *v.i.* navigate
hagyma *n* bulb	hajszálnyi *a.* subtle
hagyma *n.* onion	hajt *v.i.* motor
hagyomány *n.* tradition	hajt *v.t.* propel
hagyományos *a.* traditional	hajtás *n* drive
haj *n* hair	hajtás *n* offset
hajadon *n.* spinster	hajtás *n* ply
hajat-mos *v.t.* shampoo	hajthatatlan *a.* adamant
hajfürt *n.* curl	hajthatatlan *a.* inflexible
hajfürt *n* lock	hal *n* fish
hajít *v.t* fling	hála *n.* gratitude
hajít *v.t.* toss	halad *v.i.* proceed
hajkorona *n.* tonsure	haladás *n.* advance
hajlam *n* bent	haladás *n.* progress
hajlam *n* bias	haladó *a.* progressive
hajlam *n.* inclination	halál *n* death
hajlam *n.* proclivity	halál *n* decease
hajlam *n.* tendency	halálos *a* deadly
hajlamos *a.* apt	halálos *a* fatal

halálos *a.* lethal
halálos *a.* mortal
halálozás *n.* mortality
halál-utáni *a.* post-mortem
halánték *n* temple
hálás *a.* grateful
hálás *a.* thankful
halász *n* fisherman
halászik *v.i* fish
hálátlan *a.* thankless
hálátlanság *n.* ingratitude
haldokló *a.* moribund
halhatatlan *a.* immortal
halhatatlanság *n.* immortality
halk *a.* inaudible
hall *v.t.* hear
hallgat *v.i.* listen
hallgatag *a.* taciturn
hallgató *n.* listener
hallgató *n.* undergraduate
hallgatólagos *a.* tacit
hallható *a* audible
halmaz *v.t.* pile
halmozódik *v.t.* accumulate
halmozott *adv* aheap
háló *n.* mesh
háló *n.* net
háló *n.* web
halogat *v.i.* stall
hálóhely *n* berth
hálóhely *n* bunk
hálóing *n.* nightie
halom *n* batch
halom *n.* pile
halomba-rak *v.t* heap
halott *a* dead
halottasház *n.* mortuary
halottidéző *n.* necromancer
halotti-lepel *n.* shroud
halotti-máglya *n.* pyre
halottkémlés *n.* post-mortem
halottvirrasztás *n* wake

hálózat *n.* network
halvány *a* blanch
halványan *adv.* faintly
halványlila *n.* lilac
halványul *v.i* fade
hám *n.* harness
hamarosan *adv.* shortly
hamis *a* bogus
hamis *a* false
hamis *n* sham
hamis *a.* spurious
hamisan-leír *v.t.* misrepresent
hamisan-tanúskodik *v.i.* perjure
hamis-eskü *n.* perjury
hamisít *v.t.* adulterate
hamisít *v.t.* counterfeit
hamisít *v.i.* sham
hamisítás *n.* adulteration
hamisítvány *a.* counterfeit
hamisítvány *n* forgery
hamisítvány *a* sham
hámlik *v.t.* scale
hámoz *v.t.* peel
hamu *n.* ash
hamuzsír *n.* potash
hamvaszt *v. t* cremate
hamvasztás *n* cremation
hanem *conj.* only
hang *n.* sound
hang *n.* tone
hang *n.* voice
hangjegy *n.* note
hanglemez *n.* record
hangmagasság *n.* pitch
hangol *v.t.* tone
hangos *a.* loud
hangosan *adv.* aloud
hangoskodó *a.* rowdy
hangsúly *n* accent
hangsúly *n* emphasis
hangsúlyos *a* emphatic

hangsúlyoz	v.t	accent
hangsúlyoz	v. t	emphasise
hangszer	n.	instrument
hangszeres	a.	instrumental
hangszerjátékos	n.	instrumentalist
hangtompító	n.	muffler
hangtompító	n.	silencer
hangulat	n.	mood
hangutánzó	a.	onomatopoeic
hangutánzószó	n.	onomatopoeia
hangverseny	n.	concert
hangya	n	ant
hangzás	n.	sonority
hangzavar	n.	hubbub
hangzik	v.i.	sound
hant	n.	clod
hántol	v.t.	shell
hántolatlan	n.	paddy
hány	v.t.	vomit
hányados	n.	quotient
hányás	n	vomit
hanyatlás	n.	decay
hanyatlás	n	decline
hanyatlik	v. t.	decline
hányinger	n.	nausea
hánytató	n.	purgative
hánytató	a	purgative
hápog	v.i.	quack
harag	n.	anger
harag	n.	ire
harag	n.	rage
harag	n.	rancour
harag	n.	wrath
haragos	a.	angry
harang	n	bell
harap	v. t.	bite
harapás	n	bite
harapós	a	snappy
harc	n	fight
harc	n	struggle
harcászat	n.	tactics
harcias	a	bellicose
harcias	a.	warlike
harcol	v. i.	battle
harcol	v.t	fight
harcol	v.i.	militate
harcol	v.i.	struggle
harcoló	a.	combatant
harcos	n	combatant
harcos	a.	militant
harcos	n.	warrior
hárfa	n.	harp
harisnya	n.	hosiery
harisnya	n.	stocking
harisnyakötő	n.	garter
harmadik	a.	third
harmadik	n.	third
harmadszor	adv.	thirdly
hármas	n.	trio
hármas	a.	triplicate
harmat	n.	dew
harminc	n.	thirty
harminc	a	thirty
harmincadik	a.	thirtieth
harmincadik	n	thirtieth
harmonikus	a.	harmonious
harmónium	n.	harmonium
három	n.	three
három	a	three
háromlábú	n.	tripod
háromoldalú	a.	tripartite
három-példányban	n	triplicate
háromság	n.	trinity
háromszínű	a.	tricolour
háromszög	n.	triangle
háromszögű	a.	triangular
háromszor	adv.	thrice
háromszoros	a.	triple
harsog	v. t	blare
harsona	n.	clarion
harsona	n.	trump
hártya	n.	membrane

háruló *a* incumbent
has *n* abdomen
has *n* belly
hasadás *n* split
hashajtó *n.* laxative
hashajtó *a* laxative
hasi *a.* abdominal
hasi *a* alvine
hasít *v.t.* slash
hasít *v.t.* slit
hasít *v.i.* split
hasítás *n* slash
hasmenés *n* diarrhoea
hasogat *v.t.* chop
hasonlat *n.* simile
hasonlatosság *n.* resemblance
hasonlít *v.t.* resemble
hasonlíthatatlan *a.*
  incomparable
hasonló *a.* akin
hasonló *a.* alike
hasonló *a.* analogous
hasonló *a.* like
hasonló *a.* similar
hasonlóság *n.* likeness
hasonlóság *n.* similarity
hasonlóság *n.* similitude
hasonmás *n* facsimile
használ *v.t.* avail
használ *v.t.* use
használat *n.* usage
használat *n.* use
használható *a.* serviceable
hasznos *a.* useful
hasznosít *v.t.* utilise
hasznosítás *n.* utilisation
hasznosság *n.* utility
hasznot-hoz *v.t.* profit
haszon *n* benefit
haszonelvű *a.* utilitarian
haszontalan *a.* futile
haszontalanság *n.* futility

hat *v.t.* affect
hat *a.* six
hat *n.* six
hát *n.* back
hát *conj.* now
hatalmas *a* enormous
hatalmas *a.* huge
hatalmas *a.* mighty
hatalmas *a.* monumental
hatalmas *a.* tremendous
hatalmas *a.* vast
hatalmasság *n.* immensity
hatalom *n.* might
hatalom *n.* potency
hatalom *n.* power
hatálytalanít *v.t.* repeal
hatálytalanítás *n* repeal
határ *n* border
határ *n* boundary
határ *n.* frontier
határ *n.* limit
határidő *n.* term
határozatképesség *n.* quorum
határozatlan *a.* indefinite
határozatlan *a.* indistinct
határozatlanság *n.* indecision
határozatlanság *n.* shilly-shally
határozói *a.* adverbial
határozószó *n.* adverb
határozott *a* definite
határtalan *a.* limitless
hatás *n* effect
hatáskör *n.* scope
hatásos *a.* impressive
hatástalan *a.* ineffective
hatástalan *a.* inoperative
hatékony *a* effective
hatékony *a* efficient
hatékonyság *n* efficacy
hátgerinc *n.* backbone
ható *n.* acting
hatodik *a.* sixth

hatóság *n.* authority
hatósági *a.* magisterial
hátrafelé *adv.* backward
hátralék *n.pl.* arrears
hátramarad *v.i.* lag
hátrány *n* disadvantage
hátrány *n* drawback
hátrány *n* handicap
háttér *n.* background
hattyú *n.* swan
hátul *adv* behind
hatvan *a.* sixty
hatvan *n.* sixty
hatvanadik *a.* sixtieth
hátvéd *n.* rear
havas *a.* snowy
havazik *v.i.* snow
haver *n.* pal
havi *a.* monthly
havilap *n* monthly
havonként *adv* monthly
ház *n* house
hazaáruló *n.* traitor
hazafi *n.* patriot
hazafias *a.* patriotic
hazai *a.* vernacular
házaló *n* hawker
házasít *v.t.* marry
házasodik *v.t.* wed
házasság *n.* marriage
házasság *n.* matrimony
házasság *n.* wedlock
házasság-előtti *a.* premarital
házasság-előtti *a.* antenuptial
házassági *a.* marital
házassági *a.* matrimonial
házasságtörés *n.* adultery
házastárs *n.* consort
házastárs *n.* spouse
házastársi *a* conjugal
házastársi *n.* spousal
házasulandó *a.* marriageable

házasulandó *a.* nubile
hazaszállítás *n.* repatriation
hazaszeretet *n.* partiotism
hazatelepül *v.t.* repatriate
hazatelepült *n* repatriate
házban *adv.* indoors
házi *a* domestic
házigazda *n.* host
házikó *n* cottage
házikó *n.* lodge
házipatika *n* dispensary
hazudik *v.i* lie
hazudozó *a.* mendacious
hazug *n.* liar
hazugság *n* lie
hebegés *n* stammer
hebehurgyán *adv.* pell-mell
hegedű *n* fiddle
hegedű *n.* violin
hegedül *v.i* fiddle
hegedűművész *n.* violinist
hegeszt *v.t.* weld
hegesztés *n* weld
hegesztő *n.* welder
hegy *n.* mountain
hegymászó *n.* mountaineer
hegytető *n.* summit
hegyvidéki *a.* mountainous
héj *n.* husk
héj *n.* peel
hely *n.* place
hely *n.* spot
helyes *a* correct
helyes *a.* well
helyesbít *v.i.* rectify
helyesbítés *n* correction
helyesbítés *n.* rectification
helyesel *v.t.* approve
helyesen *adv.* aright
helyeslés *n.* approval
helyett *n.* lieu
helyettes *n* deputy

helyettes *n.* substitute
helyettes *adj.* vice
helyettesít *v.t.* substitute
helyettesít *v.t.* supersede
helyettesítés *n.* substitution
helyi-adó *n.* octroi
helyi-nyelv *n.* vernacular
helyi-rendelet *n* by-law
helyreállít *v.t.* redress
helyreállítás *n* reclamation
helyrehoz *v.t.* recover
helység *n.* locality
helyszín *n.* locale
helyszín *n.* venue
helytelen *a.* improper
helytelen *a.* wrong
helytelen-alkalmazás *n.* misapplication
helytelen-elnevezés *n.* misnomer
helytelenít *v.t.* deprecate
helytelenít *v. t* disapprove
helytelenítés *n* disapproval
helytelen-szövetség *n.* misalliance
helytelenül *adv.* wrong
helyzet *n.* juncture
helyzet *n.* plight
helyzet *n.* position
helyzet *n.* predicament
helyzet *n.* situation
helyzet *n.* standing
hempereg *v.i.* welter
henceg *v.i.* swagger
hencegés *n* swagger
hencegés *n.* vainglory
hencegő *a.* vainglorious
henger *n* cylinder
henger *n.* roller
hentereg *v.i.* wallow
henyélő *n.* loafer
herceg *n* duke

herceg *n.* prince
hercegi *a.* princely
hercegnő *n.* princess
here *n.* testicle
herél *v.t.* geld
hering *n.* herring
herkulesi *a.* herculean
hermetizál *v.t.* pressurise
hernyó *n* caterpillar
hét *n.* seven
hét *a* seven
hét *n.* week
hetedik *a.* seventh
hetente *adv.* weekly
Hétfő *n.* Monday
heti *a.* weekly
hetilap *n.* weekly
hétköznapi *a.* workaday
hetven *n.* seventy
hetven *a.* seventy
hetvenedik *a.* seventieth
hetvenkedő *n* brag
hév *n.* vehemence
heves *a* fervent
heves *a.* impetuous
heves *a.* vehement
hevesség *n.* impetuosity
hézag *n.* lacuna
hiány *n* blank
hiány *n* deficit
hiány *n.* lack
hiány *n.* scarcity
hiány *n.* shortage
hiány *n* want
hiányol *v.t.* lack
hiányos *a.* scanty
hiányzik *v.i.* miss
hiányzó *a* absent
hiba *n* defect
hiba *n* error
hiba *n* fault
hiba *n* flaw

229

hiba *n.* mistake
hibás *a* deficient
hibás *a* erroneous
hibás *a* faulty
hibás *a.* incorrect
hibáztat *v. t* blame
hibrid *a.* hybrid
híd *n* bridge
hideg *a* cold
hidegrázás *n* ague
hidrogén *n.* hydrogen
hiéna *n.* hyena
higany *n.* mercury
higany *n.* quicksilver
higgadt *a.* staid
higgadtság *n.* composure
higiénia *n.* hygiene
higiénikus *a.* hygienic
hígít *v. t* dilute
hígított *a* diluted
hihetetlen *a.* incredible
hihető *a* credible
hím *a.* male
himbálózik *v.i.* swing
himlő *n.* smallpox
himnusz *n* anthem
hímvessző *n.* penis
hímzés *n* embroidery
hinta *n* swing
hipnotizál *v.t.* hypnotise
hipnózis *n.* hypnotism
hipotetikus *a.* hypothetical
hipotézis *n.* hypothesis
hír *n.* news
hír *n. pl.* tidings
hirdet *v.t.* advertise
hirdetés *n* advertisement
hirdetés *n.* publicity
híres *a* famous
híres *a.* renowned
híresség *n* celebrity
híresztel *v.t.* rumour

híresztelés *n* bruit
hírhedt *n.* arrant
hírhedt *a.* notorious
hírhedtség *n* disrepute
hírhedtség *n.* notoriety
hírlap *n.* gazette
hírnév *n* fame
hírnév *n.* renown
hírnév *n.* reputation
hírnév *n.* repute
hírnök *n.* herald
hírnök *n.* messenger
hirtelen *a* abrupt
hirtelen *adv.* sharp
hirtelen *a.* sudden
hirtelen-kapás *n.* snatch
hisz *v. t* believe
hiszékenység *a* credulity
hisztéria *n.* hysteria
hisztérikus *a.* hysterical
hit *n* belief
hit *n* faith
hitel *n* credit
hitel *n.* loan
hiteles *a.* authentic
hiteles *adv* bonafide
hiteles *a.* trustworthy
hitelesen *a* bonafide
hitelesít *v.t.* corroborate
hitelező *n* creditor
hitelképes *a* creditable
hiteltúllépés *n.* overdraft
hitszakadás *n.* schism
hitszegés *n.* perfidy
hittérítő *n.* missionary
hitvallás *n.* creed
hitvány *a.* vile
hiú *a.* vain
hiún *adv.* vainly
hiúság *n.* vanity
hív *v. t.* call
hívás *n.* call

hívás *n.* calling

hívás *n.* summons

hivatal *n.* bureau

hivatal *n.* office

hivatalos *a* formal

hivatalos *a.* official

hivatalosan *adv.* officially

hivatás *n.* vocation

hivatkoz *v.t.* invoke

hivatkozás *n.* reference

hivatkozik *v.t.* refer

híve *n* devotee

hívó *n* caller

hízeleg *v.t* flatter

hízeleg *v.t.* wheedle

hízelgés *n* adulation

hízelgés *n* flattery

hízelgő *n.* sycophant

hó *n.* snow

hő *n.* heat

hóbort *n* craze

hóbort *n.* vagary

hód *n* beaver

hódítás *n* conquest

hódolat *n.* homage

hogy *conj.* that

hogyan *adv.* how

hóhér *n.* executioner

hoki *n.* hockey

hol *adv.* where

hold *n.* moon

hold- *a.* lunar

holdkóros *n.* lunatic

hölgy *n.* dame

hölgy *n.* lady

holló *n.* raven

holmi *n.* belongings

holnap *n.* morrow

holnap *n.* tomorrow

holnap *adv.* tomorrow

Holocaust *n.* Holocaust

holtpont *n* deadlock

holtpont *n.* impasse

holtpont *n.* stalemate

hólyag *n* bladder

homály *n* blur

homály *n.* obscurity

homályos *a* bleary

homályos *a* dim

homályos *a.* obscure

homályos *a.* shadowy

homályos *a.* vague

homályosít *v.t* dim

homályosság *n.* vagueness

homár *n.* lobster

homeopata *n.* homoeopath

homeopátia *n.* homeopathy

hőmérséklet *n.* temperature

homlok *n* brow

homlok *n* forehead

homlokzat *n* facade

homogén *a.* homogenous

homok *n.* sand

homokos *a.* sandy

homorú *a* concave

hömpölyög *v.i* billow

hónap *n.* month

honnan *adv.* whence

honorál *v.t.* remunerate

honosít *v.t.* naturalise

horda *n.* horde

hordár *n.* porter

hordó *n.* barrel

hordó *n* cask

hordozható *a.* portable

horgony *n.* anchor

horgonyoz *v.t* harbour

horgonyzóhely *n* anchorage

horizont *n.* horizon

horkant *v.i.* snort

horkantás *n.* snort

horkol *v.i.* snore

horkolás *n* snore

hornyol *v.t* groove

horog *n.* barb
horog *n.* crotchet
horog *n.* hook
horony *n.* groove
horzsolás *n* graze
hős *n.* hero
hősies *a.* heroic
hősiesség *n.* heroism
hősnő *n.* heroine
hossz *n.* length
hosszabbít *v.t.* lengthen
hosszadalmas *a.* lengthy
hosszú *a.* long
hosszúélet *n.* longevity
hosszúkás *a.* oblong
hosszúság *n.* longitude
hőstett *n* exploit
hovatartozás *n.* affiliation
hóvihar *n* blizzard
hoz *v. t* bring
hozomány *n* dowry
hozzáad *v.t.* add
hozzáadás *n.* addition
hozzáállás *n.* attitude
hozzácsatol *v.t.* annex
hozzáértő *a.* competent
hozzáférés *n* access
hozzáfűz *v.t.* append
hozzájárul *v.t.* consent
hozzájárul *v. t* contribute
hozzájárulás *n.* assent
hozzájárulás *n* contribution
hozzájárulás *n* share
hozzászoktat *v.t.* accustom
hozzátold *v.t.* tag
hű *a.* loyal
hüllő *n.* reptile
hülye *a.* idiotic
hülye *a.* silly
hülyeség *n.* idiocy
hülyeség *n.* nonsense
hüvely *n.* pod

hüvely *n.* scabbard
hüvelyk *n.* inch
hüvelykujj *n.* thumb
hűhó *n.* ado
huhog *v.i* hoot
huhogás *n.* hoot
huligán *n.* hooligan
hulla *n* corpse
hulladék *n.* junk
hulladék *n.* refuse
hulladék *n.* wastage
hullaház *n.* morgue
hullám *n.* wave
hullámos-haj *a* crimped
hullámtörés *n.* surf
hullámzás *n.* undulation
hullámzik *v.i.* surge
hullámzik *v.i.* undulate
humanitárius *a* humanitarian
humorista *n.* humourist
huncutság *n.* prank
hunyorít *v.i.* wink
hunyorítás *n* wink
húr *n.* string
hurok *n.* loop
hurok *n.* noose
hurrá *interj.* hurrah
hurrikán *n.* hurricane
hús *n* flesh
hús *n.* meat
husáng *n* cudgel
hűség *n.* adherence
hűség *n.* allegiance
hűség *n* fidelity
hűség *n.* loyalty
hűséges *a* faithful
hűséges *a.* staunch
húsvét *n* easter
húsz *a.* twenty
húsz *n* twenty
huszadik *a.* twentieth
huszadik *n* twentieth

hűtés *n.* refrigeration
hűtlen *a* disloyal
hűtlen-kezelés *n.*
  misappropriation
hűtő *n* cooler
hűtőgép *n.* fridge
hűtőszekrény *n.* refrigerator
hűvös *a* chilly
hűvös *a* cool
hűvösség *n.* chill
húz *v. t* drag
húz *v.t.* pull
húz *v.t.* tug
húzás *n* draw
húzás *n.* pull

iázik *v. i* bray
ibolya *n.* violet
ide *adv.* hither
ideális *a.* ideal
idealista *n.* idealist
idealista *a.* idealistic
idealizmus *n.* idealism
ideg *n.* nerve
idegbetegség *n.* neurosis
idegcsillapító *a.* calmative
idegen *a.* alien
idegen *n.* stranger
idegenforgalom *n.* tourism
idegenkedés *n.* aversion
idegenkedés *n.* reluctance
idegenkedő *a.* averse
idegenvezető *n.* guide
ideges *a.* nervous
idegesít *v.t.* irritate
ideggyógyász *n.* neurologist
ideggyógyászat *n.* neurology
ideiglenes *a.* provisional

ideiglenes *a.* temporary
idejétmúlt *a.* outmoded
identitás *n.* identity
idéz *v. t* cite
idéz *v.t.* quote
idézet *n.* quotation
idióma *n.* idiom
idióta *n.* idiot
idióta *n.* moron
idő *n.* time
időbeli *a.* temporal
időjárás *n* weather
időmértékes *a.* metrical
idomít *v.t.* train
időpont *n.* appointment
idős *a.* aged
idős *a* elderly
idősebb *a* elder
idősebb *a.* senior
idős-ember *n.* senior
időszak *n.* period
időszaki *a.* seasonal
időszakos *a.* periodical
időszerű *a* apposite
időszerű *a.* opportune
időszerű *a.* timely
időszerűen *adv* appositely
időszerűtlen *a.* inopportune
időtartam *n* duration
időtartam *n* tract
időtlen *a.* immemorial
időtöltés *n.* hobby
időtöltés *n.* pastime
időt-számít *v.t.* time
időz *v.t.* while
időzik *v.i.* sojourn
ifjabb *a.* junior
ifjú *n.* youngster
ifjúság *n.* youth
iga *n.* yoke
igaz *a.* righteous
igaz *a.* true

igazgat *v.t.* administer
igazgatás *n.* administration
igazgatási *a.* administrative
igazgató *n.* director
igazmondás *n.* veracity
igazmondó *a.* truthful
igazol *v. t.* certify
igazolás *n.* approbation
igazolvány *n.* licence
igazolvány *n* pass
igazolvány *n.* permit
igazság *n.* truth
igazságos *a* equitable
igazságos *a* fair
igazságos *a.* just
igazságosan *adv.* justly
igazságosság *n.* justice
igazságtalan *a.* unjust
igazságtalanság *n.* injustice
ige *n.* verb
igen *adv.* yes
igenlő *a* affirmative
igény *n.* need
igénybevétel *n.* recourse
igénybevétel *n.* requisition
igények *adv.* needs
igényel *v. t* demand
ígéret *n.* pledge
ígéret *n* promise
így *adv.* so
így *adv.* thus
ihlet *n.* inspiration
íj *n* bow
íjász *n* archer
ijedelem *n.* scare
iker *n.* twin
iktat *v.t* file
illat *n.* fragrance
illat *n.* scent
illatos *a.* fragrant
illedelmes *a* decent
illegális *a.* illegal

illem *n* decency
illendőség *n* decorum
illendőség *n.* propriety
illeszt *v.t.* suit
illeték *n.* levy
illetlen *a.* indecent
illetlenség *n.* impropriety
illetlenség *n.* indecency
illetmény *n.* stipend
illető *a.* respective
illő *a.* seemly
illusztrálás *n.* illustration
ilyen *a.* such
ilyenformán *adv.* accordingly
ima *n.* prayer
imád *v.t.* adore
imád *v.t.* worship
imádás *n.* adoration
imádás *n.* worship
imádkozik *v.i.* pray
imádnivaló *a.* adorable
imádó *n.* worshipper
immúnis *a.* immune
immunitás *n.* immunity
imperializmus *n.* imperialism
importál *v.t.* import
impotencia *n.* impotence
impozáns *a.* imposing
impresszium *n.* imprint
inaktív *a.* inactive
inas *n.* lackey
inasruha *n.* livery
incidens *n.* incident
index *n.* index
indiai *a.* Indian
indiai-fügefa *n.* banyan
indiai-menyét *n.* mongoose
indián-sátor *n.* wigwam
indigó *n.* indigo
indikatív *a.* indicative
indítás *n.* launch
indíték *n.* inducement

234

indíték *n.* motive
indíték *n.* stimulus
individualizmus *n.* individualism
indokol *v.t.* justify
indokolás *n.* justification
indokolt *a.* justifiable
indulás *n* departure
indulás *n.* outset
infláció *n.* inflation
influenza *n.* influenza
információ *n.* information
informális *a.* informal
infúzió *n.* infusion
ing *n.* shirt
inga *n.* pendulum
ingadozik *v.i.* shilly-shally
ingás *n* sway
ingatag *a* fickle
ingatlan *n.* property
ingázik *v. t* commute
ingerel *v.t.* nettle
ingerlékeny *a.* irritable
ingerlékeny *a.* petulant
ingerlékenység *n.* petulance
ingóságok *n.* movables
ingovány *n.* slough
ingovány *n.* swamp
ingyen *adv.* gratis
injekció *n.* injection
inkább *adv* more
inkább *adv.* rather
inkvizíció *n.* inquisition
innováció *n.* innovation
inog *v.i.* sway
inog *v.i* wobble
instabilitás *n.* instability
int *v. t* beckon
int *v.i.* motion
integet *v.t.* wave
intenzitás *n.* intensity
intenzív *a.* intensive

interjú *n.* interview
intézet *n.* institute
intézkedik *v.t.* arrange
intézmény *n* establishment
intézmény *n.* institution
intimacy *n.* intimacy
intuíció *n.* intuition
intuitív *a.* intuitive
invázió *n.* invasion
íny *n.* gum
ipar *n.* industry
ipari *a.* industrial
ír *a.* Irish
ír *n.* Irish
ír *v.t.* pen
ír *v.t.* write
irány *n* direction
irányadó *a.* authoritative
irányít *v. t* direct
irányít *v.t.* guide
irányítás *n.* guidance
iránylat *n* bearing
iránytű *n* compass
irányzat *n.* trend
írástudatlan *a.* illiterate
írástudatlanság *n.* illiteracy
írástudó *a.* literate
irattáska *n.* portfolio
irgalmas *a.* merciful
irgalom *n.* mercy
irigy *a* envious
irigyel *v. t* envy
irigylésre-méltó *a* enviable
irigység *v* envy
írnok *n* clerk
író *n.* author
író *n.* writer
íróasztal *n* desk
irodai *a* clerical
irodalmár *n.* litterateur
irodalmi *a.* literary
irodalom *n.* literature

irodaszer *n.* stationery
irónia *n.* irony
ironikus *a.* ironic
irracionális *a.* irrational
irritáció *n.* irritation
irtózás *n.* repulsion
irtózik *v. t* dislike
is *conj* both
is *adv.* too
iskola *n.* school
ismer *v.t.* know (person)
ismeretség *n.* acquaintance
ismerős *a* familiar
ismét *adv.* again
ismétel *v.t.* reiterate
ismétel *v.t.* repeat
ismétlés *n.* reiteration
ismétlés *n.* repeat
ismétlés *n.* repetition
ismétlődés *n.* recurrence
ismétlődik *v.i.* recur
ismétlődő *a.* recurrent
istálló *n* stable
isten *n.* god
istenes *a.* godly
istenfélő *a.* pious
istenhit *n.* theism
isteni *a* divine
istennő *n.* goddess
istenség *n.* deity
istenség *n* divinity
istenség *n.* godhead
iszákos *n* drunkard
iszap *n.* silt
iszap *n.* slime
iszapos *a.* slimy
iszik *v. t* drink
ital *n* beverage
ital *n* drink
ítélet *n.* judgement
ítélet *n.* verdict
itt *adv.* here

ív *n.* arc
ivadék *n.* offspring
ivadék *n.* spawn
ivartalan *a.* agamic
ível *v.t.* arch
ívik *v.i.* spawn
íz *n.* taste
ízesít *n.* savour
ízesít *v.t.* savour
ízetlen *a.* insipid
izgalom *n.* thrill
izgat *v.t.* stimulate
izgató *a.* irritant
ízléses *a.* tasteful
ízletes *a.* palatable
ízletes *a.* tasty
izmos *a.* muscular
izmos *a.* sturdy
izobár *n.* isobar
izom *n.* muscle
izomfájás *n.* myalgia
íztelenség *n.* insipidity
ízület *n.* joint
izzad *v.i.* perspire
izzad *v.i.* sweat
izzadság *n.* perspiration
izzadság *n.* sweat
izzás *n* glow
izzik *v.i.* glow
izzó *a.* glowing

jacht *n.* yacht
jadekő *n.* jade
jaj *interj.* alas
jajgat *v.i.* wail
jajgatás *n* wail
jak *n.* yak
járadék *n.* annuity

járadékélvező *n* annuitant
járásmód *n.* gait
járda *n.* pavement
járdaszegély *n* curb
járhatatlan *a.* impassable
járható *a.* viable
jár-kel *v.t.* shuttle
jármű *n.* vehicle
járóbeteg *n.* outpatient
járomba-hajt *v.t.* yoke
járőröz *v.i.* patrol
jártasság *n.* proficiency
járulék *n.* adjunct
járvány *n* epidemic
jászol *n.* manger
játék *n.* game
játék *n.* play
játék *n.* toy
játékkocka *n* die
játékos *n.* player
játékos *a.* sportive
játékvezet *v.t.* umpire
játékvezető *n.* referee
játékvezető *n.* umpire
játszik *v.i.* play
játszik *v.i.* toy
javadalom *n* benefice
javaslat *n.* proposal
javaslat *n.* recommendation
javaslat *n.* suggestion
javasol *v.t.* propose
javasol *v.t.* recommend
javasol *v.t.* suggest
javít *v.t.* mend
javít *v.t.* repair
javítás *n.* repair
javíthatatlan *a.* incorrigible
javítható *a.* reparable
javulás *n* betterment
javulás *n.* improvement
jázmin *n.* jasmine, jessamine
jég *n.* ice

jégcsap *n.* icicle
jeges *a.* icy
jégeső *n.* hail
jegy *n.* ticket
jegyez *v.t.* jot
jegyszedő *n.* usher
jegyzet *n.* note
jegyzetel *v.t.* note
jegyző *n.* notary
jegyző *n.* recorder
jegyzőkönyv *n.* record
jel *n.* mark
jel *n.* sign
jelenet *n.* scene
jelenleg *adv.* presently
jelenlegi *a* current
jelenlegi *a.* present
jelenlét *n.* presence
jelent *v.t* mean
jelent *v.t.* purport
jelent *v.t.* signify
jelentéktelen *a.* insignificant
jelentéktelen *a.* minor
jelentéktelen *a.* trivial
jelentéktelenség *n.* insignificance
jelentés *n.* application
jelentés *n.* import
jelentés *n.* meaning
jelentős *a.* momentous
jelentős *a.* notable
jelentős *a.* remarkable
jelentős *a.* significant
jelentőség *n.* significance
jelentőségteljes *a.* meaningful
jelez *v.t.* denote
jelez *v.t* mark
jelez *v.t.* signal
jelkép *n* emblem
jelkép *n.* symbol
jelképes *a* figurative
jelképes *a.* symbolic

237

jelképes a. token
jelképez v.t. symbolise
jelképrendszer n. symbolism
jellegzetes a. representative
jellegzetes a. symptomatic
jellegzetesség n. attribute
jellemez v.t. typify
jellemvonás n. trait
jelmez n. costume
jelmondat n. motto
jelöl v.t. nominate
jelölés n. nomination
jelölés n. notation
jelölt n. candidate
jelölt n nominee
jelszó n. watchword
jelvény n. badge
jelzálog n. mortgage
jelzálogos-adós n. mortgagor
jelzálog-tulajdonos n. mortgagee
jelzés n. indication
jelzés n. signal
jelzés n. signification
jelző n. marker
jelzőfény n beacon
jerkebárány n. lambkin
jó a. good
jóakarat n. amity
jóakarat n benevolence
jóakarat n. goodwill
jobb a better
jobb a. right
jobbágy n. thrall
jobban adv. better
jobban-szeret v.t. prefer
jobbít v.t. ameliorate
jobbítás n. amelioration
jobbra adv right
jog n right
jogar n. sceptre
jogász n. jurist

joghatóság n. jurisdiction
jogi a. legal
jogos a. legitimate
jogtalan a. undue
jogtalan a. wrongful
jogtudomány n. jurisprudence
jóindulatú a benign
jóindulatúan adv benignly
jókedv n. humour
jókedvű n. joyful, joyous
jóképű a. handsome
jókívánság n. felicitation
jókora a. sizable
jól adv aright
jól adv. well
jólét n. prosperity
jólét n. weal
jólét n. welfare
jól-időzített a. well-timed
jóllakottság n. satiety
jóllehet conj. notwithstanding
jómódú a. well-to-do
jóság n. goodness
jóslás n. prediction
jóslat n. oracle
jóslat n. prophecy
jóslatszerű a. oracular
jószomszédi a. neighbourly
jótáll v.t. warrant
jótálló n. surety
jótékony a benevolent
jótékony a. charitable
jótékonyság n. charity
jótétemény n. alms
jótett n. benefaction
jót-tesz v. t. benefit
jóváhagy v.t approbate
jóváhagy v.i. assent
jóváhagy v.t. sanction
jóvátétel n.pl. amends
jóvátétel n redress

jövedék *n* excise
jövedelem *n.* income
jövedelmező *a.* lucrative
jövő *n* future
jövőbeli *a.* future
jövőben *adv.* hereafter
józan *a.* sober
józanság *n.* sobriety
jubileum *n.* jubilee
Jupiter *n.* jupiter
juta *n.* jute
jutalmaz *v.t.* recompense
jutalom *n.* recompense
jutalom *n.* reward
juttatás *n.* allowance

kabaré *n.* cabaret
kabaréjelenet *n.* skit
kabát *n* coat
kábel *n.* cable
kabin *n.* cabin
kábító *n.* narcotic
kábítószer *n* drug
kacsa *n* canard
kacsa *n.* duck
kacsázik *v.i.* waddle
kacsingat *v.t.* ogle
kacsint *v.i.* twinkle
kacsintás *n* ogle
kád *n.* tub
kadét *n.* cadet
kadmium *n* cadmium
kagyló *n* cockle
kagyló *n.* conch
kagyló *n.* shell
kaján *a.* sardonic
kakas *n* cock
kakasülő *n.* perch

kakasülő *n.* roost
kaktusz *n.* cactus
kakukk *n* cuckoo
kaland *n* adventure
kalandos *a.* adventurous
kalandos *a.* venturesome
kalap *n.* hat
kalapács *n.* hammer
kalapál *v.t* hammer
kalaposnő *n.* milliner
kalauz *n* conductor
kalcium *n* calcium
kaliber *n.* stature
kalitka *n.* mew
kálium *n.* potassium
kalligráfia *n* calligraphy
kallódó-ember *n.* misfit
kalória *n.* calorie
kalóz *n.* pirate
kalózkodás *n.* piracy
kamarás *n* chamberlain
kamat *n.* interest
kámfor *n.* camphor
kampány *n.* campaign
kamra *n.* chamber
kanál *n.* spoon
kanalaz *v.t.* spoon
kanálnyi *n.* spoonful
kanapé *n.* couch
kanca *n.* mare
kancellár *n.* chancellor
kancsalít *v.i.* squint
kancsalság *n* squint
kancsó *n.* jug
kancsó *n.* pitcher
kandallópárkány *n.* mantelpiece
kandúr *n.* tomcat
kanóc *n.* wick
kánon *n* canon
kantár *n* bridle
kantárszár *n.* rein

kanton *n* canton
kanyar *n* bend
kanyargás *n* wriggle
káosz *n.* chaos
kap *v.t.* get
kap *v.t.* receive
kapacitás *n.* capacity
kapcsol *v. t* contact
kapcsolat *n* connection
kapcsolat *n.* liaison
kapcsolat *n.* link
kapcsolat *n.* relation
kapcsoló *n.* switch
kapható *a* available
kapitalista *n.* capitalist
kapitány *n.* captain
kapitány *n.* skipper
kapocs *n.* locket
kápolna *n.* chapel
káposzta *n.* cabbage
káprázat *n* dazzle
káprázat *n.* illusion
kapszula *n.* capsule
kaptár *n.* hive
kapu *n.* gate
kapzsiság *n.* avarice
kar *n.* arm
kar *n* faculty
kár *n.* damage
kár *n.* harm
karácsony *n* Christmas
karácsony *n.* Xmas
karakter *n.* character
karát *n.* carat
karbantartás *n.* maintenance
karbid *n.* carbide
karcol *v.t.* scratch
karcolás *n.* scratch
karcsú *a.* lank
karcsú *a.* slender
karcsú *a.* slim
kard *n.* sword

kardámom *n.* cardamom
karfiol *n.* cauliflower
kárhozat *n.* damnation
kárhoztatás *n* condemnation
karikatúra *n.* caricature
karima *n* brim
karkötő *a* armlet
karkötő *n* bracelet
karmazsinvörös *a.* vermillion
károg *v. i.* caw
károgás *n.* caw
karom *n* claw
karóra *n.* watch
káros *a.* baleful
káros *a.* injurious
karperec *n.* bangle
kárpótol *v.t* compensate
kárpótol *v.t.* recoup
kártalanítás *n.* indemnity
kártékony *a.* noxious
kártérítés *n* compensation
karton *n.* cardboard
kartondoboz *n* carton
kártya *n.* card
kártyás *n.* gambler
kása *n.* mush
kastély *n.* castle
kastély *n.* manor
kastély *n.* mansion
kasza *n.* scythe
kaszál *v.t.* scythe
kaszáló *n.* reaper
kaszkadőr *n* stuntman
kaszt *n* caste
katalógus *n.* catalogue
katasztrófa *n* disaster
katedrális *n.* minster
kategória *n.* category
kategorikus *a.* categorical
katolikus *a.* catholic
katona *n.* soldier
katonai *a.* martial

katonai *a.* military
katonaság *n* military
katonáskodik *v.i.* soldier
kátrány *n.* tar
kátrányoz *v.t.* tar
kattogás *n.* clack
kauzalitás *n* causality
kávé *n* coffee
kávézó *n.* cafe
kavics *n.* pebble
kazetta *n.* cassette
kebel *n* bosom
kebelbarát *n* confidant
kecses *a* becoming
kecses *a.* dainty
kecses *a.* graceful
kecsesség *n.* grace
kecske *n.* goat
kedély *n.* temper
kedélyes *a.* jovial
kedvel *v. t.* cherish
kedvenc *a* favourite
kedvenc *n* favourite
kedves *a.* amiable
kedves *n* darling
kedves *a.* gentle
kedves *a* kind
kedves *a.* lovely
kedves *a.* nice
kedvesen *adv.* kindly
kedveskedés *n.* endearment
kedvesség *n.* prettiness
kedvetlen *a.* listless
kedvezés *n.* preference
kedvezmény *n* discount
kedvezményezett *n.* payee
kedvező *a.* auspicious
kedvező *a* favourable
kedvező *a.* preferential
kefe *n* brush
kegyelmesség *n* excellency
kegyenc *n.* minion

kegyesség *n.* piety
kegyetlen *a* cruel
kegyetlen *a* ferocious
kegyetlen *a.* heinous
kegyetlenség *n* cruelty
kéjelgés *n.* lust
kéjenc *n.* voluptuary
kéjes *a.* lusty
kéjes *a.* voluptuous
kéjsóvár *a.* lustful
kék *a* blue
keksz *n* biscuit
keksz *n* cracker
kelepcébe-csal *v.t.* snare
kelés *n* boil
kelet *n* east
keleten *adv* east
keleti *a* east
keleti *a* eastern
keleti *a.* oriental
keleti-ember *n* oriental
keletkező *a.* nascent
kell *v.* must
kellemes *a.* agreeable
kellemes *adj.* convivial
kellemes *a.* pleasant
kellemes *a.* welcome
kellemetlen *a.* disagreeable
kellemetlen *a.* untoward
kellemetlenkedés *n*
    botheration
kellemetlenség *n.* nuisance
kelletlen *a.* loath
kelletlen *a.* reluctant
kellő-pillanatban *adv* pat
kém *n.* spy
kemence *n.* furnace
kemence *n.* kiln
kemény *a* firm
kemény *a.* hard
kemény *a.* tough
kémény *n.* chimney

keményít v.t. starch
keményítő n. starch
kémia n. chemistry
kémiai a. chemical
kémkedik v.i. spy
kén n. sulphur
kén- a. sulphuric
kence n. daub
kender n. hemp
kendő n. kerchief
kengyel n. stirrup
kenőanyag n. lubricant
kenőcs n. ointment
kenőpénz n bribe
kényelem n. comfort
kényelem n. convenience
kényelmes a comfortable
kényelmes a convenient
kényelmes a. cosy
kényelmes a cozy
kényelmes a. leisurely
kényelmesebb n. cosier
kényelmetlen a. inconvenient
kényelmetlen a. uneasy
kényelmetlenség n discomfort
kenyér n bread
kényesség n. nicety
kényszer n compulsion
kényszerít v. t compel
kényszerít v.t force
kép n. image
kép n. picture
képernyő n. screen
képes a able
képes a. capable
képesítés n. qualification
képesség n ability
képesség n. capability
képi a. pictorical
képlékeny a. malleable
képmás n effigy
képmás n. wraith

képmutatás n. hypocrisy
képregény n comic
képtelen a. unable
képtelenség n. inability
képvisel v.t. represent
képviselet n. representation
képviselő n delegate
képviselő n. representative
képzelet n. imagination
képzeletbeli a. imaginary
képzeletbeli a. notional
kér v.t. petition
kér v.t. request
kerámia n ceramics
kérdés n. query
kérdés n. question
kérdéses a. problematic
kérdéses a. questionable
kérdez v.t. ask
kérdez v.t query
kérdő a. interrogative
kérdőív n. questionnaire
kérdőjel n interrogative
kéreg n. crust
kerek a. round
kerék n. wheel
kerékagy n. hub
kerékpár n. bicycle
kerékpár n cycle
kerékpáros n cyclist
keréktár n tread
kérelem n. petition
kérelmezés n. solicitation
kérem interj. please
keres v.t. quest
keres v.t. search
keres v.t. seek
kérés n request
keresés n. quest
keresés n. search
kereskedelem n commerce
kereskedelem n. trade

kereskedelmi *a* commercial
kereskedelmi *a.* mercantile
kereskedik *v.i* trade
kereskedik *v.i.* traffic
kereskedő *n* dealer
kereskedő *n.* merchant
kereskedő *n.* monger
kereskedő *n.* salesman
kereskedő *n.* trader
kereskedő *n.* tradesman
kereslet *n* demand
kereszt *n* cross
keresztbe *prep.* across
keresztben *adv.* across
keresztény *n* Christian
keresztény *a.* Christian
kereszténység *n.* Christendom
kereszténység *n.* Christianity
keresztes-hadjárat *n* crusade
keresztez *v. t* cross
keresztezés *n* confluence
kereszteződik *v.t.* intersect
keresztség *n.* baptism
keresztül *adv.* through
keresztül *prep.* via
keresztülmegy *v.t.* undergo
keret *n* frame
kering *v. i.* circulate
kering *v.t.* orbit
keringés *n* circulation
keringés *n.* orbit
kerítés *n* fence
kérked *v. i* brag
kérlelhetetlen *a.* inexorable
kérődzés *n.* rumination
kérődző *a.* ruminant
kérődző *n.* ruminant
kerozin *n.* kerosene
kert *n.* garden
kertész *n.* gardener
kertészet *n.* horticulture
kerül *v.t.* cost

kerülendő *a* taboo
kerület *n* district
kerülő *a* elusive
kerülő *a.* evasive
kerülőút *n* bypass
kérvényező *n.* petitioner
kés *n.* knife
keselyű *n.* vulture
kesereg *v.i.* moan
kesernyésség *n* acrimony
keserű *a* bitter
keserves *a.* grievous
keskeny *a.* narrow
késlekedés *n.* procrastination
késlekedik *v.i.* procrastinate
késleltet *v.t.* retard
késő *a.* late
később *adv.* afterwards
későbbi *a* after
későbbi *a.* ulterior
későbbre-keltez *v.t.* post-date
későn *adv.* late
kész *a.* ready
készenlét *n.* readiness
készenléti *n.* contingency
készít *v.t.* prepare
készítmény *n.* concoction
készítmény *n.* preparation
készlet *n.* kit
készlet *n* set
készpénz *n.* cash
készséges *a.* whole-hearted
készségesen *adv.* readily
kesztyű *n.* glove
készülék *n.* apparatus
készülék *n.* appliance
két *a.* two
ketchup *n.* ketchup
kételkedik *v. i* doubt
kételkedő *a.* sceptical
kétéltű *a* amphibious
kétértelmű *a.* ambiguous

kétértelmű *a* equivocal
kétértelműség *n.* ambiguity
kétévenkénti *a.* biennial
kéthavonta *a* bimonthly
kéthét *n.* fortnight
kéthetente *a* bi-weekly
kétkedés *n.* scepticism
kétkomponensű *a* binary
kétlábú *n* biped
kétnemű *a.* androgenous
kétnyelvű *a* bilingual
ketrec *n.* cage
ketrec *n.* crate
kétség *n* doubt
kétség *n.* suspense
kétségbeesés *n* despair
kétségbeesett *a* desperate
kétségbeesik *v. i* despair
kétségbevonás *n.* impeachment
kétszázados *adj* bicentenary
kétszer *adv.* twice
kétszínűség *n* duplicity
kétszínűség *n.* insincerity
ketté *adv.* asunder
kettesben *adv.* tete-a-tete
kettévág *v. t* bisect
kettéválaszt *v.t.* sever
kettő *n.* two
kettős *a* dual
kettős *a.* twofold
kettős- *pref* bi
kettős- *a* twin
kettőspont *n* colon
ketyegés *n.* click
kéve *n.* sheaf
kever *v.i* mix
kever *v.i.* stir
keveredik *v.t.* mingle
keverék *n* blend
keverék *n* compound
keverék *n* hybrid

keverék *n.* mixture
kevés *a* few
kevésbé *prep.* less
kevesebb *adv.* less
kevesebb *a.* lesser
kevesebb *a* minus
kevéssé *adv.* little
kéz *n* hand
kézbesítés *n* delivery
kezd *n* begin
kezdeményez *v.t.* initiate
kezdeményez *v.t.* instigate
kezdeményezés *n.* initiative
kezdeményező *n.* originator
kezdés *n* commencement
kezdet *n.* beginning
kezdet *n.* inception
kezdet *n.* onset
kezdet *n* start
kezdeti *a.* initial
kezdetleges *a.* rudimentary
kezdőbetű *n.* initial
kezdődik *v. t* commence
kezdődik *v.t.* start
kezel *v.t* handle
kezel *v.t.* manage
kezel *v.t.* wield
kezelés *n.* treatment
kezelhetetlenség *n.* impracticability
kezelhető *a.* manageable
kezelő *n.* operator
kézi *a.* manual
kézifúró *n.* gimlet
kézifúró *n.* wimble
kézikönyv *n.* handbook
kézikönyv *n* manual
kézimunka *n.* handiwork
kézirat *n.* manuscript
kézműves *n.* artisan
kézművesség *n.* handicraft
kézzelfogható *a.* palpable

kiabál v. i	cry
kiabálás n	cry
kiábrándít v. t.	disappoint
kiad v. t.	eject
kiad v.t.	issue
kiad v.t.	publish
kiadás n	edition
kiadás n	expenditure
kiadás n.	publication
kiadó n.	publisher
kiadvány n.	issue
kiagyal v. t	concoct
kialakítás n	formation
kiállít v. t	exhibit
kiállítás n	display
kiállítás n.	exhibit
kiállítás n.	exhibition
kiált v.i	hail
kiált v.i.	shout
kiáltás n.	shout
kiáltvány n.	manifesto
kiás v. t.	excavate
kiásás n.	excavation
kibékít v.t.	conciliate
kibékít v.t.	pacify
kibékít v.t.	reconcile
kibékíthetetlen a.	irreconcilable
kibékülés n.	reconciliation
kibérel v.t.	lease
kibír v.t.	stomach
kibírhatatlan a.	insupportable
kibírható a	endurable
kibocsát v. t	emit
kibont v.t.	undo
kibontakozik v.t.	unfold
kibújik v.t.	shirk
kibúvó n	elusion
kibúvó n	evasion
kibúvó n.	quibble
kicsapong v. t.	debauch

kicsapongás n	debauchery
kicsapongás n.	profligacy
kicsapongó a.	licentious
kicsapongó a.	profligate
kicsavar v.t.	wrest
kicsavar v.t	wring
kicserél v. t	exchange
kicserél v.	interchange
kicsi a.	small
kicsinyes a.	petty
kicsiség n.	smallness
kicsúfol v.t.	taunt
kiderít v. t	detect
kidobóember n	bouncer
kidolgoz v. t	elaborate
kidudorodás n.	snag
kié pron.	whose
kiegészít v.t.	complement
kiegészít v.t.	supplement
kiegészítés n	complement
kiegészítés n.	supplement
kiegészítő a.	auxiliary
kiegészítő a	complementary
kiegészítő a.	supplementary
kiegyenesít v.t.	straighten
kiegyenlít v. t.	equalise
kiegyenlít v. t	equate
kiegyenlít v. t	even
kiegyenlít v.t.	level
kiegyenlít v.t.	offset
kiegyezik v. t	compromise
kiejt v.t.	pronounce
kiejt v.t.	utter
kiejtés n.	pronunciation
kielégít v.t.	satiate
kielégít v.t.	satisfy
kielégít v.i.	suffice
kielégítés n.	gratification
kielégítés n.	satisfaction
kielégíthetetlen a.	insatiable
kiemel v. t	except
kiemelkedés n.	prominence

kiemelkedő *a.* outstanding	kihagyás *n.* omission
kiemelkedő *a.* pre-eminent	kihallgat *v.t.* overhear
kiemelkedő *a.* prominent	kihallgatás *n.* interrogation
kiértékel *v. t* evaluate	kihalt *a* extinct
kifáraszt *v.t.* tire	kihangsúlyoz *v.t* stress
kifecseg *v. t* blurt	kihirdet *v.t.* proclaim
kifejez *v. t.* express	kihirdetés *n.* proclamation
kifejez *v.t.* phrase	kihív *v. t.* challenge
kifejez *v.t.* voice	kihívás *n.* challenge
kifejezés *n.* expression	kihúz *v. t* delete
kifejezés *n.* phrase	kihúz *v.t.* wrench
kifejezés *n.* term	kiirt *v.t.* uproot
kifejezésmód *n.* phraseology	kijárási-tilalom *n* curfew
kifejezett *a.* explicit	kijárat *n.* exit
kifejező *a.* expressive	kijavít *v. t* correct
kifejt *n.* artifice	kijelentés *n* dictum
kifelé *adv.* out	kijelöl *v.t.* appoint
kifelé *adv* outward	kijelző *n.* indicator
kifelé *adv* outwards	kikap *v.t.* grab
kificamodik *v.t.* sprain	kikapcsolódás *n.* relaxation
kifinomult *a.* refined	kikefél *v.t* groom
kifinomult *a.* sophisticated	kiképzés *n.* training
kifinomultság *n.* refinement	kikérdez *v.t.* interrogate
kifinomultság *n.*	kikérdez *v.t.* question
sophistication	kikerget *v. t* evict
kifizetendő *a.* payable	kikísér *v. t* escort
kifizetődő *a.* remunerative	kiköt *v.t* moor
kifogás *n* excuse	kikötés *n.* moor
kifogásol *v.i.* plead	kikötő *n.* harbour
kifogásolható *a.* objectionable	kikötő *n.* port
kifoszt *v.t.* ransack	kikövez *v.t.* pave
kifürkész *v.t* fathom	kiközösít *v. t.* excommunicate
kigúnyol *v.t.* lampoon	kiközösít *v.t.* ostracise
kigúnyol *v.t.* ridicule	kiküszöbölés *n* elimination
kigúnyol *v.t.* satirise	kilakoltatás *n* eviction
kígyó *n.* serpent	kilátás *n.* outlook
kígyó *n.* snake	kilátás *n.* perspective
kigyomlál *v.t.* weed	kilátás *n.* prospect
kígyózik *v.i.* snake	kilátás *n.* view
kígyózó *a.* sinuous	kilátás *n.* vista
kihagy *v. t* eliminate	kilátótorony *n* belvedere
kihagy *v.t.* omit	kilenc *n.* nine

kilencedik a. ninth
kilencven n. ninety
kilencvenedik a. ninetieth
kilép v.i. pace
kilépés n. secession
kilincs n. latch
kilövell v.i. spout
kilövell v.t. spurt
kilövellés n spurt
kilyukaszt v.t hole
kilyukaszt v.t. perforate
kimagoz v.t. pit
kimar v. t erode
kimarás n erosion
kiment v.t. salvage
kimerít v. t. exhaust
kimerül v.i. weary
kimeszel v.t. whitewash
kimondhatatlan a. nefandous
kimozdít v.t. shift
kimutat v.t. manifest
kiművel v. t civilise
kín n. anguish
kín n. torment
kínál v.t. offer
kínálat n offer
kincs n. treasure
kincstár n. treasury
kincstári a fiscal
kincstárnok n. treasurer
kinin n. quinine
kinn n outside
kinő v. i erupt
kínos a. awkward
kínoz v.t. agonize
kínoz v.t. rack
kínoz v.t. torment
kínoz v.t. torture
kínszenvedés n. torture
kinyilatkoztatás n. revelation
kinyilvánít v. t disclose
kinyit v.t. open

kinyújtás n stretch
kínzás n. maltreatment
kioldoz v.t. loose
kiönt v.t. mould
kiönt v.i. spill
kiöntő n. spout
kioszt v.t. allocate
kiosztás n. allocation
kipányváz v.t. tether
kipárnáz v. t cushion
kipárnáz v.t. pad
kipipál v.i. tick
kipróbál v. i. dabble
kipróbál v.t. sample
kipusztít v. t eradicate
kirabol v.i. loot
kirabol v.t. plunder
kirabol v.t. waylay
király n. king
királygyilkosság n. regicide
királyi a. regal
királyi a. royal
királynő n. queen
királypárti n. royalist
királyság n. kingdom
királyság n. royalty
kirándulás n. excursion
kirándulás n. outing
kirándulás n. trip
kiránt v.t. unsheathe
kirekeszt v. t. debar
kirobbanás n. outburst
kirohan v.i. sally
kirohanás n. sally
kirúg v.t. sack
kis a. little
kisajátít v.t pirate
kisállat n. pet
kisasszony n. damsel
kisasszony n. miss
kisbaba n. babe
kisbolygó a asteroid

kisebb *a.* less
kisebbség *n.* minority
kisegítő *a.* ancillary
kíséret *n* accompaniment
kíséret *n* escort
kíséret *n.* retinue
kísérlet *n* experiment
kísérleti *a.* tentative
kísérő *n.* attendant
kísért *v.t.* haunt
kísértés *n.* temptation
kísérteties *a.* macabre
kísértő *n.* tempter
kisgazda *n.* yeoman
kisgyerek *n* mite
kisiklat *v. t.* derail
kiskereskedelem *n.* retail
kiskereskedelmi *a* retail
kiskereskedő *n.* retailer
kiskorú *n* minor
kismadár *n* birdie
kis-mennyiség *n.* modicum
kisméretű *a.* miniature
kisregény *n.* novelette
kisteherautó *n.* van
kiszab *v.t.* tailor
kiszaglász *v.t* nose
kiszámít *v.t.* compute
kiszámíthatatlan *a.* incalculable
kiszemel *v.t.* single
kiszínez *v. t* dye
kiszipolyoz *v.t.* sap
kitágít *v.t.* stretch
kitakarít *v. t* clean
kitakarít *v.t.* tidy
kitalál *v.t* fabricate
kitalált *a* fictitious
kitart *v.i.* persevere
kitartás *n.* endurance
kitartás *n.* perseverance
kitartás *n.* stamina

kitaszít *v.t* outlaw
kitaszított *a* outcast
kitér *v. t* dodge
kitérés *n* dodge
kiterjed *v.t.* expand
kiterjedés *n.* extent
kiterjedt *a.* widespread
kitervez *v. t* devise
kitörés *n* eruption
kitörés *n.* outbreak
kitörlés *n.* obliteration
kitöröl *v.t.* obliterate
kiürít *v* empty
kiürít *v. t* evacuate
kiürít *v.t.* vacate
kiürítés *n* evacuation
kiütés *n.* rat
kiugró *a.* salient
kiút *n.* loophole
kiutasít *v. t.* expel
kiutasítás *n.* expulsion
kivág *v.t* fell
kiváj *v.t* hollow
kiváló *a.* excellent
kiváló *a* great
kiváló *a.* signal
kiválogat *v.t.* assort
kiválogat *v.t* sort
kiválóság *n* eminance
kiválóság *n.* excellence
kivált *v.t.* ransom
kiváltság *n.* privilege
kíván *v.t.* wish
kívánatos *a* desirable
kíváncsi *a* curious
kíváncsi *a.* inquisitive
kíváncsiság *n* curiosity
kíváncsiskodik *v.i.* pry
kívánság *n.* wish
kivédés *n.* parry
kivégez *v. t* execute
kivégzés *n* execution

kivétel *n* exception
kivetés *n.* imposition
kivéve *conj.* bar
kivéve *prep* except
kivéve *prep* save
kivihetetlen *a.* impractical
kivitel *n* export
kivizsgál *v.t.* overhaul
kivizsgálás *n.* overhaul
kivon *v. t* extract
kivonás *n.* subtraction
kivonat *n* abridgement
kivonat *n.* digest
kivonat *n* extract
kívül *prep* besides
kívül *adv* outside
kívül *prep* outside
kívül *prep.* without
kívülálló *n.* outsider
kizár *v.t* bar
kizár *v. t.* disqualify
kizár *v. t* exclude
kizár *v. t.* exempt
kizárólagos *a* exclusive
kizsákmányol *v. t* exploit
klasszikus *a* classic
klasszikus *n* classic
klasszikus *a* classical
klikk *n* faction
klimax *n.* menopause
klinika *n.* clinic
klór *n* chlorine
kloroform *n* chloroform
klub *n* club
knock *v.t.* knock
kő *n.* stone
koalíció *n* coalition
kobalt *n* cobalt
kőbánya *n.* quarry
kóbor *n* stray
kóborol *v.i.* meander
kóborol *v.i.* roam

kóborol *v.i.* stray
kobra *n* cobra
koca *n.* sow
koccint *v.t.* toast
kocka *n* cube
kocka-alakú *a* cubical
kocka-alakú *a.* cubiform
kockázat *n.* risk
kockázatos *a.* risky
kockázik *v. i.* dice
kockáztat *v.t.* risk
kócsag *n* aigrette
kocsi *n.* carriage
kocsi *n.* wagon
kocsis *n* coachman
kocsma *n.* tavern
kód *n* code
köd *n* fog
köd *n.* haze
köd *n.* mist
ködfolt *n.* nebula
ködös *a.* hazy
ködös *a.* misty
koedukáció *n.* co-education
kohászat *n.* metallurgy
kohéziós *a* cohesive
köhög *v. i.* cough
köhögés *n.* cough
kohelmány *n* figment
kokain *n* cocaine
kokain *n* coke
kőkemény *a.* adamantine
kokett *n.* minx
kókuszdió *n* coconut
kókuszrost *n* coir
kölcsönad *v.t.* lend
kölcsönad *v.t.* loan
kölcsönhatás *n.* interplay
kölcsönkér *v. t* borrow
kölcsönös *a.* mutual
kölcsönös *a.* reciprocal
koldus *n* beggar

koldus *n.* pauper
kolera *n.* cholera
köles *n.* millet
kolléga *n* colleague
kollektív *a* collective
kolostor *n.* cloister
kolostor *n.* monastery
költ *v. t* expend
költ *v.t.* spend
költészet *n.* poetry
költészettan *n.* poetics
költő *n.* poet
költői *a.* poetic
költőnő *n.* poetess
költség *n.* cost
költség *n.* expense
költségvetés *n* budget
kölyök *n* cub
kölyök *n.* kid
kölyök *n.* whelp
kölyök *n* young
kölyökkutya *n.* puppy
kóma *n.* coma
kombináció *n* combination
komédia *n.* comedy
komédia *n* farce
komikus *n.* comedian
komikus *a* comical
komló *n* hop
kommentátor *n* commentator
kommuna *n* commune
kommuniké *n.* communiqué
kommunizmus *n* communism
komoly *a.* grave
komoly *a* serious
komoly *a.* solemn
komolyság *n.* gravity
komolyság *n.* solemnity
komolytalanság *n* flippancy
komor *a.* gloomy
komor *a.* sombre
komp *n* ferry

kompetencia *n* competence
kompromisszum *n* compromise
kőműves *n.* mason
kőművesség *n.* masonry
konferencia *n* conference
konfliktus *n.* conflict
kongresszus *n* congress
konkrét *a* concrete
könny *n.* tear
könnyed *a* facile
könnyelmű *a.* frivolous
könnyen *adv.* lightly
könnyes *a.* tearful
könnyfakasztó *a.* lachrymose
könnyít *v.t.* relieve
könnyítés *n.* lightening
könnyű *a* easy
könnyű *a* light
könnyűség *n.* levity
konszenzus *n.* consensus
kontárkodik *v.t* boggle
kontextus *n* context
kontinens *n* continent
kontinentális *a* continental
köntös *n.* gown
köntös *n.* robe
kontraszt *n* contrast
konvenció *n.* convention
konyha *n.* kitchen
könyök *n* elbow
könyörgés *n.* entreaty
könyörög *v. t.* beg
könyörög *v. t.* entreat
könyörög *v.t.* implore
könyörtelen *adj.* merciless
könyörtelen *a.* pitiless
könyörtelen *a.* relentless
könyörtelen *a.* ruthless
könyörületes *a.* pitiful
könyv *n* book
könyvelés *n.* accountancy

könyvelő *n.* accountant
könyvelő *n* book-keeper
könyvjelző *n.* bookmark
könyvkedvelő *n.* bookish
könyvkereskedő *n* bookseller
könyvmoly *n* bookworm
könyvtár *n.* library
könyvtáros *n.* librarian
könyvvizsgálat *n.* audit
könyvvizsgáló *n.* auditor
konzervál *v. t* conserve
konzerváló *n.* preservative
konzervatív *n* conservative
konzervdoboz *n.* can
konzultáció *n* consultation
konzultál *v. t* consult
kőolaj *n.* paraffin
kőolaj *n.* petroleum
koordinál *v. t* co-ordinate
köp *v.i.* spit
kopár *a.* stark
kopasz *a.* bald
köpcös *a.* stocky
köpeny *n.* cape
köpeny *n.* cloak
köpenyes *a.* robed
köpés *n* spit
köpet *n* spittle
köpet *n.* sputum
köpőcsésze *n.* spittoon
koponya *n.* skull
köpönyeg *n* mantle
koporsó *n* coffin
kopott *a.* shabby
kopott *a.* threadbare
kopott *a.* worn
köpül *v. i.* churn
köpülő *n.* churn
kor *n.* age
kör *n.* circle
kör *n.* lap
kör *n.* round

korábban *adv* formerly
korábbi *a* former
korábbi-keltezés *n* antedate
korai *a* early
kör-alakú *a* circular
korall *n* coral
korallzátony *n.* atoll
korán *adv* early
koránérett *a.* premature
korbács *n.* scourge
korbácsol *v.t* flog
korbácsolás *n* lash
körben *adv.* round
korcs *a* mongrel
korcsolya *n.* skate
korcsolyázik *v.t.* skate
kórház *n.* hospital
korhol *v. t.* chide
korholás *n.* reproof
koriander *n.* coriander
körkép *n.* panorama
korlátoz *v. t* confine
korlátoz *v.t.* limit
korlátoz *v.t.* restrict
korlátoz *v.t.* retrench
korlátozás *n.* confinement
korlátozás *n.* limitation
korlátozás *n.* restriction
korlátozás *n.* retrenchment
korlátozó *a.* restrictive
korlátozott *a.* limited
körlevél *n.* circular
kormány *n.* government
kormányoz *v.t.* govern
kormányoz *v.t.* pilot
kormányoz *v.t.* rule
kormányoz *v.t.* steer
kormányrúd *n.* helm
kormányzás *n.* governance
kormányzó *n.* governor
körmenet *n.* procession
körméret *n.* circumference

körmönfont a. shifty
kormorán n. cormorant
kormos a. soot
környék n. surroundings
környék n. vicinity
környéken adv. hereabouts
környezet n. environment
környezetszennyezés n.
pollution
környező a ambient
korom n. soot
köröm n. nail
körömvirág n. marigold
korona n. coronet
korona n crown
koronázás n coronation
kóros a. morbid
korpa n dandruff
korreláció n. correlation
korrupció n. corruption
korsó n. jar
korszak n epoch
korszak n era
korszerű a. modern
korszerűség n. modernity
korszerűsít v.t. modernise
kortárs a contemporary
körte n. pear
kórterem n. ward
korteskedik v. t. canvass
korty n dram
korty n. gulp
korty n. sip
körül prep. around
körülárkol v.t. moat
körülbelül prep about·
körülbelül adv around
körülcövekel v.t. picket
körülír v.t. paraphrase
körülmény n circumstance
körülmény n. particular
körültekintő a. circumspect

körültekintő a. provident
körülvesz v. t encompass
körülvesz v.t. surround
kórus n choir
kórus n. chorus
körvonal n contour
körvonalaz v.t. outline
Kos n aries
kos n. ram
kosár n. basket
kosár n. cart
kosz n dirt
kosz n filth
kószál v.t. maunder
kószál v.t. ramble
kószál v.i. rove
kószálás n ramble
kőszívű a. callous
köszön v.t. thank
köszönet n. thanks
köszönt n salute
köszöntés v.t. salute
koszorú n. wreath
köszörül v.t. whet
koszos a dirty
koszt n. fare
köszvény n arthritis
köszvény n. gout
köt v.t. knit
kötekedés n. scoff
kötekedik v.i. scoff
kötekedik v.t. tease
kötél n. rope
kötelesség n duty
kötelességtudó a dutiful
kötelez v.t bind
kötelez v.t. oblige
kötelezettség n. obligation
kötelezettséget-vállaló a.
promissory
kötelező a binding
kötelező a compulsory

kötelező a. mandatory
kötelező a. obligatory
kötelező a. statutory
kötény n. apron
kötés n. bandage
kötet n. tome
kotnyeles a. nosey
kötőhártya n. conjunctiva
kötőjel n dash
kőtörmelék n. rubble
kötvény n bond
kovács n blacksmith
kovács n. smith
kovácsműhely n forge
kovácsol v.t forge
kövér a fat
köves a. stony
követ v. t dog
követ v.t follow
követ v.t. track
követel v.t. necessitate
követelés n claim
követelés n due
követelmény n. requirement
követés n. pursuance
következetes a consequent
következik v.i ensue
következmény n consequence
következmény n. upshot
következő a following
következő a. next
következő a. subsequent
következtet v.t. infer
következtetés n. conclusion
következtetés n. inference
követő n follower
követ-titokban v.i. stalk
közbeeső a. intermediate
közben adv. meanwhile
közbevetés n. interjection
közé prep. amongst
közel adv by

közel prep. near
közel prep. nigh
közelben adv about
közeledés n. approach
közeledik v.i. near
közelgő a. forthcoming
közeli a. close
közeli a. near
közelség n. proximity
közember n. commoner
közep n medium
közepén prep. amid
középen a. mid
középen adv midst
közepes a medium
közepes a. middling
középkori a. medieval
középpont n middle
középső a. median
középső a. middle
középszerű a. mediocre
középszerűség n. mediocrity
közért n. grocery
közérthető a. articulate
közgazdaságtan n. economics
közhely a. commonplace
közhivatalnok n. functionary
közismert a. well-known
közjáték n. interlude
közkegyelem n. pardon
közlekedési a. vehicular
közlemény n. announcement
közlemény n bulletin
közlés n. communication
kozmetik n. cosmetic
kozmetikai a. cosmetic
kozmikus a cosmic
közmondás n. proverb
közmondásos a. proverbial
köznemesség n. gentry
közöl v. t communicate
közöl v.t. intimate

közömbös *a.* indifferent
közömbösség *n.* indifference
közönség *n.* audience
közönség *n.* public
közönséges *a.* vulgar
közönségesség *n.* vulgarity
közönyös *a.* nonchalant
közönyösség *n.* nonchalance
közös *a.* common
közösen *adv.* jointly
közösség *n.* community
közösségi *a.* communal
közösülés *n.* intercourse
között *prep.* among
között *prep* between
központ *n* center
központi *a.* central
központoz *v.t.* punctuate
központozás *n.* punctuation
község *a.* township
községi *a.* municipal
közszellem *n.* morale
köztársaság *n.* republic
köztársasági *a.* republican
köztiszteletben-álló *n* august
közvetett *a.* indirect
közvetít *v. t* broadcast
közvetít *v.i.* mediate
közvetít *v.t.* relay
közvetít *v.t.* telecast
közvetít *v.t.* televise
közvetítés *n.* mediation
közvetítő *n.* intermediary
közvetítő *n.* mediator
közvetítő *n.* middleman
közvetlen *a* direct
közvetlen *a* immediate
közvetlenség *n.* sociability
közvetlenül *adv.* straight
krémleves *n* bisque
krikett *n* cricket
kriptográfia *n.* cryptography

kristály *n* crystal
Krisztus *n.* Christ
kritérium *n* criterion
kritika *n* criticism
kritikai *a* critical
kritikus *n* critic
krokodil *n* crocodile
króm *n* chrome
krónika *n.* chronicle
krónikus *a.* chronic
kronológia *n.* chronology
Krőzus *n.* croesus
kudarc *n* failure
küld *v.t.* send
küldetés *n* errand
küldetés *n.* mission
küldönc *n.* orderly
küldönc *n.* peon
küldöttség *n* deputation
külföldi *a* foreign
külföldi *n* foreigner
külföldön *adv* abroad
küllő *n.* rung
küllő *n.* spoke
külön *adv.* apart
különadó *n.* supertax
különálló *a.* separate
különbözik *v. i* differ
különböző *a* different
különböző *a* dissimilar
különböző *a* unlike
különbség *n* difference
különc *a* extravagant
különcködés *n* extravagance
különféle *a.* miscellaneous
különféle *a.* various
különleges *a.* special
különleges *a.* specific
különlegesség *n.* speciality
különóra *n.* tutorial
különös *a.* outlandish
különös *a.* particular

különös *a.* peculiar
különösképpen *adv.* especially
különösség *n.* singularity
külső *a* external
külső *a.* out
külső *a.* outer
külső *a.* outside
külső *a.* outward
külsőleg *adv.* outwardly
külváros *n.* suburb
külvárosi *a.* suburban
külvárosok *n.pl.* outskirts
kürt *n* bugle
kürt *n.* horn
küszködik *v.i.* slave
küszködik *v.i.* toil
küszöb *n.* threshold
küvetta *n.* cuvette
küzd *v. t.* combat
küzd *v. t* contest
küzdelem *n* bout
küzdelem *n* combat
küzdelem *n.* strife
küzdőtér *n* arena
kukac *n* maggot
kukorica *n* corn
kukorica *n.* maize
kukucskál *v.i.* peep
kukucskálás *n* peep
kulacs *n* flask
kulcs *n.* key
kullancs *n.* tick
kulminál *v.i.* culminate
kultúra *n* culture
kulturális *a* cultural
kultusz *n* cult
kuncog *v. i* chuckle
kuncogás *n* chuckle
kunyhó *n.* hut
kúp *n.* cone
kuplé *n.* couplet
kuplung *n* clutch

kupola *n* dome
kurkuma *n.* turmeric
kurkurma *n.* curcuma
kurta *a* curt
kurtizán *n.* courtesan
kuruzslás *n.* quackery
kuruzsló *n* quack
kurva *n.* slut
kurva *n.* strumpet
kurva *n.* whore
kúszónövény *n* creeper
kút *n.* well
kutat *v.i.* research
kutatás *n* research
kutikula *n.* cuticle
kutya *n* dog
kutyaól *n.* kennel
kvalitatív *a.* qualitative
kvantum *n.* quantum
kvíz *n.* quiz
kvóta *n.* quota

láb *n* foot
láb *n.* leg
labda *n.* ball
labiális *a.* labial
labirintus *n.* labyrinth
labirintus *n.* maze
laboratórium *n.* laboratory
lábszár *n.* shin
lábtörlő *n.* mat
lábujj *n.* toe
láda *n* chest
lagúna *n.* lagoon
lágy *a* tender
laikus *a.* lay
laikus *n.* layman
lajhár *n.* sloth

lakályos a. snug
lakás n. apartment
lakás n dwelling
lakás n flat
lakható a. habitable
lakható a. inhabitable
lakik v. i dwell
lakik v.t. inhabit
lakik v.i. reside
lakk n. varnish
lakkgumi n lac
lakkoz v.t. varnish
lakmározik v.i feast
lakó a. resident
lakó n resident
lakodalmas a. nuptial
lakodalom n. nuptials
lakóhely n abode
lakóhely n domicile
lakóhely n. habitation
lakóhely n. residence
lakókocsi n. caravan
lakoma n. banquet
lakoma n feast
lakomázik v.t. banquet
lakonikus a. laconic
lakos n. inhabitant
lakosság n. populace
laktanya n. barrack
laktanya v.t. barrack
laktát v.i. lactate
laktóz n. lactose
láma n. lama
laminál v.t. laminate
lámpa n. lamp
lámpa n. lantern
lámpa n. lucerne
lánc n chain
lándzsa n. lance
lándzsa n. spear
lándzsahegy n. spearhead
lándzsahegy n. spearhead

landzsával-megdöf v.t. spear
láng n blaze
láng n flame
lángol v.i blaze
lángol v.i flame
lángoló adv. ablaze
lángoló adv. aflame
langyos a. lukewarm
lankás a. declivous
lant n. lute
lány n daughter
lány n. girl
lány n. maiden
lanyha a. sluggish
lánykori a maiden
lányos a. girlish
lap n. slab
lapát n paddle
lapát n. shovel
lapátol v.t. shovel
lapos a flat
lapozgat v.t. thumb
lappang v.i. incubate
lappangó a. latent
lapszámoz v.t. page
lapszéli a. marginal
lárma n clamour
lárma n. racket
lármás a. tumultuous
lármás a. uproarious
lassan adv. slowly
lassít v.i. slow
lassú a slow
lassúság n. slowness
lát v.t. see
látás n. sight
látási a. optic
láthatatlan a. invisible
látható a. visible
láthatóság n. visibility
látnok n. seer
látnok n. visionary

látó a. visionary
látogat v. t. habituate
látogat v.t. visit
látogatás n. visit
látogató n. visitor
latolgat v.t. ponder
látomás n. vision
latrina n. latrine
látszat n. semblance
látszerész n. optician
látszik v.i. seem
látványos a. spectacular
látványosság n. spectacle
latyak n. slush
latyakos a. slushy
láva n. lava
láz n fever
laza a. lax
laza a. loose
laza a. slack
lázad v.i. revolt
lázadás n. mutiny
lázadás n. rebellion
lázadás n. revolt
lázadás n. riot
lázadás n. sedition
lázadó a. mutinous
lázadó n. rebel
lázadozik v.t. riot
lazaság n. laxity
lazít v.t. slacken
lazul v.t. relax
lé n juice
lead v.t. radio
lealacsonyít v. t degrade
lealáz v. t. debase
leány n. lass
lebecsül v. t despise
lebecsül v.t. misjudge
lebeg v.i float
lebegtet v.t. float
lebegtet v.t. waft

lebeszél v. t dissuade
lebonyolít v.t. transact
léc n. lath
lecke n. lesson
lecsap v.i. pounce
lecsap v.i. swoop
lecsapás n pounce
lecsapás n swoop
lecsendesít v.t. hush
lecsendesít v.t. lull
lecsillapít v.t. appease
lecsillapít v.t. quell
ledarál v.t. mince
ledöf v.t. stab
ledönt v.i. topple
lédús a. juicy
leendő a. prospective
lefátyoloz v.t. veil
lefejez v. t. behead
lefekvés-ideje n. bed-time
lefelé adv down
lefelé adv downward
lefelé adv downwards
lefelé-fordított a. prone
lefest v.t. portray
lefoglal v. t engage
lefoglal v.t. sequester
lefordít v.t. translate
legallyazó n limber
legbelső a. inmost
legbelsőbb a. innermost
légbuborék n bleb
legel v.i. graze
legelő n. pasture
legelső n first
legelső a foremost
legenda n. legend
legendás a. legendary
legénység n. crew
legfelsőbb a. supreme
legfinomabb a. superfine
legfőbb a. cardinal

legfőbb *n.* paramount
legfontosabb *a* main
legfontosabb *a.* premier
léggömb *n.* balloon
légi *a.* aerial
légió *n.* legion
légiós *n.* legionary
legjobb *n.* optimum
legkevésbé *adv.* least
legkisebb *a.* least
légkör *n.* atmosphere
legközelebbi *a.* proximate
legmagasabb *a.* top
légnemű *a* aeriform
légnyomásmérő *n* barometer
legrosszabb *n.* worst
legrosszabb *a* worst
legrosszabbul *adv.* worst
legtöbb *a.* most
legtöbb *n* most
legutóbbi *n* last
legutoljára *adv.* last
légvédelmi *a.* anti-aircraft
légvégső *a.* utmost
légy *n* fly
legyengít *v. t.* enfeeble
legyőz *v. t.* defeat
legyőz *v. t* down
legyőz *v.t.* overcome
legyőz *v.t.* overpower
légzés *n.* respiration
lehajt *v.t.* lower
lehangol *v. t* depress
lehet *v* may
lehetetlen *a.* impossible
lehetetlenség *n.* impossibility
lehetőség *n.* chance
lehetőség *n.* possibility
lehetőség *n.* potential
lehetséges *a.* possible
lehetségesség *n.* potentiality
lehűl *v. i.* cool

lehűt *v. t.* chill
lehűt *v.t.* refrigerate
leigáz *v.t.* enslave
leigáz *v.t.* subject
leigáz *v.t.* subjugate
leigázás *n.* subjugation
leír *v. t* describe
leírás *n* description
leírhatatlan *a.* indescribable
leíró *a* descriptive
lejár *v.i.* expire
lejárat *n* expiry
lejt *v.t.* slant
lejt *v.i.* slope
lejtő *n* slant
lejtő *n.* slope
lék *n.* leak
lekaszabol *v.t.* sabre
lekaszál *v.t.* reap
lekicsinyel *v. t.* disdain
lekicsinyel *v.t.* minimise
leköröz *v.t.* outrun
leküzd *v.t.* vanquish
leküzdhetetlen *a.* insurmountable
lekuporodik *v. i.* crouch
lekvár *n.* jam
lelegel *v.t.* pasture
lélegzet *n* breath
lélegzik *v. i.* breathe
lélegzik *v.i.* respire
lélek *n.* psyche
lélek *n.* soul
lélekvándorlás *n.* transmigration
leleményes *a.* resourceful
lelkére-köt *v.t.* inculcate
lelkes *a.* ardent
lelkes *a* enthusiastic
lelkes *a.* keen
lelkesedés *n.* ardour
lelkesedés *n* enthusiasm

lelkesedés *n.* rave
lelkesedés *n.* verve
lelkesedés *n.* zest
lelkesít *v.t.* animate
lelkesít *v. t.* enliven
lelkesség *n.* keenness
lelkész *n.* parson
lelki *a.* psychic
lelki *a.* spiritual
lelkierő *n.* fortitude
lelkifurdalás *n.* remorse
lelkiismeret *n* conscience
lelkiismeretes *a* conscientious
lelkiség *n.* spirituality
lemaradó *n.* straggler
lemegy *v. i.* descend
lemészárol *v. t* butcher
lemészárol *v.t.* slaughter
lemetsz *v.t.* segment
lemez *n.* disc
lemeztelenít *v.t.* bare
lemond *v.t,* abdicate
lemond *v.t* forgo
lemond *v.t.* renounce
lemond *v.t.* resign
lemond *v.t.* waive
lemondás *n* abdication
lemondás *n.* renunciation
lemondás *n.* resignation
lemondat *v. t* depose
len *n.* linen
lencse *n.* lens
lencse *n.* lentil
lendület *n.* momentum
lenéz *v.t.* overlook
lenézés *n* disdain
lengyel *a.* Polish
lenmag *n.* linseed
lent *prep* down
lényeg *n* essence
lényeg *n.* gist
lényeg *n.* quintessence

lényeges *a.* integral
lényeges *a.* intrinsic
lényeges *a.* relevant
lényeges *a.* substantial
lényegesen *adv.* substantially
lényegtelen *a.* immaterial
lényegtelen *a.* irrelevant
lenyel *v.l.* gulp
lenyír *v.t.* mow
lenyír *v.t.* trim
lenyom *v.t.* suppress
lenyugtat *v. t.* calm
leöblít *v.i* flush
leopárd *n.* leopard
lép *n.* spleen
lép *v.i.* step
lépcsőfok *n.* stair
lepecsétel *v.i.* stamp
lepedő *n.* sheet
lépés *n* pace
lépés *n.* step
lépés *n* stride
lepihentet *v.t.* pillow
lepipál *v.t.* outdo
lépked *v.i.* stride
leporol *v.t.* dust
lepottyant *v.i.* slump
lepra *n.* leprosy
leprás *n.* leper
leprás *a.* leprous
lerögzít *v.t.* steady
lerombol *v. t.* demolish
lerombol *v.t.* raze
leront *v.t.* wreck
lesántít *v.t.* lame
leshely *n.* ambush
lesöpör *v. t* brush
leszakított-rész *n.* avulsion
leszáll *v.i.* alight
leszáll *v.i.* land
leszállás *n.* descent
leszállás *n.* landing

259

leszállít v. t. cheapen	levert a. lethargic
leszálló a downward	levert a. woebegone
leszármazás n. lineage	levertség n depression
leszavazat v.t. poll	leves n. soup
leszerel v. t disarm	levetkőzik v.i. strip
leszerelés n. disarmament	levetkőztet v.t. denude
lét n being	levon v.t. deduct
lét n existence	levon v.t. subtract
letagad v. t. deny	lexikográfia n. lexicography
letakar v.t. shroud	lezárás n. close
letartóztat v.t. apprehend	lezár-ügyet v.t. shelve
letartóztat v.t. arrest	lézeng v.i. loiter
letartóztatás n. arrest	liba n. goose
leteker v.i. reel	liberális a. liberal
letelepít v.t. settle	liberalizmus n. liberalism
leterít v.t. prostrate	lidércnyomás n. nightmare
letét n. deposit	liga n. league
letétbe-helyez v. t. bail	liget n. park
létezik v.i. be	liheg v.i. pant
létezik v.i exist	lihegés n. pant
letorkol v.t. snub	liliom n. lily
létra n. ladder	limonádé n. lemonade
létrehoz v. t create	lincsel v.t. lynch
létrehoz v.t. generate	líra n. lyre
létszámfölösleg n. redundance	lírai a. lyrical
leülepedett a. sedentary	lírai-költemény n. lyric
leülepedik v.i. subside	lírikus a. lyric
levág v.t. lop	lírikus n. lyricist
leválás n abruption	lista n. list
leválaszt v.t. separate	listák n. lists
levegő n air	liszt n flour
levegős a. airy	lisztes a. mealy
levél n. leaf	liter n. litre
levél n letter	liturgikus a. liturgical
levél n. missive	livorno n. leghorn
leveles a. leafy	ló n. horse
levelezés n. correspondence	lő v.t. shoot
levelező n. correspondent	lobban v.t flicker
levéltár n.pl. archives	lobbanás n flicker
levendula n. lavender	lobbizik v.t. lobby
lever v.t. subdue	lobogó n. streamer
	local a. local

260

loccsanás n splash
loccsant v.i. splash
lócsiszár n. coper
locsol v.t. water
lódarázs n. hornet
logaritmus n. logarithm
lógat v.t. dandle
lógat v. t dangle
logika n. logic
logikatanár n. logician
logikátlan a. illogical
logikus a. logical
lojalista n. loyalist
lök v.t. nudge
lök v.t. shove
lök v.t. thrust
lokalizál v.t. localise
lökdösés n. jostle
lökés n. shove
lökés n thrust
lökhárító n. bumper
lomb n. greenery
lombozat n foliage
lompos a. slovenly
lop v.t. nick
lop v.t. steal
lopakodva adv. stealthily
lopás n. theft
lopódzik v. i creep
lőszer n. ammunition
lőszer n. munitions
lőszer n. ordnance
lótusz n. lotus
lovag n chevalier
lovag n. knight
lovaggá-üt v.t. knight
lovagias a. chivalrous
lovagiasság n. chivalry
lovaglás n ride
lovagol v.t. ride
lovas n. rider
lovas-katona n. trooper

lovasság n. cavalry
lövedék n. projectile
lövés n. shot
lövészet n shoot
lüktet v.i. palpitate
lüktet v.i. pulsate
lüktet v.i. pulse
lüktetés n. pulsation
lúg n alkali
lugas n bower
lúgos a. alkaline
lusta a. indolent
lusta n. lazy
lusta n. sluggard
lusta-ember n. laggard
lustálkodik v.i. laze
lustálkodik v.i. loll
lustaság n. laziness
luxus n. luxury
lyuk n hole

ma adv. today
macho a. macho
macska n. cat
madám n. bawd
madám n. madam
madár n bird
madarász n. fowler
madárfióka n. nestling
madárfiókák n brood
madárház n. aviary
madárjóslás n. auspice
madártoll n feather
ma-este n. tonight
ma-este adv. tonight
mafla a. sheepish
mag n. kernel
mag n. seed

mag- *a.* seminal
maga *n.* self
magabiztos *a.* confident
magabiztosság *n* confidence
magán *a.* private
magánélet *n.* privacy
magánhangzó *n.* vowel
magány *n.* solitude
magányos *a.* lonely
magányos *a.* lonesome
magányos *a.* solitary
magányosság *n.* loneliness
magas *a.* high
magas *a.* lofty
magas *a.* tall
magasan *adv.* highly
magasban *adv.* aloft
magasít *v.t.* heighten
magasság *n.* altitude
magasság *n.* height
magasságmérő *n* altimeter
magasztal *v. t* exalt
magasztal *v. t.* extol
magatartás *n* conduct
máglya *n* bonfire
mágnás *n.* magnate
mágnes *n.* loadstone
mágnes *n.* magnet
mágneses *a.* magnetic
mágnesesség *n.* magnetism
magtár *n.* granary
magtok *n.* core
magyaráz *v. i* comment
magyarázat *n* explanation
magzat *n* embryo
magzatelhajtás *n* abortion
mahagóni-fa *n.* mahogany
mai-nap *n.* today
máj *n.* liver
majd *adv.* then
majdnem *adv.* almost
majdnem *adv.* near

majdnem *adv.* nigh
majmoló *a.* apish
majom *n* ape
majom *n.* monkey
Május *n.* May
makacs *a.* obdurate
makacs *a.* obstinate
makacs *a.* stubborn
makacsság *n.* obduracy
makacsság *n.* obstinacy
makk *n.* acorn
makrancos *a.* unruly
makréla *n* mackerel
makulátlan *a.* spotless
malária *n.* malaria
maláta *n.* malt
malom *n.* mill
mályva *n* mallow
mályvaszín *n.* purple
mama *n.* mamma
mammon *n.* mammon
mámor *n.* intoxication
mámorít *v.t.* intoxicate
mámorító *n.* intoxicant
mamut *n.* mammoth
mamut- *a* mammoth
mancs *n.* paw
mancsával-megfog *v.t.* paw
mandula *n.* almond
mandula *n.* tonsil
mandzsetta *n* cuff
mangán *n.* manganese
mangó *n* mango
mángorló *v.t.* mangle
mánia *n* mania
mániás *n.* maniac
manikűr *n.* manicure
manipuláció *n.* manipulation
manipulál *v.t.* manipulate
mankó *n* crutch
manna *n.* manna
manó *n* elf

manöken *n.* mannequin
manőver *n.* manoeuvre
manőverez *v.i.* manoeuvre
már *adv.* already
marad *v.i.* remain
marad *v.i.* stay
maradandó *a* abiding
maradék *n.* remainder
maradó *a.* residual
maradvány *n.* residue
maradványok *n.* remains
maraton *n.* marathon
marcangol *v.t* maul
március *n.* march
marék *n.* handful
maréknyi *adv.* handful
margarin *n.* margarine
marha *n.* cattle
marhahús *n* beef
marionett *n.* marionette
márka *n* brand
márka *n* make
markos *a.* robust
maró *a.* caustic
maró *a* corrosive
Mars *n* Mars
marsall *n* marshal
mártás *n.* sauce
márvány *n.* marble
más *adv* else
más *a.* other
másik *a* another
másik *pron.* other
másképp *adv.* otherwise
másképpen *adv.* alias
második *a.* second
másodlagos *a.* secondary
másodperc *n* second
másol *v. t* copy
másolat *n* copy
másolat *n* duplicate
másolat *n.* replica

mássalhangzó *n.* consonant
masszázs *n.* massage
masszíroz *v.t.* massage
masszőr *n.* masseur
maszat *n.* smear
mászik *v.i* climb
maszk *n.* mask
matador *n .* matador
matematika *n* mathematics
matematikai *a.* mathematical
matematikus *n.*
  mathematician
matrac *n.* mattress
matriarka *n.* matriarch
matrica *n.* sticker
mátrix *n* matrix
mauzóleum *n.* mausoleum
maximál *v.t.* maximise
maximális *a.* maximum
máz *n.* gloss
mazsola *n.* raisin
mechanika *n.* mechanics
mechanikai *a* mechanic
mechanikai *a.* mechanical
mecset *n.* mosque
mecset-tornya *n.* minaret
meddő *a.* barren
medence *n.* basin
medve *n* bear
még *adv* even
még *adv.* yet
megad *v. t* capitulate
megad *v.t.* surrender
megadás *n* surrender
megafon *n.* megaphone
megakadályoz *v.t* foil
megakadályoz *v.t.* hinder
megakadályoz *v.t.* prevent
megakadályoz *v.t.* thwart
megalapít *v. t.* establish
megaláz *v.t.* abase
megaláz *v.t.* humiliate

megalázás *n* abasement
megalázás *n.* humiliation
megalázkodás *n.* prostration
megalázkodik *v. i.* cringe
megalit *n.* megalith
megalitikus *a.* megalithic
megáll *v.t.* halt
megáll *v.i.* stop
megállapodás *n.* agreement
megállapodás *n.* covenant
megállapodik *v.t.* stipulate
megállás *n* halt
megállás *n* stop
megállít *v. t.* halt
megállítás *n* stoppage
megalvad *v. t* clot
megátkoz *v. t* curse
megbabonáz *v. t* bedevil
megbabonáz *v.t* bewitch
megbán *v.i.* repent
megbecstelenít *v.t.* defile
megbénít *v.t.* cripple
megbénít *v. t* disable
megbénít *v.t.* paralyse
megbeszélés *v.t.* interview
megbilincsel *v.t.* shackle
megbirkózik *v. i* cope
megbírságol *v.t* fine
megbíz *v. t* delegate
megbíz *v. t* entrust
megbízás *n.* commission
megbízás *n.* mandate
megbízatási-idő *n.* innings
megbízhatatlan *a.* unreliable
megbízható *a.* reliable
megbízható *a.* sound
megbízható *n.* trusty
megbízott *n.* commissioner
megbízott *n* emissary
megbízott *n.* trustee
megbízott *a.* vicarious
megbocsát *v.t.* condone

megbocsát *v.t* forgive
megbocsát *v.t.* pardon
megbocsát *v.t.* remit
megbocsátás *n.* condonation
megbocsátható *a.* pardonable
megbocsátható *a.* venial
megbolondít *v. t.* dement
megborsoz *v.t.* pepper
megborzongat *v.t.* thrill
megbosszul *v.t.* avenge
megbosszul *v.t.* revenge
megbotoz *v. t.* cane
megbotránkoztat *v.t.* scandalise
megbüntet *v.t.* penalise
megbukik *v.i* fail
megbuktat *v.t.* overthrow
megbuktatás *n* overthrow
megcáfol *v. t* disprove
megcáfol *v.t.* refute
megcáfolhatatlan *a.* i rrefutable
megcsalt-férj *n.* cuckold
megcsapol *v.t.* tap
megcsíp *v.i.* peck
megcsíp *v.t.* sting
megcsúszik *v.i.* slip
megdicsőülés *n.* apotheosis
megdöbben *v.t.* shock
megdöbbent *a.* aghast
megdöbbent *v.t.* astonish
megdöbbent *v.t* astound
megdőlés *n.* lurch
megegyezik *v. i* compound
megegyezik *v. t* equal
megelégedés *n* contentment
megelégedett *a.* content
megélhetés livelihood
megélhetés *n.* subsistence
megelőz *v.t.* antecede
megelőz *v.t* forestall
megelőz *v.t.* overtake

megelőzés n. prevention

megelőzik v. precede

megelőző a. antecedent

megelőző a. preventive

megemészt v. t. digest

megemlékezés n. commemoration

megemlékezik v. t. commemorate

megenged v.t. vouchsafe

megengedhető a. permissible

megérdemel v. t. deserve

megérdemel v. t earn

megérdemel v.t merit

megérez v.t. anticipate

megérez v.t. sense

megérik v.i mature

megérkezik v.i. arrive

megerősít v.t. affirm

megerősít v. t confirm

megerősít v.t. fortify

megerősít v.t. reinforce

megerősít v.t. strengthen

megerősítés n affirmation

megerősítés n confirmation

megerősítés n. reinforcement

megerőszakol v.t. rape

megért v. t comprehend

megértés n grasp

megfázás n cold

megfej v.t. milk

megfejt v.t. solve

megfékez v. t curb

megfelel v.t fit

megfelel v.t. tally

megfelelés n. adequacy

megfelelés n. compliance

megfelelő a. adequate

megfelelő a. appropriate

megfelelő a fit

megfelelő a. proper

megfelelő a. suitable

megfelelően adv due

megfelelően adv duly

megfélemlít v. t daunt

megfélemlít v.t. intimidate

megfélemlít v.t. overawe

megfélemlítés n. intimidation

megfertőz v.t. contaminate

megfertőz v.t. infect

megfertőz v.t. taint

megfertőzés n. taint

megfeszít n. tense

megfiatalít v.t. rejuvenate

megfigyel v.t. observe

megfigyelés n. observation

megfilmesít v.t film

megfog v.t. grasp

megfog v.t. palm

megfog v.t. seize

megfogad v.t. vow

megfoghatatlan a. intangible

megfogható a. tangible

megfojt v.t. strangle

megfojt v.t suffocate

megfojt v.t. throttle

megfojtás n. strangulation

megfoltoz v.t. patch

megfontolás n consideration

megfontolás n deliberation

megfontolt a earnest

megfordít v.t. reverse

megfordítás n. reversal

megfordítható a. reversible

megfoszt v. t. bereave

megfoszt v. t deprive

megfürdet v.t. bath

megfullad v.i drown

megfulladás n. suffocation

meggátol v.t. inhibit

meggondol v. i deliberate

meggondolatlan a. imprudent

meggondolatlan a. injudicious

meggondolatlan a. rash

meggondolatlanság *n.*
imprudence
meggondolatlanul *adv.*
headlong
meggyilkol *v.t.* assassinate
meggyőz *v. t* convince
meggyőző *a* cogent
meggyőző *a* conclusive
meggyőződés *n* conviction
meggyőződik *v.t.* ascertain
meggyújt *v.t.* inflame
meggyújt *v.t.* kindle
meghajlás *n* bow
meghajol *v. t* bow
meghal *v. i* decease
meghal *v. i* die
megháromszoroz *v.t.,* triple
megháromszoroz *v.t.* triplicate
megháromszorozás *n.*
triplication
meghatalmaz *v.t.* authorise
meghatalmazott *n.* proxy
meghatároz *v. t* define
meghatározás *n* definition
meghatározás *n.*
determination
meghitt *a.* intimate
meghiúsít *v. t.* baffle
meghiúsít *v.t.* frustrate
meghív *v.t.* invite
meghívás *v.* invitation
meghódít *v. t.* captivate
meghódít *v. t* conquer
meghökkent *v.t.* amaze
meghökkent *v.t.* nonplus
meghosszabbít *v. t* extend
meghosszabbít *v.t.* prolong
meghosszabbítás *n.*
prolongation
meghurkol *v.t.* noose
megidéz *v. t* evoke
megígér *v.t.* pledge

megígér *v.t* promise
megihlet *v.t.* inspire
megijed *v.i.* shy
megijeszt *v.t.* frighten
megijeszt *v.t.* scare
megijeszt *v.t.* startle
mégis *conj.* still
mégis *adv.* though
mégis *conj.* yet
megismerés *n* cognisance
megismertet *v.t.* acquaint
megítél *v.t.* judge
megjavít *v.t.* improve
megjavít *v.t.* meliorate
megjegyez *v.t.* remark
megjegyzés *n* comment
megjegyzés *n.* remark
megjelenés *n* appearance
megjelenés *n.* guise
megjelenik *v.i.* appear
megjelölés *n.* tally
megjósol *v.t* foretell
megjósol *v.t.* predict
megjósol *v.t.* prophesy
megjutalmaz *v.t.* reward
megkárosít *v. t.* damage
megkedveltet *v.t* endear
megkeményít *v.t.* harden
megkeményít *v.t.* stiffen
megkeményít *v.t.* toughen
megkeresztel *v.t.* baptise
megkésett *a.* overdue
megkettőz *v. t.* double
megkettőz *v. t* duplicate
megkettőz *v.t.* redouble
megkettőzött *a* duplicate
megkíván *v.t.* covet
megkíván *v.t.* need
megkönnyebbülés *n.* relief
megkönnyít *v.t* facilitate
megkönnyít *v.t.* unburden
megkönyörül *v.i.* relent

megkorbácsol *v.t.* scourge
megkorbácsol *v.t.* whip
megkoronáz *v. t* crown
megkoronáz *v. t* enthrone
megkóstol *v.t.* taste
megkoszorúz *v.t.* garland
megkoszorúz *v.t.* wreathe
megköt *v.t.* tie
megkövetel *v.t.* require
megkövetel *v.t.* requisition
megkövez *v.t.* stone
megközelít *v.t.* approach
megközelítő *a.* approximate
megkülönböztet *v. t.* discriminate
megkülönböztet *v. i* distinguish
megkülönböztetés *n* discrimination
megkülönböztetés *n* distinction
megkülönböztethető *a* distinct
meglapul *v.i.* cower
meglát *v.t.* sight
meglát *v.t.* spot
meglazít *v.t.* loosen
megleckéztet *v.i.* sermonise
meglehetősen *adv.* fairly
meglep *v.t.* surprise
meglepetés *n.* surprise
meglepő *a.* wondrous
meglök *v.t.* jog
meglökés *n.* nudge
megmagyaráz *v. t* elucidate
megmagyaráz *v. t.* explain
megmagyarázhatatlan *a.* inexplicable
megmászik *v. i* clamber
megmenekül *v.i* escape
megment *v.t.* rescue
megment *v.t.* save
megmentő *n.* saviour
megmér *v.t.* gauge
megmér *v.t* measure

megmér *v.t.* weigh
megmérgez *v.t.* poison
mégmindig *adv.* still
megmozgat *v.t.* agitate
megnedvesít *v. t.* damp
megnedvesít *v.t.* moisten
megnyergel *v.t.* saddle
megnyilvánulás *n.* manifestation
megnyugtat *v.t.* assuage
megnyugtat *v.t.* quiet
megnyugtat *v.t.* reassure
megnyugtat *v.t.* tranquillise
megnyúz *v.t* fleece
megnyúz *v.t* skin
megöl *v.t.* kill
megold *v.t.* resolve
megoldás *n.* solution
megolvad *v.t.* fuse
megőriz *v.t.* preserve
megőriz *v.t.* retain
megőriz *v.t.* treasure
megőrjít *v.t.* madden
megörökít *v.t.* immortalise
megörökít *v.t.* perpetuate
megőröl *v.t.* pulp
megörvendeztet *v.t.* gladden
megőrzés *n.* preservation
megőrző *a.* preservative
megoszt *v.i.* partake
megoszt *v.t.* share
megparancsol *v.t* bid
megparancsol *v. t* command
megperzsel *v.t.* scorch
megperzsel *v.t.* singe
megpillant *v.t.* glimpse
megpróbál *v.t.* attempt
megpróbál *v. t.* essay
megpróbál *v.i.* try
megpróbáltatás *n.* ordeal
megpróbáltatás *n* try
megragad *v.i.* grapple

megragad *v.t.* grip	megszégyenít *v.t.* abash
megragad *v.i.* prey	megszégyenít *v. t* dishonour
megragad *v.t.* tackle	megszégyenít *v.t.* shame
megrágalmaz *v.t.* libel	megszelídít *v. t.* cow
megrakott *a.* fraught	megszelídít *v.t.* tame
megrémít *v.t.* horrify	megszelídíthetetlen *a.*
megrémít *v.t.* terrify	indomitable
megrendítő *a.* poignant	megszemélyesít *v.t.*
megrohamoz *v.i.* storm	impersonate
megrongál *v.t.* mutilate	megszemélyesítés *n.*
megront *v. t.* corrupt	impersonation
megront *v.t.* pervert	megszemélyesítés *n.*
megront *v.t.* vitiate	personification
megrovás *n.* reprimand	megszentel *v.t.* consecrate
megsebesít *v.t.* injure	megszentel *v.t.* hallow
megsebesít *v.t.* wound	megszentel *v.t.* sanctify
megsejtés *n.* prescience	megszentel *n.* sanctity
megsemmisít *v.t.* annihilate	megszentelés *n.* sanctification
megsemmisít *v. t* efface	megszentségtelenít *v.t.*
megsemmisít *v.t.* nullify	profane
megsemmisítés *n* annihilation	megszerezhető *a.* obtainable
megsemmisítés *n.* nullification	megszerzés *n.* acquirement
megsért *v.t.* affront	megszerzés *n.* attainment
megsért *v.t.* hurt	megszid *v.t.* rebuke
megsért *v.t.* insult	megszid *v.t* upbraid
megsért *v.t.* wrong	megszilárdít *v. t.* cement
megsértés *n* breach	megszilárdít *v. t.* consolidate
megsértés *n.* violation	megszilárdítás *n* consolidation
megsértődik *v.t.* resent	megszimatol *v.t.* scent
megsirat *v. t* bewail	megszokás *n.* rote
megszabadít *v.t* free	megszökik *v.i* abscond
megszabadít *v.t.* rid	megszökik *v. i* elope
megszabadulás *n* release	megszokott *a.* wont
megszáll *v.t.* obsess	megszólít *v.t.* address
megszáll *v.t.* occupy	megszólítás *n.* invocation
megszállottság *n.* obsession	megszomorít *v. t* distress
megszán *v.t.* pity	megszór *v. t* bestrew
megszázszoroz *v.t.* centuple	megszorít *v.t.* tighten
megszédít *v.t.* stun	megszorítás *n.* stipulation
megszeg *v.t.* infringe	megszüntet *v.t* abolish
megszegel *v.t.* spike	megszüntet *v. t* discontinue
megszegés *n.* infringement	megszüntetés *v* abolition

268

megszűnik v. i. cease
megtagad v. t abnegate
megtagad v.t. repudiate
megtagadás n abnegation
megtagadás n. repudiation
megtakarít v.t. save
megtámad v. assail
megtámad v.t. assault
megtámad v.t. attack
megtapint v.t finger
megtárgyal v. t. discuss
megtartás n. hold
megtartás n. observance
megtekint v.t. view
megtépáz v.t. manhandle
megterhel v. t burden
megterhel v.t. task
megterhelt a laden
megtérít v.t. refund
megtervez v.t. programme
megtestesít v. t. embody
megtestesít v.t. incarnate
megtestesít v.t. incorporate
megtestesít v.t. personify
megtestesítés n embodiment
megtestesülés n. incarnation
megtestesült a. incarnate
megtéveszt v. t bewilder
megtilt v.t forbid
megtilt v.t. prohibit
megtisztel v.t dignify
megtisztít v.t. purge
megtisztítás n clearance
megtisztulás n. purgation
megtölt v.t. throng
megtorlás n. retaliation
megtorol v.t. requite
megtorpedóz v.t. torpedo
megtréfál v.i. jest
megül v.t. solemnize
megüt v.t. hit
megújít v.t. regenerate

megújít v.t. renew
megújít v.t. renovate
megújítás n. renewal
megújítás n. renovation
megújulás n. reformation
megújulás n. rejuvenation
megvajaz v. t butter
megválaszolható a.
    answerable
megvalósít v.t. attain
megvalósít v. t effect
megvalósít v.t. materialise
megvalósít v.t. realise
megvalósítás n. realisation
megvalósíthatatlan a.
    impracticable
megvalósítható a feasible
megvalósítható a. practicable
megvalósíthatóság n.
    practicability
megvált v.t. redeem
megváltás n. redemption
megváltás n. salvation
megvásárol v.t. purchase
megvéd v.t fend
megvéd v.t. vindicate
megvesztegethetetlen a.
    incorruptible
megvesztegethető a. corrupt
megvesztegethető a. venal
megvesztegethetőség n.
    venality
megvet v.t. scorn
megvetendő a despicable
megvetés n contempt
megvetés n. scorn
megvető a contemptuous
megvilágít v. t expose
megvilágítás n. illumination
megvizsgál v. t examine
megvizsgál v.t. scrutinise
megy v.i. go

megye *n.* county
megye *n.* shire
megzaboláz *v.t.* rein
megzavar *v. t* embarrass
megzavar *v.t.* perplex
megzavar *v.t.* unsettle
méh *n.* bee
méh *n.* uterus
méh *n.* womb
méhészet *n.* apiary
méhészeti *n.* apiculture
méhkas *n.* beehive
méhsejt *n.* honeycomb
mélabús *a.* moody
melasz *n* molasses
meleg *a.* gay
meleg *a.* warm
melegít *v.t.* warm
melegség *n.* warmth
mell *n* breast
mellbimbó *n.* nipple
mellé *adv* beside
melléfog *v.i* blunder
mellékel *v. t* enclose
melléképület *n.* outhouse
mellékes *a.* subsidiary
mellékfolyó *a.* tributary
melléklet *n.* appendix
melléklet *n.* attachment
melléknév *n.* adjective
melléktermék *n* by-product
mellény *n.* vest
mellény *n.* waistcoat
mellett *prep.* beside
mellett *prep* by
mellett *prep.* past
mellkas *n* chest
mellőz *v.t.* ignore
mellső *a* front
mellsőláb *n* foreleg
melodráma *n.* melodrama
melodrámai *a.* melodramatic

méltánylás *n.* appreciation
méltányol *v.t.* appreciate
méltányosság *n* equity
méltó *a.* worthy
méltóság *n* dignity
méltóságteljes *a.* lordly
mély *a.* deep
mély *a.* profound
mélyedés *n.* hollow
mélyen *adv.* sound
melyik *a* which
mélypont *n.* nadir
mélység *n* depth
mélység *n.* profundity
memorandum *n*
  memorandum
mendemonda *n.* hearsay
menedék *n.* refuge
menedék *n.* shelter
menedékház *n* asylum
menedékhely *n.* haven
menedékhely *n.* sanctuary
menedzser *n.* manager
menekül *v.i* flee
menekülés *n* escape
menekülő *a.* fugitive
menekült *n.* refugee
ménes *n.* stud
menet *n* march
menetel *v.i* march
menetrend *n.* schedule
menny *n.* heaven
mennydörgés *n.* thunder
mennyei *a.* heavenly
mennyiség *n* amount
mennyiség *n.* quantity
mennyiségi *a.* quantitative
menstruáció *n.* menses
menstruáció *n.* menstruation
menstruációs *a.* menstrual
menta *n* mint
mentalitás *n.* mentality

menteget *v.t* excuse
mentegetőzik *v.i.* apologise
mentén *prep.* along
mentes *a* devoid
mentes *a* exempt
mentés *n* rescue
mentés *n.* salvage
mentesít *v.t.* immunise
mentőautó *n.* ambulance
mentolos *a* minty
menyasszony *n* bride
menza *n.* canteen
meredek *a.* steep
méreg *n.* poison
méreg *n.* venom
mérés *n.* measurement
merész *a* daring
merész *a.* venturous
merészel *v. i.* dare
merészség *n.* daring
méret *n.* size
merev *a.* rigid
merev *n.* stiff
merevítő *n* brace
mérföld *n.* mile
mérföldkő *n.* milestone
mérföldteljesítmén *n.* mileage
mérges *a.* poisonous
mérgező *a.* venomous
mérhetetlen *a.* immeasurable
mérhető *a.* measurable
merítés *n.* immersion
merítőkanál *n.* ladle
mérkőzés *n.* match
Mérleg *n.* Libra
mérleg *n.* scales
mérlegel *v.t.* balance
mérnök *n* engineer
merre *adv.* whereabouts
mérsékel *v.t.* moderate
mérsékelt *a.* moderate
mérsékelt *a.* temperate

mérséklet *n.* moderation
mert *conj.* because
mert *conj.* for
mértani *a.* geometrical
mérték *n.* measure
mértékletesség *n.* temperance
mértéktelen *a.* measureless
mese *n.* fable
mese *n.* tale
mesél *v.t.* narrate
mesés *a* fabulous
Messiás *n.* messiah
messze *adv.* far
messzebb *adv.* further
messzire *adv.* away
mesterember *n* craftsman
mesteri *a.* masterly
mesterkéltség *n.* mannerism
mesterlövész *n.* marksman
mesterséges *a.* artificial
mész *n.* lime
mészárlás *n.* massacre
mészárlás *n.* slaughter
mészárol *v.t.* massacre
mészáros *n* butcher
meszelés *n.* whitewash
meszez *v.t* lime
metafizika *n.* metaphysics
metafizikai *a.* metaphysical
metafora *n.* metaphor
metamorfózis *n.*
    metamorphosis
meteor *n.* meteor
meteorikus *a.* meteoric
meteorológia *n.* meteorology
meteorológus *n.*
    meteorologist
méter *n.* meter
méter *n.* metre
metrikus *a.* metric
méz *n.* honey
mézesbor *n.* mead

271

mézeshetek *n.* honeymoon
mező *n* field
mezőgazdaság *n.* agronomy
mezőgazdaság *n* agriculture
mezőgazdasági *a.* agrarian
mezőgazdasági *a* agricultural
mezőn *adv.* afield
meztelen *a.* naked
meztelen *a.* nude
meztelen-csiga *n.* slug
meztelenség *n.* nudity
mi *pron.* our
mi *interj.* what
miatt *prep* for
miben *adv.* wherein
mielőtt *conj* before
mienk *pron.* ours
miért *adv.* why
míg *prep.* until
míg *conj.* while
migráció *n.* migration
migráns *n.* migrant
migrén *n.* migraine
mikor *conj.* when
mikrobiológi *n* microbiology
mikrofilm *n.* microfilm
mikrofon *n.* microphone
mikrohullám *n.* microwave
mikrométer *n.* micrometer
mikroszkóp *n.* microscope
mikroszkopikus *a.* microscopic
milícia *n.* militia
miliő *n.* milieu
milliárd *n* billion
millió *n.* million
milliomos *n.* millionaire
mimika *n* mimicry
mimikri *n.* mimesis
minapi *a.* recent
mindamellett *conj.* nevertheless

mindazonáltal *adv.* nonetheless
mindegyik *pron* all
mindegyik *pron.* each
minden *a.* all
minden *a* each
minden *a* every
mindenható *a.* almighty
mindenható *a.* omnipotent
mindenhatóság *n.* omnipotence
mindenki *n* all
mindennap *n.* daily
mindentudás *n.* omniscience
mindentudó *a.* omniscient
mindenütt *adv.* throughout
mindenütt-jelenvaló *a.* omnipresent
mindenütt-jelenvalóság *n.* omnipresence
mindig *adv* always
mindjárt *adv.* anon
mindkét *a* both
mindketten *adv.* both
minearológus *n.* mineralogist
miniatűr *n.* miniature
minim *n.* minim
minimális *a.* minimal
minimális *a* minimum
minimum *n.* minimum
miniszter *n.* minister
miniszterelnök *n* premier
minisztérium *n.* ministry
minőség *n.* quality
mint *adv.* as
mint *prep* like
minta *n* formula
minta *n.* model
minta *n.* norm
minta *n.* pattern
minta *n.* sample
mintadarab *n.* specimen

mintakép *n.* paragon
mintapéldány *n.* prototype
mintáz *v.t.* model
mínusz *n* minus
mirha *n.* myrrh
miriád *a* myriad
mirigy *n.* gland
mirtusz *n.* myrtle
miszticizmus *n.* mysticism
misztikus *n* mystic
mitikus *a.* mythical
mitológia *n.* mythology
mitológiai *a.* mythological
mítosz *n.* myth
mivel *conj.* as
mivel *conj.* since
mivel *conj.* whereas
mocsár *n* bog
mocsár *n.* marsh
mocsár *n.* mire
mocsár *n.* slough
mocsaras *a.* marshy
mocskos *a* filthy
mocskos *a.* seamy
mocskos *a.* sordid
mocskos *a.* squalid
mód *n.* manner
mód *n.* mode
mód *n.* style
modortalan *a* unmannerly
módosít *v.t.* amend
módosít *v.t.* modify
módosítás *n* alteration
módosítás *n.* amendment
módosítás *n.* modification
módozat *n.* modality
módszer *n.* method
módszer *n.* technique
módszeres *a.* methodical
mogorva *a* cheerless
mogorva *a.* morose
mogorva *a.* sullen

mögött *prep* behind
moha *n.* moss
mohó *a.* avid
mohó *a.* greedy
mohón *adv* avidly
mohóság *adv.* avidity
mohóság *n.* greed
mókus *n.* squirrel
molekula *n.* molecule
molekuláris *a.* molecular
molnár *n.* miller
móló *n* causeway
monarchia *n.* monarchy
mond *v.t.* say
mond *v.t.* tell
mondanivaló *n.* say
mondat *n.* sentence
mondattan *n.* syntax
monódia *n.* monody
monográfia *n.* monograph
monokli *n.* monocle
monolit *n.* monolith
monológ *n.* monologue
monológ *n.* soliloquy
monopolista *n.* monopolist
monopólium *n.* monopoly
monopolizál *v.t.* monopolise
monoteista *n.* monotheist
monoton *a.* monotonous
monszun *n.* monsoon
moraj *n.* murmur
moralista *n.* moralist
moralizál *v.t.* moralise
morbiditás *n* morbidity
morcosan-néz *v.i.* scowl
morcos-nézés *n.* scowl
morfin *n.* morphia
morgás *n* growl
morog *v.i.* growl
morog *v.i.* grumble
morog *v.t.* murmur
morzsa *n* crumb

morzsa *n.* morsel
mos *v.t.* wash
mosás *n* wash
mosdó *n.* lavatory
mosható *a.* washable
mosó *n.* washer
mosoda *n.* laundry
mosogató *n* sink
mosogatórongy *n.* mop
mosoly *n.* smile
mosolyog *v.i.* smile
mosónő *n.* laundress
most *adv.* now
motel *n.* motel
motiváció *n.* motivation
motivál *v.t.* motivate
motívum *n.* motif
motor *n* engine
motor *n.* motor
motorháztető *n* bonnet
motyog *v.i.* mumble
motyog *v.i.* mutter
mozaik *n.* mosaic
mozdíthatatlan *a.* immovable
mozdony *n.* locomotive
mozdulatlan *a.* motionless
mozdulatlan *a.* still
mozdulatlanság *n.* standstill
mozgalom *n.* movement
mozgás *n.* motion
mozgás *n.* move
mozgásban *adv.* astir
mozgássérült *a* disabled
mozgat *v. i.* budge
mozgatható *a.* mobile
mozgatható *a.* movable
mozgató *n.* mover
mozgékony *a.* mercurial
mozgékonyság *n.* mobility
mozgósít *v.t.* mobilise
mozi *n.* cinema
mozog *v.t.* move

műegyetem *n.* polytechnic
műhely *n.* workshop
műhold *n.* satellite
működik *v.i* function
működik *v.t.* operate
működő *a.* operative
működőképes *a.* workable
mulandó *n.* transitory
múlás *v.i.* lapse
mulat *v.i.* revel
mulatozó *n.* reveller
mulatság *n.* fun
mulatság *n.* revel
mulatság *n.* revelry
mulatt *n.* mulatto
mullah *n.* mullah
mullszövet *n.* mull
múlt *n.* past
multiplex *a.* multiplex
múmia *n.* mummy
mumpsz *n.* mumps
munka *n.* job
munka *n.* labour
munka *n.* work
munkaadó *n* employer
munkabér *n.* wage
munkaképtelenség *n.* incapacity
munkakerülő *n.* shirker
munkaköpeny *n.* overall
munkaköpeny *n.* smock
munkás *n.* labourer
munkás *n.* worker
munkás *n.* workman
muskétás *n.* musketeer
must *n* must
mustár *n.* mustard
mustra *n* muster
műszak *n* shift
műszaki *a.* technical
műszál *n* synthetic
muszka *n.* muscovite

muszlin *n.* muslin
musztáng *n.* mustang
mutáció *n.* mutation
mutációs *a.* mutative
mutat *v. t* display
mutat *v.t.* indicate
mutat *v.t.* point
mutat *v.t.* show
mutatóujj *n* forefinger
műtét *n.* operation
művel *v. t* cultivate
művelt *a.* learned
művész *n.* artist
művészet *n.* art
művészeti *a.* artistic
művészietlen *a.* artless
művezető *n* foreman
múzeum *n.* museum
múzsa *n* muse
myopia *n.* myopia
myosis *n.* myosis

nábob *n.* nabob
nacionalista *n.* nationalist
nacionalizmus *n.* nationalism
nád *n.* cane
nádfedeles *a.* thatched
nadrág *n.* slacks
nadrág *n. pl* trousers
nádtető *n.* thatch
nagy *a* big
nagy *a.* grand
nagy *a.* large
nagy *a.* massive
nagybácsi *n.* uncle
nagyban *adv.* wholesale
nagybani *a* wholesale
nagyevő *n.* glutton

nagyhangú *a.* pretentious
nagyít *v. t* enlarge
nagyképű *a.* pompous
nagyképűsködés *n.* pomposity
nagykereskedés *n.* wholesale
nagykereskedő *n.* wholesaler
nagykövet *n.* ambassador
nagykövetség *n* embassy
nagylelkű *a.* magnanimous
nagylelkűség *n.* magnanimity
nagynéni *n.* aunt
nagyobbít *v.t.* magnify
nagyobbodás *n.* augmentation
nagyobbodik *v.t.* augment
nagyon *adv.* most
nagyon *adj.* very
nagyravágyás *n.* pretension
nagyság *n.* grandeur
nagyság *n.* magnitude
nagyszerű *a.* magnificent
nagyszerű *a.* superb
nagyvárosi *a.* metropolitan
nagyvonalúság *n.* liberality
naiv *a.* naive
naivitás *n.* naivety
nap *n* day
nap *n.* sun
nap- *a.* solar
napbarnított *a.* swarthy
napi *a* daily
napirend *n.* agenda
napkelet *n.* orient
napló *n* diary
naponta *adv.* daily
napos *a.* sunny
napozik *v.t.* sun
naprakész *a.* up-to-date
napszámos *n* coolie
naptár *n.* calendar
narancs *n.* orange
narancslekvár *n.* marmalade
narancssárga *a* orange

nárcisz *n* narcissus
narkózis *n.* narcosis
narrátor *n.* narrator
navigáció *n.* navigation
navigátor *n.* navigator
nedv *n.* sap
nedves *a.* moist
nedves *a.* wet
nedvesség *n.* moisture
nedvesség *n.* wetness
negatív *a.* negative
néger *n.* negro
négernő *n.* negress
négy *n.* four
negyed *n.* quarter
negyedel *v.t.* quarter
negyedévi *a.* quarterly
négylábú *n.* quadruped
négyoldalú *a.* quadrilateral
négyszeres *a.* quadruple
négyszerez *v.t.* quadruple
négyszög *n.* quadrangle
négyszög *n.* quadrilateral
négyszögletes *a.* rectangular
négyszögű *a.* quadrangular
negyven *n.* forty
négyzet *n.* square
négyzetes *a* square
néha *adv.* sometimes
néhány *pron.* some
nehéz *a* difficult
nehéz *a.* hefty
nehéz *a.* trying
nehézkes *a* burdensome
nehézség *n* difficulty
nehézség *n.* hardship
neheztelés *n* displeasure
neheztelés *n.* resentment
nehogy *conj.* lest
nejlon *n.* nylon
neki *pron.* her
neki *pron.* him

nektár *n.* nectar
nélkül *prep.* minus
nélkül *adv.* without
nem *n.* gender
nem *adv.* no
nem *n* no
nem *adv.* not
néma *a* dumb
néma *a.* mum
néma *a.* mute
néma-ember *n.* mute
némajátékkal-utánoz *v.i* mime
némajátékos *n* mimic
némajátékos *n.* mummer
nemes *a.* noble
nemesember *n.* noble
nemesember *n.* nobleman
nemesség *n.* nobility
némileg *adv.* something
némileg *adv.* somewhat
nemiség *n.* sexuality
nem-összehangolás *n.*
    non-alignment
nemrég *adv.* lately
nemrég *adv.* recently
nemsokára *adv.* soon
nemz *v. t* beget
nemzet *n.* nation
nemzeti *a.* national
nemzetiség *n.* nationality
nemzetközi *a.* international
Nemzetközösség *n.*
    commonwealth
neolit *a.* neolithic
neon *n.* neon
nép *n.* people
népes *a.* populous
népesség *n.* population
nepotizmus *n.* nepotism
népszámlálás *n.* census
népszavazás *n.* plebiscite
népszavazás *n.* referendum

népszerű *a.* popular
népszerűség *n.* popularity
népszerűsít *v.t.* popularise
Neptun *n.* Neptune
nettó *a* net
neutron *n.* neutron
név *n.* name
nevében *n* behalf
neveletlenkedik *v.i.*
    misbehave
neveletlenség *n.* misbehaviour
neveletlenség *n.* misconduct
nevelőnő *n.* governess
nevet *v.i* laugh
nevetés *n.* laugh
nevetés *n.* laughter
nevetséges *a.* laughable
nevetséges *a.* ridiculous
névjel *n.* monogram
névleges *a.* nominal
névmás *n.* pronoun
névrokon *n.* namesake
névtelen *a.* anonymous
névtelenség *n.* anonymity
néz *v.i* look
néző *n.* on-looker
néző *n.* spectator
nézze *interj.* look
nihilizmus *n.* nihilism
nikkel *n.* nickel
nikotin *n.* nicotine
nimfa *n.* nymph
nincs *a.* no
nitrogén *n.* nitrogen
nő *n* female
nő *n.* woman
női *a* female
nőies *a* effeminate
nőies *a* feminine
női-ing *n* chemise
női-kalapszalon *n.* millinery
női-mellény *n* bodice

női-szabadvagyon *n. pl*
    paraphernalia
nomád *n.* nomad
nomád *a.* nomadic
nómenklatúra *n.*
    nomenclature
norma *n.* norm
normális-állapot *n.* normalcy
nőstény-oroszlán *n.* lioness
nőstény-róka *n.* vixen
nősténytigris *n.* tigress
noszogat *v.t* goad
nosztalgia *n.* nostalgia
nőtlen *n.* celibate
növekedés *n.* growth
növekedés *n* increase
növekedés *n.* increment
növel *v.t.* increase
november *n.* november
növény *n.* plant
növényi *a.* vegetable
növénytan *n* botany
növényvilág *n* flora
növényzet *n.* vegetation
nővér *n.* sister
növeszt *v.t.* grow
nukleáris *a.* nuclear
nulla *n.* nil
nulla *n.* nought
nulla *n.* zero
nyafog *v.i.* whimper
nyafog *v.i.* whine
nyafogás *n* whine
nyáj *n* flock
nyájas *a.* affable
nyájas *a* bland
nyak *n.* neck
nyakatekert *a* anfractuous
nyakkendő *n* tie
nyaklánc *n.* necklace
nyaktörő *a* breakneck
nyal *v.t.* lick

nyál *n.* saliva
nyaláb *n* faggot
nyalás *n* lick
nyálka *n.* mucilage
nyálka *n.* mucus
nyálkás *a.* mucous
nyalóka *n.* lollipop
nyápic *n.* weakling
nyár *n.* summer
nyaraló *n.* villa
nyárfa *n.* poplar
nyári *a* aestival
nyárias *a.* summery
nyárközép *n.* midsummer
nyel *v.t.* swallow
nyelés *n.* swallow
nyelőcső *n* gullet
nyelv *n.* language
nyelv *n.* tongue
nyelvész *n.* linguist
nyelvészet *n.* linguistics
nyelvészeti *a.* linguistic
nyelvészeti *a.* philological
nyelvhal *n.* sole
nyelvi *a.* idiomatic
nyelvi *a.* lingual
nyelvtan *n.* grammar
nyelvtaníró *n.* grammarian
nyer *v.t.* gain
nyérc *n.* mink
nyereg *n.* saddle
nyereség *n* gain
nyereség *n.* profit
nyereséges *a.* profitable
nyerészkedés *n.* lucre
nyerészkedik *v.i.* profiteer
nyerészkedő *n.* profiteer
nyerít *v.i.* neigh
nyerítés *n.* neigh
nyers *a* crude
nyers *a.* raw
nyest *n.* marten

nyguati *a.* western
nyikorgás *n* creak
nyikorgás *n* squeak
nyikorog *v.i* creak
nyíl *n* arrow
nyílás *n.* aperture
nyílás *n.* vent
nyilatkozat *n* declaration
nyilatkozat *n.* statement
nyílgyökér *n.* arrowroot
nyílik *v.i.* open
nyílt *a* outright
nyílt *a.* overt
nyíltan *adv.* openly
nyíltan *adv.* outright
nyilvános *a.* public
nyilvántartás *n.* register
nyilvánvaló *a.* apparent
nyilvánvaló *a.* evident
nyilvánvaló *a.* manifest
nyilvánvaló *a.* obvious
nyír *v.t.* shear
nyírfa *n.* birch
nyirkos *a* damp
nyirkos *a* dank
nyirkos *a.* humid
nyirkosság *n.* humidity
nyíróolló *n. pl.* shears
nyitány *n.* overture
nyitás *n.* opening
nyitott *a.* open
nyitott-hintó *n.* barouche
nyög *v.i.* groan
nyögés *n* groan
nyögés *n.* moan
nyolc *n* eight
nyolcszög *n.* octagon
nyolcvan *n* eighty
nyolcvanéves *a.* octogenarian
nyolcvanéves *a* octogenarian
nyom *n* clue
nyom *n.* trace

278

nyom *n.* trail
nyom *n.* vestige
nyomás *n.* pressure
nyomáslengés *n.* surge
nyomatékkal-beszél *v.t.* mouth
nyomdahiba *n.* misprint
nyomon-követhető *a.*
   traceable
nyomor *n.* privation
nyomorék *n* cripple
nyomornegyed *n.* slum
nyomorult *a.* miserable
nyomorult *a.* wretched
nyomoz *v.t.* investigate
nyomozás *n.* inquest
nyomozás *n.* investigation
nyomozó *n.* detective
nyomozói *a* detective
nyomtat *v.t.* print
nyomtatás *n* print
nyomtató *n.* printer
nyomtáv *n.* gauge
nyüzsgés *n* bustle
nyugalom *n.* calm
nyugalom *n* ease
nyugalom *n.* quiet
nyugalom *n.* still
nyugalom *n.* stillness
nyugalom *n.* tranquility
nyugat *n.* occident
nyugat *n.* west
nyugati *a.* occidental
nyugati *a.* west
nyugati *a.* westerly
nyugatra *adv.* west
nyugatra *adv.* westerly
nyugdíj *n.* pension
nyugdíjas *n.* pensioner
nyugdíjazás *n.* retirement
nyugdíjba-megy *v.t.* pension
nyugodt *n.* calm
nyugodt *a.* sedate

nyugodt *a.* tranquil
nyugodtan *adv.* leisurely
nyugta *n.* receipt
nyugtalan *a.* apprehensive
nyugtalan *a.* restive
nyugtalansag *n.* apprehension
nyugtalanság *n* disquiet
nyugtalanság *n* unrest
nyugtató *a.* sedative
nyugtató *n* sedative
nyugvó *a.* static
nyújt *v.t.* afford
nyújt *v.t.* render
nyújtható *a.* tensile
nyúl *n.* rabbit
nyúlkert *n.* warren

ő *pron.* he
ő *pron.* she
oázis *n.* oasis
objektív *a.* objective
öblít *v.t.* rinse
öblítés *n* rinse
öböl *n* bay
öböl *n.* gulf
obszervatórium *n.*
   observatory
óceán *n.* ocean
óceáni *a.* oceanic
oda *adv.* thither
óda *n.* ode
odaadás *n* devotion
odaállít *v.t.* station
odahajít *v.t.* hurl
odahív *v.t.* beckon
odú *n* burrow
odú *n* den
odú *n.* lair

őgyeleg *v.t.* saunter
óhajt *v.t* desire
ok *n.* cause
ok *n.* reason
őket *pron.* them
okirat *n* charter
okirat *n.* muniment
okkult *a.* occult
oklevél *n* diploma
öklöz *v.t.* thump
okmány *n* document
ököl *n* fist
ökör *n* bullock
ökör *n.* ox
ókori *a.* ancient
ökörszem *n* bull's eye
ökörszem *n.* wren
okos *a* bright
okos *a.* clever
okos *a.* sagacious
okos *a.* shrewd
okosság *n.* sagacity
okoz *v.t* cause
okoz *v.t.* inflict
okozati *a.* causal
oktat *v. t* educate
oktat *v.t.* instruct
oktatás *n* education
oktatás *n.* instruction
oktatás *n.* tuition
oktató *n.* instructor
oktató *n.* tutor
oktáv *n.* octave
október *n.* October
öl *n* fathom
olaj *n.* oil
olajbogyó *n.* olive
olajos *a.* oily
olajoz *v.t.* lubricate
olajoz *v.t* oil
olajozás *n.* lubrication
olasz *a.* Italian

olasz *n.* Italian
olcsó *a* cheap
olcsó *a.* inexpensive
oldal *n.* page
oldal *n.* side
oldat *n.* tincture
oldhatatlan *n.* insoluble
oldhatóság *n.* solubility
oldódó *a.* soluble
oldószer *n* solvent
ölel *v. t.* embrace
ölelés *n* embrace
ölés *n.* kill
oligarchia *n.* oligarchy
Olimpia *n.* olympiad
olló *n.* scissors
ólom *n.* lead
ólomszínű *a.* leaden
olt *v.t* graft
olt *v.t.* slake
oltalmaz *v.t.* protect
oltalmaz *v.t.* shelter
oltalmazó *a.* protective
oltalom *n.* protection
oltár *n.* altar
oltás *n.* inoculation
oltás *n.* vaccination
öltés *n.* stitch
oltóág *n.* graft
oltóanyag *n.* vaccine
öltöny *n.* suit
öltözet *n* clothing
öltözik *v.t* garb
öltözködés *n* dressing
öltözőszekrény *n.* locker
öltöztet *v.t.* attire
öltöztet *v. t* clothe
öltöztet *v. t* dress
olvadás *n* thaw
olvadt *a.* molten
olvas *v.t.* read
olvasgat *v.t.* browse

olvashatatlan *a.* illegible
olvashatatlanság *n.* illegibility
olvasható *a.* legible
olvashatóan *adv.* legibly
olvasó *n.* reader
olvasott *a.* well-read
olvasottság *n.* literacy
olyan *a.* that
omega *n.* omega
ómen *n.* omen
omlett *n.* omelette
on *prep.* on
on *adv.* on
ón *n.* tin
onanizál *v.i.* masturbate
ondó *n.* semen
önelégült *a.* smug
önelemez *v.i.* introspect
önelemzés *n.* introspection
önéletrajz *n.* autobiography
önéletrajz *n.* résumé
öngyilkos *a.* suicidal
öngyilkosság *n.* suicide
öngyújtó *n.* lighter
önimádat *n.* narcissism
önként *adv.* voluntarily
önkéntelen *a* reflex
önkéntelen *a.* unaware
önkéntelenség *n.* spontaneity
önkéntelenül *adv.* unawares
önkéntes *a.* voluntary
önkéntes *n.* volunteer
önként-jelentkezik *v.t.* volunteer
önkényes *a.* arbitrary
önkényeskedő *a* autocratic
önkényuralom *n* autocracy
onnan *adv.* thence
ónoz *v.t.* tin
önsanyargató *a.* ascetic
önt *v.i.* pour
öntelt *a* complacent

önteltség *n* conceit
öntöde *n.* foundry
öntőforma *n.* mould
öntöttvas *n* cast-iron
öntöz *v.t.* irrigate
öntözés *n.* irrigation
öntudatlan *a.* insensible
öntudatos *a* conscious
öntvény *n.* cast
önzetlen *a.* selfless
önző *a.* selfish
opál *n.* opal
opció *n.* option
opera *n.* opera
ópium *n.* opium
opportunizmus *n.* opportunism
optimális *a* optimum
optimista *n.* optimist
optimizmus *n.* optimism
őr *n.* guard
őr *n.* keeper
óra *n.* clock
óra *n.* hour
óralap *n.* dial
orális *a.* oral
ordít *v. i* bellow
ordít *v.t.* howl
ordít *v.i.* roar
ordít *v.i.* yell
ordítás *n* yell
ördög *n* devil
ördög *n* fiend
öreg *a.* old
öreg *a.* veteran
orgona *n.* organ
orgyilkos *n.* thug
orgyilkosság *n* assassination
óriás *n.* giant
óriási *a.* giant
óriási *a.* immense
óriási *a.* titanic

őriz *v.i.* guard
őrizet *v* custody
őrjárat *n* patrol
őrjöngő *a.* frantic
ormány *n.* snout
őrmester *n.* sergeant
őrnagy *n* major
örök *a.* perennial
örökbefogadás *n* adoption
örökké *adv* forever
örökkévaló *a.* everlasting
örökkévalóság *n* eternity
öröklés *n.* inheritance
öröklés *n.* succession
örökletes *a* hereditary
öröklődő *a.* heritable
örököl *v.t.* inherit
örökös *a* eternal
örökös *n.* heir
örökös *a.* perpetual
örökség *n.* heredity
örökség *n.* legacy
örökségül-hagy *v. t.* bequeath
örökzöld *a* evergreen
öröm *n.* joy
öröm *n.* jubilation
öröm *n.* pleasure
örömének *n* carol
Oroszlán *n.* Leo
oroszlán *n* lion
oroszlán- *a* leonine
orr *a.* nasal
orr *n* nasal
orr *n.* nose
orrlyuk *n.* nostril
orrszarvú *n.* rhinoceros
orsó *n.* spindle
ország *n.* country
országgyűlés *n.* parliament
országgyűlési *a.* parliamentary

országgyűlési-képviselő *n.* parliamentarian
országút *n.* highway
őrszem *n.* sentinel
őrszem *n.* sentry
ortodox *a.* orthodox
ortodoxia *n.* orthodoxy
őrület *n.* frenzy
őrület *n.* insanity
őrült *a* crazy
őrült *a* demented
őrült *a.* insane
őrült *a.* mad
őrültség *n.* lunacy
őrültség *n* madness
örvendez *v.i.* rejoice
örvendő *a.* glad
örvény *n.* whirlpool
orvos *n* doctor
orvos *n.* medico
orvos *n.* physician
orvos *n.* practitioner
orvosol *v.t.* physic
orvosol *v.t* remedy
orvosság *n.* remedy
orvostudomány *n.* medicine
orvostudomány *n.* physic
ősi *a.* ancestral
ősi *a.* primeval
őskori *a.* prehistoric
őslakó *a* aboriginal
őslakók *n. pl* aborigines
összead *v.t.* sum
összead *v.t.* total
összeadás *n* plus
összeállít *v. t* compile
összeállít *v. t* compose
összeállít *v.t.* frame
összeállítás *n* composition
összebeszél *v.t.* plot
összecsap *v. t.* clash
összecsavar *v.t.* convolve

összecsődül *v.i* flock
összeesküszik *v. i.* conspire
összeesküvés *n.* conspiracy
összeesküvő *n.* conspirator
összefoglal *v.t.* summarise
összefoglalás *n* abstract
összefoglalás *n.* summary
összefoglaló *a* summary
összefolyás *n.* conformity
összefolyó *adj.* confluent
összefüggéstelen *a.* incoherent
összefüggő *a* coherent
összefűzött *a* bound
összeg *n.* sum
összegubancol *v.t.* tangle
összegyűlik *v. i.* cluster
összehajt *v.t* fold
összehalmozódik *v.i* mass
összehangol *v.t.* accord
összehangolás *n* co-ordination
összehasonlít *v. t* compare
összehasonlít *v.t.* liken
összehasonlítás *n* comparison
összehív *v. t* convene
összehív *v.t.* convoke
összehívás *n.* convocation
összehívó *n* convener
összehord *v.t.* lump
összehúz *v. i.* contract
összehúzódás *n.* shrinkage
összehúzódik *v. t.* compress
összeilleszt *v.t.* sandwich
összeillik *v.i.* match
összejátszás *n* collusion
összejátszik *v. i.* connive
összekapcsol *v.t.* conjugate
összekapcsolás *n.* conjuncture
összekapcsolt *adj.* conjunct
összekever *v. t* blend
összekever *v. t* confuse
összekever *v.t.* puzzle
összeköt *v. t.* connect

összekötöz *v.t.* rope
összekuszál *v.i.* tumble
összelapátol *v.t.* ladle
összemegy *v.i* shrink
összenövés *n.* concrescence
összeolvadás *n.* fusion
összeomlás *n* breakdown
összeomlás *n.* wreckage
összeomlik *v. i* collapse
összeprésel *v.t.* squash
összerezzen *v.i.* wince
összes *a.* total
összesen *adv* all
összesereglik *v.t.* rout
összeszed *v. t* collect
összeszerelni *v.t.* assemble
összeszíjaz *v.t.* strap
összetákol *v. t* botch
összetett *a* compound
összetevő *a* component
összetör *v.t.* shatter
összetör *v.t.* smash
összetörés *n* smash
összetűz *v.t.* pin
összetűzés *n.* wrangle
összeütközés *n.* clash
összeütközés *n* collision
összeütközik *v. i.* collide
összeütközik *v. i* crash
összevarr *v.t.* stitch
összevegyül *v.t.* intermingle
összevissza *a.* indiscriminate
összevisszaság *n.* hotchpotch
összezagyvál *v.t.* jumble
összezavar *v.t.* muddle
összezúz *v.t.* contuse
összezúz *v.t* mash
összhang *n.* harmony
összhang *n.* unison
összpontosít *v. t* concentrate
összpontosít *v.t* focus

összpontosítás *n.* concentration
ostoba *a* asinine
ostoba *a.* witless
ostobaság *n.* stupidity
ostor *n.* whip
ostorvég *n.* whipcord
ostrom *n.* siege
ostromol *v. t* besiege
ösvény *n.* path
ősz *n.* autumn
őszi *a.* autumnal
őszibarack *n.* peach
őszinte *a.* candid
őszinte *a.* frank
őszinte *a.* honest
őszinte *a.* outspoken
őszinte *a.* sincere
őszinte *a.* straightforward
őszintén *adv* downright
őszinteség *n.* candour
őszinteség *n.* sincerity
őszintétlen *a.* insincere
oszlop *n* column
oszlop *n.* mainstay
oszlop *n.* pillar
oszlopfőlap *n* abacus
osztag *n.* squad
osztály *n* class
osztály *n* department
osztály *n* division
osztályoz *v. t* classify
osztályoz *v.t* grade
osztályoz *v.t.* label
osztályozás *n* classification
oszthatatlan *a.* indivisible
ösztöke *n.* goad
ösztökél *v.t* urge
ösztön *n.* instinct
ösztöndíj *n.* scholarship
ösztönös *a.* instinctive
ösztönöz *v.t.* incite

ösztönzés *n.* impulse
ösztönzés *n.* incentive
ösztönzés *n* urge
ösztönző *a.* impulsive
osztriga *n.* oyster
öszvér *n.* mule
öt *n* five
óta *prep.* since
ötlet *n.* idea
ötletes *a.* imaginative
ötszög *n.* pentagon
ott *adv.* there
otthon *n.* home
ottomán *n.* Ottoman
ótvar *n.* ringworm
ötven *n.* fifty
ötvöz *v.t.* amalgamate
ötvözet *n.* alloy
öv *n* belt
ováció *n.* ovation
óvadék *n.* bail
óvakodik *v.i.* beware
ovál *n* oval
ovális *a.* oval
óvatos *a* careful
óvatos *a.* cautious
óvatos *a* conservative
óvatos *a.* prudent
óvatos *a.* wary
óvatosság *n.* caution
óvatosság *n.* prudence
övé *a* her
övé *pron.* his
övék *pron.* theirs
övez *v.t.* begird
övez *v. t.* encircle
övez *v.t.* gird
övez *v.t* girdle
övezetes *a.* zonal
óvoda *n.* kindergarten ;
óvoda *n.* nursery
övrész *n.* waistband

övzsinór *n.* girdle
oxigén *n.* oxygen
őz *n.* roe
özön *n.* torrent
őzsdeügynök *n.* jobber
őzsuta *n* doe
özveggyé-tesz *v.t.* widow
özvegy *n.* widower
özvegyasszony *n.* widow

P

pác *n.* pickle
pácol *v.t* pickle
pacsirta *n.* lark
pad *n* bench
padlásszoba *n.* loft
padlóz *v.t* floor
pagoda *n.* pagoda
pajkos *a.* romping
pajkoskodik *v.i.* romp
pajtás *n* chum
pajzs *n.* shield
pala *n.* slate
palackozó *n* bottler
palánk *n.* pale
palánk *n.* plank
palatális *a.* palatal
pálca *n* baton
pálca *n.* wand
paletta *n.* palette
pálinka *n* brandy
pálma *n.* palm
palota *n.* palace
pálya *n.* court
pályafutás *n.* career
pályázó *n.* applicant
pályázó *n.* aspirant
pamut *n.* cotton
panasz *n* complaint

panasz *n.* grievance
panaszkodik *v. i* complain
páncél *n.* armour
páncél *n* mail
páncélkesztyű *n.* gauntlet
páncélszekrény *n.* safe
pang *v.i.* stagnate
pangás *n.* slump
pangás *n.* stagnation
pangó *a.* stagnant
pánik *n.* panic
pantaleone *n.* pantaloon
panteista *n.* pantheist
panteizmus *n.* pantheism
pantomim *n.* mime
pantomim *n.* pantomime
pányva *n.* tether
pap *n.* priest
pápa *n.* pope
papagáj *n.* parrot
pápai *a.* papal
pápaság *n.* papacy
papír *n.* paper
papírkereskedő *n.* stationer
papírsárkány *n.* kite
papi-uralom *n.* theocracy
paplan *n.* quilt
papnő *n.* priestess
paprika *n* capsicum
papság *n* clergy
papság *n.* priesthood
papucs *n.* slipper
papucs-férj *a.* henpecked
par *n.* par
pár *n* couple
pár *n.* pair
pára *n* damp
pára *n.* vapour
parádé *n.* pageant
parádé *n.* parade
parádézik *v.t.* parade
parádézik *v.i.* strut

285

paradicsom *n.* paradise	párna *n* cushion
paradicsom *n.* tomato	párna *n.* pad
paradox *a.* paradoxical	párna *n* pillow
paradoxon *n.* paradox	párnázás *n.* padding
parafa- *a* cork	paródia *n.* parody
parafrázis *n.* paraphrase	parodizál *v.t.* parody
paragrafus *n.* paragraph	paróka *n.* wig
paralelogramma *n.* parallelogram	párol *v.i.* simmer
parancs *n* command	párol *v.t.* stew
parancs *n.* injunction	párolog *v. i* evaporate
parancsnok *n* commandant	párolog *v.t.* vapourise
parancsnok *n* commander	páros *a* even
parancsnokság *n.* captaincy	párosít *v. t* couple
párás *a.* vapourous	párosít *v.t.* pair
paraszt *n* boor	párosodik *v.i.* copulate
paraszt *n.* peasant	pároztat *v.t.* mate
paraszt *n* rustic	part *n.* bank
parasztos *n* churlish	part *n* strand
parasztosság *n.* rusticity	pártatlan *a.* impartial
parasztság *n.* peasantry	pártatlanság *n.* impartiality
páratlan *a.* matchless	partedli *n* bib
páratlan *a.* nonpareil	pártfogás *n.* advocacy
páratlan *n.* nonpareil	pártfogás *n.* patronage
páratlan *a.* odd	pártfogol *v.t* favour
páratlan *a.* peerless	pártfogol *v.t.* patronise
páratlan *a.* unique	partizán *n.* partisan
parazita *n.* parasite	partizán *a.* partisan
parázslik *v.i.* smoulder	partner *n.* counterpart
párbaj *n* duel	pártol *v.t.* advocate
párbajozik *v. i* duel	pártoló *n.* patron
párbeszéd *n* dialogue	parton *adv.* ashore
párduc *n.* panther	partra-vet *v.t.* strand
parfüm *n.* perfume	passzív *a.* passive
parfümöz *v.t.* perfume	paszta *n.* paste
párhuzamos *a.* parallel	pasztell *a* pastel
párhuzamosan-helyez *v.t.* parallel	pasztellkréta *n.* pastel
párhuzamosság *n.* parallelism	pásztor *n.* shepherd
paripa *n.* steed	pata *n.* hoof
parittya *n.* sling	patak *n.* beck
parkol *v.t.* park	patak *n.* brook
	patak *n.* creek
	patak *n.* rivulet

pátosz n. pathos
pattanás n acne
pattanás n. pimple
páva n. peacock
pávatyúk n. peahen
pávián n. baboon
pavilon n. pavilion
pazar a. sumptuous
pazarlás n. prodigality
pazarlás n. waste
pazarló a. wasteful
pazarol v.t. waste
pázsit n. lawn
pázsit n. turf
pázsitoz v.t. turf
peches a. luckless
pecsenye n roast
pecsét n. seal
pecsétel v.t. seal
pedagógia n. pedagogy
pedagógus n. pedagogue
pedál n. pedal
pedáloz v.t. pedal
pék n. baker
pékség n bakery
példa n example
példa n. instance
példabeszéd n. adage
példázat n. parable
penész n blight
penész n. mildew
penész n
penész n. must
penészes a. mouldy
penge n. blade
penny n. penny
péntek n. Friday
pénz n. money
pénzadomány n bounty
pénzbírság n fine
pénzhamisító n. counterfeiter
pénztárca n. purse

pénztárca n. wallet
pénztárfiók n till
pénztáros n. cashier
pénztelen a broke
pénztelen a. penniless
pénzügy n finance
pénzügyi a financial
pénzügyi a. monetary
pénzverde n. mint
pénzverés n coinage
pép n. mash
pép n. pulp
pépes a. pulpy
perc n. minute
percenként adv. minutely
perel v.t. litigate
perel v.t. prosecute
pereskedés n. litigation
pereskedő n. litigant
periféria n. periphery
perjel n prior
permet n. spray
permetez v.t. spray
permutáció n. permutation
perverz a. perverse
perverzitás n. perversity
perzselő a. torrid
pesszimista n. pessimist
pesszimisztikus a. pessimistic
pesszimizmus n. pessimism
pestis n. pest
pestis a. plague
petefészek n. ovary
petty n. speck
petyhüdt a flabby
pézsma n. musk
pia n booze
piac n market
piacképes a. marketable
piál v. i booze
pihenés n. repose
pihenés n rest

pihentet *v.i.* repose
pihentet *v.i.* rest
pikáns *a.* piquant
pikás *n.* lancer
piknik *n.* picnic
pillanat *n.* instant
pillanat *n.* moment
pillanatnyi *a.* instantaneous
pillanatnyi *a.* momentary
pillangó *n* butterfly
pillant *v.i.* glance
pillantás *n.* glance
pillantás *n.* glimpse
pilóta *n.* aviator
pilóta *n.* pilot
pilótafülke *n.* cock-pit
pince *n* cellar
pincér *n.* waiter
pincérnő *n.* waitress
pióca *n.* leech
piperkőc *n* dandy
pír *n* blush
piramis *n.* pyramid
pirít *v.t.* toast
pirítós *n.* toast
pironkodva *adv* ablush
piros *a.* red
piros-szín *n.* red
pislog *v. i* blink
pisze *a.* snub
piszkos-nő *n.* slattern
pisztoly *n.* pistol
piton *n.* python
pitypang *n.* dandelion
plakát *n.* placard
plakát *n.* poster
plátói *a.* platonic
plébánia *n.* parish
plébános *n.* incumbent
plébános *n.* vicar
pletyka *n.* gossip
pletykázik *v.i.* gossip

pluralitás *n.* plurality
plusz *a.* plus
pocsolya *n.* puddle
pöfékel *v.i.* puff
pöfékelés *n.* puff
pofonüt *v. t* cuff
poggyász *n.* baggage
poggyász *n.* luggage
poggyásztartó *n.* rack
pohár *n* beaker
pohár *n.* glass
pók *n.* spider
pókháló *n* cobweb
pokol *a.* hell
pokoli *a.* infernal
pokróc *n* blanket
polc *n.* shelf
polgár *n* citizen
polgár *n* civilian
polgári *a* civic
polgári *a* civilian
polgármester *n.* mayor
polgárság *n* citizenship
poligámia *n.* polygamy
politechnikai *a.* polytechnic
politika *n.* policy
politika *n.* politics
politikai *a.* political
politikus *a.* politic
politikus *n.* politician
politikus *n.* statesman
póló *n.* polo
pólus *n.* pole
pompa *n.* pageantry
pompa *n.* pomp
pompa *n.* stateliness
pompás *a.* gorgeous
pompás *a.* splendid
póniló *n.* pony
pont *n* dot
pont *n.* jot
pont *n.* point

pontatlan *a.* inaccurate
pontatlan *a.* inexact
pontatlanul *a.* slipshod
pontos *a.* accurate
pontos *a* exact
pontos *n.* precise
pontos *a.* punctual
pontosítás *n* clarification
pontosság *n.* accuracy
pontosság *n.* precision
pontosság *n.* punctuality
pontot-tesz *v. t* dot
pontozó *n.* scorer
pontszám *n.* score
por *n* dust
por *n.* powder
porcelán *n.* china
porcelán *n.* porcelain
póréhagyma *n.* leek
pörkölés *n* singe
pörkölt *n.* stew
poroló *n* duster
porszemecske *n.* mote
pórus *n.* pore
posta *n.* mail
posta *n.* post
posta *n.* post-office
postai *a.* postal
postaköltség *n.* postage
postamester *n.* postmaster
postára-ad *v.t.* post
postás *n.* postman
poszáta *n.* warbler
posztumusz *a.* posthumous
pótadó *n.* surtax
pótdíj *n.* surcharge
potenciális *a.* potential
pótlás *n.* replacement
pótol *v.t.* replace
pótolhatatlan *a.* irrecoverable
pótválasztás *n* by-election
potyázik *v. i* cadge

pozitív *a.* positive
pragmatikus *a.* pragmatic
pragmatizmus *n.* pragmatism
precedens *n.* precedent
préda *n.* prey
prédikál *v.i.* preach
prédikátor *n.* preacher
prefektus *n.* prefect
prémium *n* bonus
prémium *n.* premium
prepozíció *n.* preposition
presbiter *n* elder
présel *v.t.* squeeze
presztízs *n* cachet
presztízs *n.* prestige
primitív *a.* primitive
próba *n.* rehearsal
próba *n* test
próba *n.* trial
próbaéves *n.* probationer
próbaidő *n.* probation
próbál *v.t.* rehearse
próbálkozás *n.* attempt
probléma *n.* problem
profán *a.* profane
próféta *n.* prophet
prófétikus *a.* prophetic
profil *n.* profile
program *n.* programme
proktor *n.* proctor
proliferációs *n.* proliferation
propaganda *n.* propaganda
propagandista *n.*
   propagandist
prospektus *n* brochure
prostituált *n.* prostitute
prostitúció *n.* prostitution
providencia *n.* providence
provokáció *n.* provocation
provokál *v.t.* provoke
provokatív *a.* provocative
próza *n.* prose

prózai *a.* prosaic
prűd *n.* prude
prudenciális *a.* prudential
pszichiáter *n.* psychiatrist
pszichiátria *n.* psychiatry
pszichológia *n.* psychology
pszichológiai *a.* psychological
pszichológus *n.* psychologist
pszichopata *n.* psychopath
pszichoterápia *n.*
   psychotherapy
pszichózis *n.* psychosis
púderdoboz *n.* compact
puding *n.* pudding
püspök *n* bishop
püspöksüveg *n.* mitre
puffan *v.i.* thud
puffanás *n.* thud
puha *n.* soft
puhít *v.t.* soften
puhítószer *n* emolument
pukkan *v.i.* pop
pukkanás *n* pop
pulóver *n.* jersey
pulóver *n.* pullover
pulóver *n.* sweater
pult *n.* counter
pulyka *n.* turkey
pulzus *n.* pulse
punch *n.* punch
puplin *n.* poplin
purgatórium *n.* purgatory
purista *n.* purist
puritán *n.* puritan
puska *n.* gun
puska *n.* musket
puska *n* rifle
puszta *a.* mere
puszta *a.* waste
pusztaság *n.* wilderness
pusztít *v.t.* ravage
pusztítás *n* destruction

pusztítás *n.* ravage
pusztulás *n.* wrack

R

ráadásul *adv.* moreover
ráadásul *adv.* withal
rábeszél *v.t.* persuade
rábeszélés *n.* persuasion
rábír *v.t.* induce
rábíz *v.t.* allot
rábíz *v. t* commend
rábíz *v. i* confide
rábíz *v.t.* consign
rábizonyít *v. t.* convict
rabja *n.* addict
rablás *n.* robbery
rabló *n.* robber
rabol *v.t.* rob
rabszolga *n.* serf
rabszolga *n.* slave
rabszolgaság *n.* slavery
rabszolgaság *n.* thralldom
rachitis *n.* rickets
racionalizál *v.t.* rationalise
rács *n.* lattice
rács *n.* railing
rácsajtó *n.* wicket
rádió *n.* radio
rádió *n* wireless
rádium *n.* radium
rádiusz *n.* radius
rág *v. t* chew
rág *v.t.* masticate
ragad *v.i.* adhere
ragadós *a.* adhesive
ragadós *n.* sticky
rágalmaz *v.* asperse
rágalmaz *v.t.* backbite
rágalmaz *v. t.* calumniate

rágalmaz *v. t.* defame
rágalmaz *v.t.* slander
rágalmazás *n* defamation
rágalmazás *n.* libel
rágalmazó *a.* slanderous
rágalom *n.* slander
ragaszkodás *n.* insistence
ragaszkodik *v. i.* cling
ragaszkodik *v.t.* insist
ragaszkodó *a.* insistent
ragaszt *v.t.* glue
ragaszt *v.t.* paste
ragaszt *v.t.* stick
ragasztó *n.* glue
ragasztóanyag *n.* adhesive
rágcsál *v.t.* munch
rágcsál *v.t.* nibble
rágcsálás *n* nibble
rágcsáló *n.* rodent
ragyog *v.i.* shine
ragyogás *n* brilliance
ragyogás *n.* glamour
ragyogás *n.* radiance
ragyogás *n* shine
ragyogás *n.* splendour
ragyogó *a* brilliant
ragyogó *a.* lucent
ragyogó *a.* radiant
ráhelyez *v.i.* perch
ráilleszthető *a.* applicable
raj *n.* swarm
rajkó *n.* bantling
rajong *v.t.* infatuate
rajongás *n.* infatuation
rajongó *a* fanatic
rajongó *n* fanatic
rajtaüt *v.t.* raid
rajzfilm *n.* cartoon
rajzik *v.i.* swarm
rajzol *v.t* draw
rajzolás *n* drawing
rajzolt *a.* graphic

rak *v.t.* poise
rák *n.* cancer
rák *n* crab
rakás *n.* heap
rakéta *n.* missile
rakéta *n.* rocket
rakomány *n.* cargo
rakpart *n* embankment
rakpart *n.* wharf
rakpartilleték *n.* wharfage
raktár *n* depot
raktár *n.* repository
raktár *v.t* warehouse
ránc *n* crease
ránc *n.* wrinkle
ráncol *v.i* frown
ráncol *v.t.* wrinkle
ráncolás *n.* frown
randevú *n* date
randevú *n.* rendezvous
randevúzik *v. t* date
rándulás *n.* sprain
rándulás *n* wrick
rang *n.* rank
rangidősség *n.* seniority
rangsor *n.* hierarchy
rántás *n.* hitch
rányítható *a* amenable
rasszista *n* racist
rasszizmus *n* racism
rászed *v.t* hoax
rászed *v.t.* outwit
rászed *v.t.* swindle
rátesz *v.t.* impose
ravasz *a* crafty
ravasz *a* cunning
ravasz *a.* sly
ravasz *n.* trigger
ravaszság *n* cunning
ravaszság *n.* guile
ravatal *n* bier
ráz *v.i.* shake

rázás *n* shake
rázkódó *a.* jerky
razzia *n.* raid
reagál *v.i.* react
reakció *n.* reaction
reakciós *a.* reactionary
realista *n.* realist
realizmus *n.* realism
recept *n.* prescription
recept *n.* recipe
recesszió *n.* recession
redőny *n.* shutter
reflektor *n.* reflector
reflex *n.* reflex
reform *n.* reform
reform- *a* reformatory
reformál *v.t.* reform
reformátor *n.* reformer
refrén *n* refrain
regény *n* novel
regényíró *n.* novelist
régészeti *a.* antiquarian
reggel *n.* morning
reggeli *n* breakfast
régi *a.* old
régies *a.* archaic
régió *n.* region
regionális *a.* regional
régiséggyűjtő *n.* antiquary
régiségkereskedő *n*
  antiquarian
rehabilitáció *n.* rehabilitation
rehabilitál *v.t.* rehabilitate
rejlő *a.* inherent
rejtekhely *n* cache
rejtély *n.* mystery
rejtélyes *a.* uncanny
rejtjel *n.* cipher
rejtvény *n.* puzzle
rejtvény *n.* riddle
rekedt *a.* hoarse
rekedt *a.* husky

rekedt *a.* throaty
rekeszizom *n.* midriff
reklám *v.* advert
reklámoz *v.t.* publicise
rekviem *n.* requiem
relé *n.* relay
remeg *v.i.* quake
remegés *n* quake
remegés *n.* tremor
remekmű *n.* masterpiece
remél *v.t.* hope
remény *n* hope
reménykedő *a.* hopeful
reménytelen *a.* hopeless
remete *n.* hermit
remete *n.* recluse
remetelak *n.* hermitage
rémhír *n.* rumour
remisszió *n.* remission
rémület *n.* fright
rémület *n.* terror
rend *n.* order
rendbehoz *v.t.* array
rendel *v.t* order
rendelet *n* decree
rendelkezés *n.* provision
rendelkezik *v. t* dispose
rendellenes *a* abnormal
rendellenes *a* anomalous
rendellenesség *n* anomaly
rendes *a.* neat
rendes *a.* normal
rendes *a.* orderly
rendes *a.* tidy
rendes *a.* trim
rendesség *n.* tidiness
rendetlenség *n.* mess
rendíthetetlen *a.* stalwart
rendkívüli *a* extra
rendkívüli *a.* extraordinary
rendőr *n* constable
rendőr *n.* policeman

rendőrbíró *n.* magistrate
rendőrség *n.* police
rendreutasít *v.t.* reprimand
rendreutasítás *n.* rebuke
rendszer *n.* scheme
rendszer *n.* system
rendszerbe-foglal *v.t.* systematise
rendszerint *adv.* usually
rendszertelen *a.* haphazard
rendszertelenül *adv.* haphazardly
reneszánsz *n.* renaissance
reped *v. i* crack
repedés *n* cleft
repedés *n* crack
repedés *n* fissure
reprodukció *n* reproduction
republikánus *n* republican
repül *v.i* fly
repülés *n.* aviation
repülés *n* flight
repüléstan *n.pl.* aeronautics
repülőgép *n.* aeroplane
repülőgép *n.* aircraft
repülőgép *n.* plane
repülőszázad *n.* squadron
repülőtér *n* aerodrome
rés *n* gap
rés *n.* rift
rés *n.* slit
restaurálás *n.* restoration
rész *n.* part
rész *n.* section
részarányos *a.* symmetrical
részarányosság *n.* symmetry
részecske *a.* particle
reszel *v.t* file
reszelő *n* file
reszket *v.i.* quiver
reszket *v.i.* shiver
reszket *v.i.* shudder

reszket *v.i.* tremble
reszketés *n.* quiver
reszkető *a.* shaky
részleges *a.* partial
részlet *n* detail
részletez *v. t* detail
részletez *v.t.* itemise
részletez *v.t.* specify
részletezés *n.* specification
részletfizetés *n.* instalment
részrehajlás *n.* partiality
résztvesz *v.t.* attend
részt-vesz *v.i.* participate
résztvevő *n.* participant
részvény *n.* share
részvény *n.* stock
részvét *n* condolence
részvétel *n.* attendance
részvétel *v. i.* condole
részvétel *n.* participation
rét *n.* lea
rét *n.* meadow
retardáció *n.* retardation
réteg *n.* layer
réteg *n.* stratum
retek *n.* radish
retesz *n* bolt
reteszel *v. t* bolt
retina *n.* retina
retorika *n.* rhetoric
retorikai *a.* rhetorical
retteg *v.t* dread
rettegés *n* dread
rettenetes *a.* ghastly
rettenetes *a.* terrible
rettenthetetlen *a* dauntless
rettenthetetlen *a.* intrepid
retusál *v.t.* retouch
reuma *n.* rheumatism
reumás *a.* rheumatic
revolver *n.* revolver
révület *n.* trance

réz *n* copper
rezeg *v.i.* oscillate
rezeg *v.i.* vibrate
rezgés *n.* oscillation
rezgés *n.* vibration
rezsim *n.* regime
riadó *n* alarm
riaszt *v.t* alarm
ribizli *n.* currant
ricinusolaj *n.* castor oil
rikít *v.i* glare
riksa *n.* rickshaw
rím *n.* rhyme
rímel *v.i.* rhyme
ringat *v.t.* rock
ripacs *n* buffoon
ritka *a.* rare
ritka *a.* scarce
ritkán *adv.* seldom
ritmikus *a.* rhythmic
ritmus *b.* rhythm
rítus *n.* rite
rivaldafény *n.* limelight
rizs *n.* rice
rizsma *n.* ream
robbanás *n* blast
robbanás *n.* explosion
robbanó *a* explosive
robbanószer *n.* explosive
robbant *v.i* blast
robogó *n.* scooter
robot *n.* robot
robotolás *n* moil
röfög *v.i.* grunt
röfögés *n.* grunt
rőfös *n.* haberdasher
rög *n.* clot
rögtön *adv.* instantly
rögtön *adv.* suddenly
rögzít *v.t* fasten
rögzít *v.t* fix
rögzít *v.t.* -stabilise

rögzítés *n.* stabilisation
rohad *v.i* decay
rohad *v.i.* rot
roham *n* fit
roham *n.* onrush
rohan *v.t.* rush
rohanás *n.* rush
rojt *n.* fringe
róka *n.* fox
rokon *n* cognate
rokon *n.* kin
rokon *n.* relative
rokonság *n.* kinship
rokonszenv *n.* sympathy
rokonszenvező *a.* sympathetic
rom *n.* ruin
románc *n.* romance
romantikus *a.* romantic
romboló *n.* wrecker
römi *n.* rummy
romlandó *a.* perishable
roncs *n.* wreck
rongy *n.* rag
rongy *n.* tatter
rongyos *a.* tatty
röntgen *n.* x-ray
röntgen- *a.* x-ray
röntgenez *v.t.* x-ray
röpirat *n.* pamphlet
röpiratíró *n.* pamphleteer
röpítő *a* projectile
röplabda *n.* volleyball
röplap *n.* handbill
ropog *v.t.* crackle
ropogós *a* crisp
röptézik *v.t.* volley
rossz *a.* bad
rossz *a.* maleficent
rosszabbodik *v.t.* worsen
rosszakarat *n.* malice
rosszakaratú *a.* malignant
rosszindulat *n.* malignancy

rosszindulat *n.* malignity	**rózsaszín** *n.* pink
rosszindulat *n.* spite	**rózsaszínes** *a.* pinkish
rosszindulatú *a.* malicious	**rózsaszínű** *a* pink
rosszindulatú *a* malign	**rózsaszínű** *a.* roseate
rossz-irányítás *n.*	**rozsda** *n.* rust
mismanagement	**rozsdás** *a.* rusty
rosszkedvű *a.* temperamental	**rozsdásodik** *v.i* rust
rossz-közigazgatás *n.* misrule	**rubel** *n.* rouble
rosszul *adv.* amiss	**rubeóla** *n* measles
rosszul *adv.* badly	**rubin** *n.* ruby
rosszul *adv.* ill	**rúd** *n.* rod
rosszul-címez *v.t.* misdirect	**rügy** *n* bud
rosszul-kezel *v.t.* mistreat	**rügy** *n* sprout
rost *n* fibre	**rügyezik** *v.i.* sprout
rostál *v.t.* sift	**rüh** *n.* scabies
rostély *n.* grate	**rúg** *v.t.* kick
rothadás *n.* rot	**rugalmas** *a* flexible
rovar *n.* insect	**ruganyos** *a* elastic
rovarirtó *n.* insecticide	**rúgás** *n.* kick
rovarirtószer *n.* pesticide	**ruha** *n* dress
rovartan *n.* entomology	**ruha** *n.* frock
rövid *a.* brief	**ruha** *n.* garb
rövid *a.* short	**ruha** *n.* garment
rövidáru *n.* haberdashery	**ruhamoly** *n.* moth
röviden *adv.* short	**ruházat** *n.* clothes
röviden *adv.* summarily	**rum** *n.* rum
rövid-ideig *adv.* awhile	**rúpia** *n.* rupee
rövidít *v.t.* abbreviate	**rutin** *n.* routine
rövidít *v.t* abridge	**rutin** *a* routine
rövidít *v. t* curtail	
rövidít *v.t.* shorten	
rövidítés *n* abbreviation	
rövidlátó *a.* myopic	**S**
rövidnadrág *n. pl.* shorts	
rövid-összefoglalás *n.* precis	
rövidtávfutás *n* sprint	**sablonos** *a.* stereotypical
rozmár *n.* walrus	**sáfrány** *n.* saffron
rozoga *a.* rickety	**sáfrányos** *a* saffron
rozs *n.* rye	**saját** *a.* own
rózsa *n.* rose	**sajátosság** *n.* peculiarity
rózsafüzér *n.* rosary	**sajnál** *v.t.* begrudge
rózsás *a.* rosy	**sajnál** *v.t.* grudge
	sajnál *v.i.* regret

sajnál v.t. rue
sajnál v.t. spare
sajnálat n regret
sajnálkozik v. t commiserate
sajt n. cheese
sajtó n press
sajtóhibát-vét v.t. misprint
sajtos a. cheesy
sakál n. jackal
sakk n. chess
sakk-matt n checkmate
sál n. scarf
saláta n. salad
sampon n. shampoo
sánc n. rampart
sánta a. lame
sanyargat v.t. mortify
sápadt a pale
sápadt a. wan
sapka n bonnet
sapka n. cap
sár n. mud
sárga a. yellow
sárgabarack n. apricot
sárganárcisz n. daffodil
sárgarépa n. carrot
sárgaréz n. brass
sárgás a. yellowish
sárgaság n. jaundice
sárgít v.t. yellow
sarjadás n. offshoot
sark n. polar
sarkall v.t. prompt
sarkantyú n. spur
sarkantyúz v.t. spur
sárkány n dragon
sarkítatlan a astatic
sarló n. sickle
sarok n corner
sarok n. heel
sarok n. nook
sas n eagle

sás n rush
sáska n. locust
Sátán n. satan
satöbbi conj etcetera
sátor n. tent
sátoroz v. i. camp
sav n acid
sáv n. band
sáv n. lane
savanyít v.t. sour
savanyú a. sour
savas a acid
savasság n. acidity
savkötők a antacid
seb n. wound
sebes a. swift
sebesség n. gear
sebesség n. speed
sebesség n. velocity
sebész n. surgeon
sebészet n. surgery
sebezhető a. vulnerable
sebhely n scar
sebhely n sore
segéd n. auxiliary
segédlelkész n. deacon
segély n aid
segély n. subsidy
segélyez v.t. subsidise
segg n. arse
segít v.t aid
segít v.t. assist
segít n help
segít v.i. minister
segít v.t. second
segít v.t. succour
segített a. bailed
segítő n. assistant
segítőkész a. helpful
segítőtárs n. helpmate
segítség n. assistance
segítség v.t. help

segítség n. succour
sehol adv. nowhere
sejt n. cell
sejtelem n. inkling
sejtes a cellular
sejtés n conjecture
sejtés n. foreknowledge
sejtetés n. intimation
sekély a. shallow
sekrestyés n. beadle
sellő n. mermaid
selyem n. silk
selyemből-készült a. silken
selyemszövet n. serge
selymes a. silky
selypít v.t. lisp
selypítés n lisp
sem conj. neither
sem conj nor
semleges a. neuter
semleges a. neutral
semlegesít v.t. neutralise
semleges-nem n neuter
semmi n. aught
semmi pron. none
semmi n. nothing
semmibevesz v. t disregard
semmiképpen adv. none
semmittevő n. idler
senki pron. nobody
senki n. nonentity
seprű n broom
serdüléskor n. puberty
serdülő a. adolescent
serdülőkor n. adolescence
serleg n. goblet
sért v.t harm
sért v.t. offend
sérteget v.t. slight
sertés n. swine
sértés n abuse
sértés n affront

sértés n. insult
sértés n. offence
sértés n. sleight
sértés n. slight
sertéshús n. pork
sérthetetlen a. inviolable
sérthetetlen a. sacrosanct
sértik v.t. violate
sértődékeny a. touchy
sérülés n. casualty
sérülés n hurt
sérülés n. injury
sérv n. hernia
séta n stroll
séta n walk
sétál v.i ambulate
sétál v.i. stroll
sétál v.i. walk
settenkedik v.i. sneak
shilling n. shilling
siet v.i. hasten
siet v.t. hurry
sietés n hurry
sietős a. hasty
sietség n. haste
siettet v. t. expedite
siker n. success
sikeres a. prosperous
sikeres a successful
sikerül v.i. succeed
sikít v.i. scream
sikkaszt v.t. misappropriate
síklap n plane
sikoly n scream
síkság n. plain
sima a. plane
sima a. sleek
sima a slick
sima a. smooth
simít v.t. plane
simít v.t. smoothe
sín n. rail

sincs *adv.* nothing
síp *n* whistle
sípol *v.t.* whistle
sír *n.* grave
sír *v.i.* weep
siralmas *a* deplorable
siralmas *a.* lamentable
siralmas *a.* piteous
sirály *n.* gull
siránkozás *n.* lamentation
sirat *v.i.* lament
síremlék *n.* sepulchre
síremlék *n.* tomb
sírfelirat *n* epitaph
sírüreg *n* cist
sisak *n.* helmet
sistereg *v.i.* sizzle
sistergés *n.* sizzle
sivár *a.* humdrum
sivatag *n* desert
skalp *n* scalp
skolasztikus *a.* scholastic
skorpió *n.* scorpion
skót *n.* Scot
skót *a.* scotch
skót-viszki *n.* scotch
slag *n.* hose
slukk *n.* godown
smaragd *n* emerald
só *n.* salt
sofőr *n.* chauffeur
soha *adv.* never
sóhaj *n.* sigh
sóhajt *v.i.* sigh
sok *a.* many
sok *n* much
sokáig *adv* long
sokalakú *n.* multiform
sokaság *n.* multitude
sokat-ígérő *a.* promising
sokfajta *a.* manifold
sokféle *a.* multifarious

sokféleség *n.* multiplicity
sokk *n.* shock
sokkal *adv* much
soklábú *n.* multiped
soknyelvű *n.* polyglot
sokoldalú *a.* versatile
sokoldalúság *n.* versatility
sokszorosít *v.t.* multiply
sólyom *n* falcon
sólyom *n* hawk
söpör *v.i.* sweep
söprés *n.* sweep
sor *n.* array
sor *n* file
sor *n.* line
sor *n.* queue
sor *n.* row
sör *n* ale
sör *n* beer
sorakozás *n.* alignment
sorba-állít *v.t.* range
sorban-áll *v.i.* queue
sör-ecet *n* alegar
sörény *n.* mane
sörfőzde *n* brewery
sorol *v.i.* file
sorompó *n.* barrier
sörösköszöntés *n.* wassail
sorozat *n.* sequence
sorozat *n.* series
sorozat *n.* suite
sorozatos *a.* serial
sorozatszám *n.* serial
sors *n* fate
sors *n* lot
sors *n.* predestination
sorsjáték *n.* lottery
sörte *n* bristle
sörtfőz *v. t.* brew
sortűz *n.* volley
sós *a.* saline
sós *a.* salty

sósvíz *n* brine
sőt *adv.* nay
sótartalom *n.* salinity
sötét *a* dark
sötétség *n* dark
sötétség *n.* gloom
sovány *n.* lean
sóvár *a* appetent
sóvárgás *n.* appetence
sóvárgás *n.* yearning
sóvárgó *a* desirous
sóvárgó *a.* wishful
sóvárog *v.t.* crave
sóvárog *v.i* long
sóvárog *v.i.* yearn
sövény *n.* hedge
spájz *n.* pantry
spániel *n.* spaniel
spanyol *n.* Spaniard
spanyol *a.* Spanish
spanyol *n.* Spanish
specializálódás *n.* specialisation
specializálódik *v.i.* specialise
spekuláció *n.* speculation
spekulál *v.i.* speculate
spenót *n.* spinach
sperma *n.* sperm
spicli *n* sneak
spirál *n.* spiral
spirális *a.* spiral
spiritiszta *n.* spiritualist
spiritizmus *n.* spiritualism
spirituálé *n.* gospel
spontán *a.* spontaneous
sport *n.* sport
sportember *n.* sportsman
sportoló *n.* athlete
sprintel *v.i.* sprint
stabil *a.* stable
stadion *n.* stadium
statika *n.* statics

statisztika *n.* statistics
statisztikai *a.* statistical
statisztikus *n.* statistician
stencil *n.* stencil
steril *a.* sterile
sterilitás *n.* sterility
sterilizáció *n.* sterilisation
sterilizálás *v.t.* sterilise
stoppol *v.t.* thumb
stratéga *n.* strategist
stratégia *n.* strategy
strófa *n.* stanza
strucc *n.* ostrich
struktúra *n.* structure
stúdió *n.* studio
sügér *n.* bass
süket *a* deaf
süllyed *v.i.* sink
sült *a* roast
sürgönyöz *v.t.* wire
sürgős *a.* urgent
sürgősség *n.* urgency
sürög-forog *v. t* bustle
süt *v.t.* bake
süt *v.t.* fry
süt *v.t.* roast
sütkérezik *v.i.* bask
sütő *n.* oven
süvít *v.t.* zip
sugalló *a.* suggestive
sugalmaz *v.t.* instil
sugár *n.* beam
sugárhajtómű *n.* jet
sugároz *v. i* beam
sugároz *v.t.* radiate
sugároz *v.t.* transmit
sugárút *n.* avenue
sugárzás *n.* radiation
sugárzó *a.* aglow
súgó *n.* prompter
suhint *v.t.* whisk
sújt *v.t.* afflict

súly *n.* weight
sulyok *n.* maul
súlyos *a.* massy
súlyos *a.* onerous
súlyos *a.* weighty
súlyosbodás *n.* aggravation
sűrít *v. t* condense
sűrű *a* dense
sűrű *a.* thick
sűrűség *n* density
suszter *n* cobbler
suttog *v.t.* whisper
suttogás *n.* undertone
suttogás *n* whisper
Svájci *n.* Swiss
Svájci *a* Swiss
szabad *a.* free
szabad *a* leisure
szabadalmazott *a.* patented
szabadalmaztat *v.t.* patent
szabadalom *n* patent
szabadidő *n.* leisure
szabadlábra-helyez *v.t.* parole
szabados *n.* libertine
szabadság *n.* freedom
szabadság *n.* holiday
szabadság *n.* leave
szabadság *n.* liberty
szabadtéri *a.* outdoor
szabály *n.* rule
szabályos *a.* regular
szabályoz *v.t.* modulate
szabályoz *v.t.* regulate
szabályozás *n.* regulation
szabályozó *n.* regulator
szabálysértő *n.* offender
szabályszerűség *n.* regularity
szabálytalan *a.* irregular
szabálytalanság *n.* irregularity
szabálytalanság *n.*
 malpractice
szablya *n.* sabre

szabó *n.* tailor
szabotál *v.t.* sabotage
szabotázs *n.* sabotage
szabvány *n.* standard
szabványos *a* standard
szabványosít *v.t.* normalise
szabványosít *v.t.* standardise
szabványosítás *n.* standardisation
szacharin *n.* saccharin
szadista *n.* sadist
szadizmus *n.* sadism
szag *n.* odour
szag *n.* smell
szaglász *v.t.* nuzzle
szagol *v.t.* smell
szagos *a.* odorous
száj *n.* mouth
szajha *n.* wench
szájhős *n* bully
szajkómadár *n.* jay
szájkosár *n.* muzzle
szájpadlás *n.* palate
szakács *n* cook
szakadék *n* abyss
szakadék *n.* ravine
szakáll *n* beard
szakasz *n.* phase
szakasz *n.* platoon
szakember *n.* professional
szakember *n.* specialist
szakértő *n.* adept
szakértő *a* expert
szakértő *n* expert
szakképzés *adj.* vocational
szakma *n.* profession
szakmai *a.* professional
szaknyelv *n.* terminology
szaknyelvi *a.* terminological
szakszerűség *n.* technicality
szakszerűség *n.* workmanship
szalag *n.* band

szalag *n.* ribbon
szalag *n.* strip
szalag *n.* tape
szállás *n.* accommodation
szállás *n.* lodging
szálláskörzet *n.* cantonment
szállít *v. t.* convey
szállít *v. t* deliver
szállít *v.t.* transport
szállítás *n* conveyance
szállítás *n.* portage
szállítás *n.* transportation
szállítmány *n.* consignment
szállító *n.* carrier
szállító *n.* supplier
szálloda *n.* hotel
szalma *n.* straw
szalmacsutak *n.* wisp
szalon *n* drawing-room
szalon *n.* saloon
szalonna *n.* bacon
szalvéta *n.* napkin
szám *n.* number
szamár *n.* ass
szamár *n* donkey
szamárbőgés *n* bray
számbeli *a.* numeral
számít *v. t.* calculate
számít *v.t.* reckon
számítás *n.* computation
számítógép *n* computer
számjegy *n* digit
számjegy *n* figure
számjegy *n.* numeral
számkivet *v.t* maroon
számla *n* bill
számla *n.* invoice
számláló *n.* numerator
számlát-ellenőriz *v.t.* audit
számol *v. t.* count
számolás *n.* calculation
számolás *n.* count

számológép *n* calculator
számos *a.* numerous
számos *a* several
számszerinti *a.* numerical
számtalan *a.* countless
számtalan *a.* innumerable
számtalan *a.* numberless
számtan *n.* arithmetic
számtani *a.* arithmetical
száműz *v.t.* banish
száműz *v. t* exile
száműzetés *n.* banishment
száműzetés *n.* exile
száműzött *n.* outcast
szán *v. t* devote
szánalmas *a.* pathetic
szánalmas *a.* pitiable
szánalom *n* compassion
szánalom *n.* pity
szanatórium *n.* sanatorium
szandál *n.* sandal
szándék *n* animus
szándék *n.* intent
szándék *n.* intention
szándékos *a* deliberate
szándékos *a.* intentional
szándékosan *adv.* purposely
szándékozik *v.t.* intend
szándékozik *v.t.* purpose
szankció *n.* sanction
szánt *v.i* plough
szantálfa *n.* sandalwood
szántóföldi *a* arable
szántóvető *n.* ploughman
szaporító *a.* reproductive
szaporodik *v.i.* proliferate
szappan *n.* soap
szappanhab *n.* lather
szappanos *a.* soapy
szappanoz *v.t.* soap
szar *n.* muck
szár *n.* stalk

szár *n.* stem
száraz *a* arid
száraz *a* dry
száraz *a.* stale
szárazföldi *a.* inland
szárcsa *n.* coot
szárít *v. i.* dry
szárít *v.t.* parch
szarka *n.* magpie
szarkasztikus *a.* sarcastic
származás *n.* ancestry
származás *n.* origin
származás *n.* parentage
származás *n* pedigree
származik *v. t.* derive
származik *v.t.* originate
szárny *n.* wing
szárny-alakú *a* aliform
szárnyas *n.* fowl
szárnycsapkodás *n* flutter
szaruhártya *n* cornea
szarvas *n* deer
szarvas *n.* stag
szatíra *n.* satire
szatíraíró *n.* satirist
szatirikus *a.* satirical
szatócs *n.* grocer
szaval *v.t.* recite
szavatol *v.t* guarantee
szavatos *n.* warrantor
szavatosság *n.* warranty
szavaz *v.i.* ballot
szavaz *v.i.* vote
szavazás *n* ballot
szavazás *n.* poll
szavazás *n.* vote
szavazó *n.* voter
száz *n.* hundred
század *n.* century
százalék *n.* percentage
százalékos *a.* percent
százéves *n* centenarian

százlábú *n.* centipede
százlábú *n.* millipede
százszoros *a* centuple
százszorszép *n* daisy
szedán *n.* sedan
szedő *n* compositor
szédület *n* daze
szédülő *a.* giddy
szeg *n.* nail
szegecs *n.* rivet
szegecsel *v.t.* rivet
szegély *n.* margin
szegély *n* trim
szegély *n.* verge
szegélyez *v.t* border
szegélyez *v.t* fringe
szegény *a.* poor
szegénység *n.* poverty
szegez *v.t.* nail
szegfűszeg *n* clove
szegmens *n.* segment
szégyen *n* dishonour
szégyen *n.* shame
szégyenbélyeg *n.* stigma
szégyenkezve *a.* ashamed
szégyenletes *a.* shameful
szégyenlős *a.* bashful
szeizmikus *a.* seismic
szék *n.* chair
szekér *n* chariot
szekér *n.* wain
szekerce *n.* hatchet
székesegyház *n.* cathedral
székfoglaló *a.* inaugural
széklet *n.* stool
székrekedés *n.* constipation
szekrény *n.* cabinet
szekrény *n.* closet
szekrény *n* cupboard
szekta *n.* sect
szektariánus *a.* sectarian
szektor *n.* sector

szél *n.* wind
szélcsend *n.* lull
széle *n.* brink
széle *n* edge
szelep *n.* valve
szeles *a.* windy
széles *a* broad
széles *a.* wide
szélesít *v.t.* widen
szélesség *n* breadth
szélesség *n.* latitude
szélesség *n.* width
szelet *n.* chop
szelet *n.* slice
szeletel *v.t.* slice
szélfúvás *n* waft
szélhámos *n* barrator
szélhámos *n.* impostor
szélhámosság *n.* swindle
szelíd *a.* tame
szellem *n.* ghost
szellem *n.* spectre
szellem *n.* spirit
szellemes *a.* spirited
szellemes *a.* witty
szellemeskedés *n.* witticism
szellemi *a.* mental
szellő *n* breeze
szellőzés *n.* ventilation
szellőztet *v.t.* ventilate
szélmalom *n.* windmill
szélmentes-oldal *n.* lee
szélmérő *n* anemometer
szélroham *n.* gust
szélső *a* extreme
szélsőséges *a* extremist
szelvény *n.* coupon
szélvihar *n.* gale
szem *n* eye
szembeállít *v. t* contrast
szemben *adv.* opposite
szemben *prep* unlike

szembenállás *n.* antithesis
szembenéz *v.t* face
szembenéz *v.t* front
szembesítés *n.* confrontation
személy *n.* person
személyes *a.* personal
személyiség *n.* personage
személyiség *n.* personality
személytelen *a.* impersonal
személyzet *n.* personnel
személyzet *n.* staff
személyzet-nélküli *a.* unmanned
szemére-vet *v.t.* reproach
szemérmes *a.* chaste
szemeszter *n.* semester
szemét *n.* garbage
szemét *n.* litter
szemét *n.* rubbish
szemét *n.* trash
szemetel *v.t.* litter
szemgolyó *n* eyeball
szemi *a.* ocular
szeminárium *n.* seminar
szemléletes *a.* picturesque
szemmosó *n* eyewash
szemölcs *n.* wart
szemorvos *n.* oculist
szempilla *n* eyelash
szempilla *n* lash
szempont *n.* aspect
szemrehányás *n.* reproach
szemtelen *a.* impertinent
szemtelen *a.* insolent
szemtelen *a.* shameless
szemtelenség *n* cheek
szemtelenség *n.* impertinence
szemtelenség *n.* insolence
szemüveg *n.pl.* spectacles
szemvillanás *n.* twinkle
szén *n.* carbon
szén *n* coal

széna *n.* hay
szenátor *n.* senator
szenátori *a.* senatorial
szenátus *n.* senate
szendereg *v.i.* slumber
szendergés *n.* slumber
szendvics *n.* sandwich
szenilis *a.* senile
szenilitás *n.* senility
szenny *n.* squalor
szennyez *v.t.* pollute
szennyeződés *n.* impurity
szennyvíz *n.* sewage
szennyvízcsatorna *n* sewer
szennyvízelvezető *n.* culvert
szénsavas *a.* gassy
szent *n.* hallow
szent *a.* holy
szent *n.* saint
szent *a.* saintly
szentbeszéd *n.* sermon
szentelt *a.* sacred
szentély *n.* shrine
szentimentális *a.* sentimental
szentírás *n.* scripture
szentség *n.* sacrament
szentségtörés *n.* sacrilege
szentségtörő *a.* sacrilegious
szenved *v.t.* suffer
szenvedély *n.* passion
szenvedélyes *a.* passionate
szenvedés *n.* affliction
szenzációs *a.* sensational
szenzualista *n.* sensualist
szép *a* beautiful
szép *a* pretty
szépít *v. t* beautify
szeplőtlen *a.* stainless
szépség *n* beauty
szépség *n* belle
szeptember *n.* September

szeptikus *a.* septic
szerda *n.* Wednesday
szerelem *n* amour
szerelem *n* love
szerelemre-gerjeszt *v. t*
enamour
szerelmes *a* amatory
szerelmi *a.* amorous
szerelő *n* fitter
szerelő *n.* mechanic
szerencs *n.* godsend
szerencse *n.* fortune
szerencse *n.* luck
szerencsére *adv.* luckily
szerencsés *a.* fortunate
szerencsés *a.* lucky
szerencsétlen *a* disastrous
szerencsétlen *a.* unfortunate
szerencsétlen-alak *n.* wretch
szerény *a.* meek
szerény *a.* modest
szerénység *n* modesty
szerénytelen *a.* immodest
szerep *n.* role
szeres *n* fold
szeret *v.t.* like
szeret *v.t.* love
szeretet *n.* affection
szeretet *n.* liking
szeretetreméltó *a.* lovable
szeretetreméltóság *n.*
amiability
szeretett *a* beloved
szeretett *n* beloved
szeretett *a* darling
szeretetteljes *a.* affectionate
szerető *n.* lover
szerető *a.* loving
szerető *n.* paramour
szerez *v.t.* acquire
szerez *v.t.* obtain
szerkeszt *v. t.* censor

szerkeszt *v. t* edit
szerkesztő *n* editor
szerkesztőségi *a* editorial
szerkezet *n.* mechanism
szerkezeti *a.* structural
szerpentin *n.* serpentine
szerszám *n.* implement
szerszám *n.* tool
szerszám *n.* utensil
szertartás *n.* ritual
szertartáskodó *a.* ceremonious
szertartásos *a.* ceremonial
szertartásos *a.* ritual
szerv *n.* organ
szerves *a.* organic
szervez *v.t.* organise
szervezet *n.* organism
szervezet *n.* organisation
szervizel *v.t* service
szerzemény *n* acquest
szerzemény *n.* acquisition
szerzetes *n.* monk
szerzetes *n.* votary
szerzetesség *n* monasticism
szerződés *n* contract
szerződés *n.* treaty
szesz *n.* liquor
szeszély *n.* caprice
szeszély *n* fancy
szeszély *n.* whim
szeszélyes *a.* capricious
szeszélyes *a* fitful
szeszélyes *a.* whimsical
szeszfőzde *n* distillery
szétbomlik *v. t.* decompose
széthúzó *a* factious
szétkapcsol *v. t* disconnect
szétoszt *v. t* distribute
szétoszt *v. t* divide
szétoszt *v.t* mete
szétosztás *n* distribution

szétreped *v. i.* burst
szétrepeszt *v.t.* rip
szétszakadás *n* burst
szétszór *v. t* disperse
szétszór *v.t.* scatter
széttép *v.t.* lacerate
szétterjed *v.i.* spread
szétválaszt *v. t* disrupt
szétválasztható *a.* separable
szétzúz *v. t* crush
szex *n.* sex
szexis *n.* sexy
szexuális *a.* sexual
szia *interj.* bye-bye
szid *v.t.* scold
szidás *n.* invective
szieszta *n* nap
szieszta *n.* siesta
sziget *n.* island
sziget *n.* isle
szigetel *v.t.* insulate
szigetelés *n.* insulation
szigetelő *n.* insulator
szigor *n.* rigour
szigorítás *n.* severity
szigorú *a.* rigorous
szigorú *a.* severe
szigorú *a.* strict
szigorú *a.* stringent
szigorúság *n.* stringency
szíj *n.* strap
szikár *a.* haggard
szikimórfa *n.* sycamore
szikla *n.* cliff
szikla *n.* rock
szikladarab *n* boulder
szikra *n.* spark
szikra *n.* sparkle
szikrázás *n.* scintillation
szikrázik *v.i.* scintillate
szikrázik *v.i.* sparkle
szilánk *n.* splinter

szilárd *a* set
szilárd *a.* solid
szilárdság *n.* stability
szilárdság *n.* steadiness
sziláscet *n.* baleen
szilf *n.* sylph
sziluett *n.* silhouette
szilva *n.* plum
szimbólum *n* byword
szimfónia *n.* symphony
szimpatizál *v.i.* sympathise
szimpózium *n.* symposium
szín *n* colour
színárnyalat *n.* tint
színész *n.* actor
színésznő *n.* actress
színészválogatás *n* casting
színez *v. t* colour
színez *v.t.* tinge
színez *v.t.* tint
színház *n.* theatre
színházi *a.* theatrical
színlel *v.t.* pretend
színlelés *n* affectation
színlelés *n.* pretence
szinonim *a.* synonymous
szinonima *n.* synonym
színpad *n.* stage
színpadias *a.* scenic
színre-hoz *v.t.* stage
szint *n.* level
szint *n.* tier
színtársulat *n.* troupe
színtelen *adj* achromatic
színtelenít *v. t* bleach
szintén *adv.* also
szintetikus *a.* synthetic
szintézis *n.* synthesis
szippant *v.i.* sniff
szippantás *n* sniff
sziréna *n.* siren
sziszeg *v.i* hiss

sziszegés *n* hiss
szisztematikus *a.* systematic
szita *n.* sieve
szitál *v. i* drizzle
szitál *v.i.* riddle
szitál *v.t.* sieve
szitál *v.t.* winnow
szitálás *n* drizzle
szív *a.* cardio
szív *n.* heart
szív *v.t.* sip
szivaccsal-letöröl *v.t.* sponge
szivacs *n.* sponge
szivar *n.* cigar
szivárgás *n.* leakage
szivárgás *n.* ooze
szivárog *v.i.* ooze
szivárog *v.i.* seep
szivattyú *n.* pump
szivattyúz *v.t.* pump
szívélyes *a* cordial
szívélyes *a.* gracious
szívélyesen *adv.* heartily
szívesség *n* favour
szívósság *n.* tenacity
szkeptikus *n.* sceptic
szleng *n.* slang
szlogen *n.* slogan
szmog *n.* smog
sznob *n.* snob
sznob *a.* snobbish
sznobizmus *n.* snobbery
szó *n.* word
sző *v.t.* weave
szoba *n.* room
szobalány *n.* maid
szóban *adv.* orally
szóbeli *a.* verbal
szóbeli *a* viva-voce
szóbeli *n* viva-voce
szóbelileg *adv.* viva-voce
szobor *n.* statue

szobrász *n.* sculptor
szobrászat *n.* sculpture
szobrászati *a.* sculptural
szociális *n.* social
szocialista *n,a* socialist
szocializmus *n* socialism
szociológia *n.* sociology
szodómia *n.* sodomy
szodomita *n.* sodomite
szófa *n.* sofa
szofista *n.* sophist
szofizma *n.* sophism
szög *n.* angle
szögletes *a.* angular
szójáték *n.* pun
szójátékot-csinál *v.i.* pun
szójegyzék *n.* glossary
szokás *n.* custom
szokás *n.* habit
szokás *n* wont
szokásos *a.* accustomed
szokásos *a* customary
szokásos *a.* usual
szokásos *a.* wonted
szokatlanul *adv* extra
szökdécsel *v.i.* skip
szökdécselés *n* skip
szőke *a* fair
szökell *v.i* scamper
szökellés *n* scamper
szökevény *n.* fugitive
szókincs *n.* vocabulary
szoknya *n.* skirt
szoknyavadász *n.* womaniser
szökőkút *n.* fountain
szokványosan *adv.* ordinarily
szólás *n.* locution
szolga *n.* henchman
szolga *n* menial
szolga *n.* servant
szolgai *a.* servile
szolgai *a.* slavish

szolgál *v.t.* serve
szolgalelkűség *n.* servility
szolgáltatás *n.* service
szolidaritás *n.* solidarity
szólista *n.* soloist
szóló *a.* solo
szőlő *n.* grape
szólójáték *n* solo
szőlőtőke *n.* vine
szombat *n.* sabbath
szombat *n.* Saturday
szomjas *a.* thirsty
szomjazik *v.i.* thirst
szomjúság *n.* thirst
szomorkodik *v.i.* mope
szomorkodik *v.i.* sorrow
szomorú *a.* sad
szomszéd *n.* neighbour
szomszédos *a.* adjacent
szomszédság *n.* neighbourhood
szonda *n* probe
szondáz *v.t.* probe
szonett *n.* sonnet
szonikus *a.* sonic
szónok *n.* orator
szónoki *a.* oratorical
szónoklat *n.* oration
szőnyeg *n.* carpet
szőnyeg *n.* rug
szopás *n.* suck
szopik *v.t.* suck
szoptat *v.t.* suckle
szór *v.t.* sprinkle
szór *v.t.* strew
szórakozás *n.* entertainment
szórakozás *n.* recreation
szórakozottság *n.* preoccupation
szórakoztat *v.t.* amuse
szórakoztat *v.t* entertain
szórakoztatás *n* amusement

szörfözik *v.i.* surf
szorgalmas *a* diligent
szorgalmas *a.* industrious
szorgalmas *a.* studious
szorgalom *n* diligence
szorít *v.t.* constrict
szorít *v.t.* press
szőrme *n.* fur
szörnyeteg *n.* monster
szörnyű *a* dire
szörnyű *a* dreadful
szörnyű *a.* monstrous
szörnyűség *n* atrocity
szórófej *n.* nozzle
szórólap *n.* leaflet
szorongás *n.* anxiety
szorongás *n* distress
szorongat *v.t.* straiten
szoros *a.* tight
szorosan *adv.* closely
szörp *n.* syrup
szőrszálhasogat *v. t* cavil
szőrszálhasogató *n.* stickler
szorultság *n* fix
szórványos *a.* sporadic
szorzandó *n.* multiplicand
szorzás *n.* multiplication
szószék *a.* pulpit
szószerint *a.* literal
szó-szerint *adv.* verbatim
szószerinti *adv.* literal
szótag *n.* syllable
szótag- *a.* syllabic
szótár *n* dictionary
szótár *n.* lexicon
szóváltás *n.* fuss
szöveg *n.* text
szöveges *n.* textual
szövegez *v.t* word
szövet *n* cloth
szövet *n* fabric
szövet *n.* texture

szövet *n.* tissue
szövetes *a.* textile
szövetkezet *a* co-operative
szövetség *n.* alliance
szövetséges *n.* ally
szövetségi *a* federal
szóvivő *n.* spokesman
szövőszék *n* loom
szponzor *n.* sponsor
szputnyik *n.* sputnik
sztereotípia *n.* stereotype
sztetoszkóp *n.* stethoscope
sztoikus *n.* stoic
sztrájk *n* strike
sztrájkol *v.i.* strike
sztyeppe *n.* steppe
szubjektív *a.* subjective
szublimál *v.t.* sublimate
szükség *n.* necessity
szükséges *a* necessary
szükséges *a.* requisite
szükségképpen *adv.* perforce
szükségszerű *a.* imperative
szülésznő *n.* midwife
születés *n.* birth
születés *n.* nativity
születés-előtti *a* antenatal
születési *a.* natal
született *a* born
szülő *n.* parent
szülőgyilkos *n.* parricide
szülői *a.* parental
szünet *n* break
szünet *n.* interval
szünet *n.* pause
szünetet-tart *v.i.* pause
szüntelen *a.* ceaseless
szüret *n.* harvest
szüret *n.* vintage
szürke *a.* grey
szürkehályog *n.* cataract
szürkület *n* dusk

szürkület *n* twilight
szüzesség *n.* virginity
szuffixum *n.* suffix
szuka *n* bitch
szűkít *v.t.* narrow
szűklátókörű *a.* insular
szűklátókörűség *n.* insularity
szűkölködő *a.* needful
szűkölködő *a.* needy
szűkösség *n* dearth
szűkösség *n.* paucity
szundikál *v. i* doze
szundikálás *n.* doze
szundikálás *n.* nap
szúnyog *n.* mosquito
szunyókál *v.i.* nap
szuper *a.* super
szuper-ember *n.* superman
szuperszonikus *a.* supersonic
szúr *v.t.* pierce
szúr *v.t.* prick
szűr *v.t* filter
szúrás *n.* puncture
szúrás *n* smart
szűrő *n* filter
szurony *n* bayonet
szurtos *a.* slatternly
szuverén *n.* sovereign
szuverenitás *n.* sovereignty
szűz *n.* virgin
szűz- *adj.* virgin
szűziesség *n.* chastity

T

táblákra-oszt *v.t.* panel
táblázat *n.* chart
táblázat *n.* tabulation
táblázatos *a.* tabular
tabletta *n.* pill

tabletta *n.* tablet
tábor *n.* camp
tábornok *n.* general
tábort-bont *v. i* decamp
tabu *n.* taboo
tabulátor *n.* tabulator
tag *n.* member
tagadás *n* denial
tagadás *n.* negation
tagadás *n.* negative
tágas *a.* capacious
tágas *a.* roomy
tágas *a.* spacious
tágító *n.* stretcher
tagság *n.* membership
táj *n.* landscape
tájékozódik *v.t.* orient
tájékozódik *v.t.* orientate
tájékozott *adv* abreast
tájékoztat *v.t.* inform
tájékoztató *a.* informative
tájékoztató *n.* prospsectus
tájfun *n.* typhoon
tájszólás *n* dialect
takács *n.* weaver
takarékos *a.* frugal
takarékos *a.* thrifty
takarékosság *n.* thrift
takarmány *n* fodder
taktikus *n.* tactician
tál *n* dish
talaj *n.* ground
talaj *n.* soil
talál *v.t* find
találékony *a.* inventive
találgat *v.i* guess
találgatás *n.* guess
találka *n.* tryst
találkozás *n.* encounter
találkozás *n.* meeting
találkozik *v. t* encounter
találkozik *v.t.* meet

találkozó *n.* meet	tanácsol *v.t.* advise
találmány *n.* invention	tanácsol *v. t.* counsel
talán *adv.* perhaps	tanácsos *a.* advisable
talán *adv.* probably	tanácsos *n.* councillor
talány *n.* conundrum	tanár *n.* teacher
talány *n* enigma	tánc *n* dance
talapzat *n.* pedestal	táncol *v. t.* dance
tálca *n.* tray	tanfolyam *n.* course
talizmán *n.* mascot	tangens *n.* tangent
talizmán *n.* talisman	tanít *v.t.* teach
talp *n.* sole	tanítási *a.* tutorial
talpal *v.t* sole	tanító *a* didactic
talpnyalás *n.* sycophancy	tanító *n.* preceptor
tályog *n* abscess	tanítvány *n* disciple
támad *v.i* lunge	tanítvány *n.* pupil
támadás *n.* assault	tanterv *n* curriculum
támadás *n.* attack	tanterv *n.* syllabus
támadás *n* offensive	tántorgás *n.* stagger
támadás *n.* onslaught	tántorog *v.i.* lurch
támadó *n.* aggressor	tántorog *v.i.* stagger
támadó *a.* offensive	tanú *n.* witness
tamarinduszfa *n.* tamarind	tanul *v.i.* learn
támasz *n.* prop	tanul *v.i.* study
támasz *n* strut	tanulás *n.* learning
támaszkodik *v.i.* rely	tanulmány *n.* study
támaszt *v.t.* prop	tanuló *n.* learner
támfal *v* abutment	tanúságtétel *n.* testimony
támogat *v. t.* champion	tanúsít *v.t.* attest
támogat *v. t.* endorse	tanúsít *v.i.* vouch
támogat *v.t* further	tanúsít *v.i.* witness
támogat *v.i.* side	tanúskod *v.i.* testify
támogat *v.t.* sponsor	tanya *n* farm
támogat *v.t.* support	tányér *n.* plate
támogat *v.t* uphold	tapadás *n.* adhesion
támogatás *n* grant	tapasz *n* patch
támogatás *n.* support	tapasztalat *n* experience
támogató *n.* seconder	tapasztalatlanság *n.* inexperience
tan *n.* tenet	tapasztalt *a.* versed
tanács *n* advice	tapintat *n.* tact
tanács *n.* council	tapintatlan *a.* inconsiderate
tanácsadó *n.* counsellor	tapintatlan *a.* indiscreet
tanácskozik *v. i* confer	

tapintatlanság *n.* indiscretion
tapintatos *a.* considerate
tapintatos *a.* tactful
tapintható *a.* tactile
táplál *v.t* feed
táplál *v.t.* nourish
táplálék *n.* aliment
táplálék *n.* nourishment
táplálkozás *n.* nutrition
tápláló *a.* nutritious
tápláló *a.* nutritive
tapogat *v.i.* fumble
tapogat *v.t.* grope
tapos *v.t.* tread
taps *n.* applause
taps *n* clap
tapsol *v.t.* applaud
tapsol *v. i.* clap
tárcsáz *v.t.* dial
tárgy *n.* subject
tárgyal *v.t.* negotiate
tárgyalás *n.* negotiation
tárgyalás *n.* parley
tárgyaló *n.* negotiator
tárgyas-ige *n.* transitive
tárgyatlan *a. (verb)* intransitive
tarifa *n.* tariff
tarka *a.* gaudy
tarkabarka *a.* motley
tarkó *n.* nape
tarló *n.* stubble
tárol *v.t.* stock
tárol *v.t.* store
tárolás *n.* storage
társ *n.* associate
társ *n.* companion
társ *n.* mate
társ *n.* partner
társadalom *n.* society
társalgás *n* discourse
társalgó *a* conversational

társalgó *n.* lounge
társalgó *n.* parlour
társalog *v. t* commune
társalog *v.t.* converse
társaság *n.* company
társaság *n.* partnership
társaságkedvelő *a.* sociable
társul *v.t.* associate
társulás *n.* association
társult *a.* associate
tart *v.t.* keep
tart *v.i.* last
tartalék *n.* reserve
tartalék *a* spare
tartalék *n.* spare
tartalmaz *v.t.* contain
tartalmaz *v.t.* include
tartalom *n* content
tartalom *n.* substance
tartály *n.* tank
tartályhajó *n.* tanker
tartható *a.* tenable
tartomány *n.* province
tartós *a* durable
tartós *a.* lasting
tartós *a* staple
tartósít *v. t.* can
tartósság *n.* permanence
tartozás *n* debit
tartozék *n* accessory
tartozék *n* appurtenance
tartozik *v. i* belong
tartozik *v.t* owe
tartózkodás *n.* reticence
tartózkodás *n* stay
tartózkodik *v.i.* abstain
tartózkodó *adv.* aloof
tartózkodó *a.* reticent
tasak *n.* packet
táska *n.* bag
táska *n.* satchel
taszító *a.* repulsive

tat *n.* stern
tavacska *n.* pond
tavasz *n* spring
tavaszi *a.* spring
tavaszi *a.* vernal
távcső *n. pl* binoculars
távcső *n.* telescope
távcsöves *a.* telescopic
távírász *n.* telegraphist
távirat *n.* telegram
távirat *n.* telegraphy
távirati *a.* telegraphic
táviratozik *v. t.* cable
táviratozik *v.t.* telegraph
távíró *n.* telegraph
távközlés *n.*
   telecommunications
távol *adv.* afar
távol *adv.* wide
távoli *a* distant
távoli *a* far
távoli *a.* remote
távollét *n* absence
távolság *n* distance
taxi *n.* cab
taxi *n.* taxi
taxizik *v.i.* taxi
tea *n* tea
technikai *a.* technological
technikus *n.* technician
technológia *n.* technology
technológus *n.* technologist
tégla *n* brick
téglalap *n.* oblong
téglalap *n.* rectangle
tegnap *adv.* yesterday
tegnapi *a.* yesterday
tehát *conj.* so
tehén *n.* cow
tehénistálló *n* byre
teher *n* burden
teherautó *n.* lorry

teherautó *n.* truck
tehertöbblet *n* overload
tehetetlen *a.* helpless
tehetetlen *a.* impotent
tehetetlen *a.* nerveless
tehetség *n.* talent
tehetséges *a.* gifted
teista *n.* theist
tej *n.* milk
tejcsarnok *n* dairy
tejelő *a.* milch
tejes *a* dairy
tejes *a.* milky
tejkaramell *n.* toffee
tejsodó *n* custard
tejszín *n* cream
tekercs *n.* reel
tekercs *n.* roll
tekervényes *a.* tortuous
tekint *v.t.* regard
tekintélyes *a* considerable
tekintélyes *a.* prestigious
tekintélyes *a.* stately
tekintet *n* gaze
tekintet *n* look
tekintet *n.* regard
tekintet *n.* visage
teknősbéka *n.* tortoise
tékozló *a.* prodigal
tékozló *n.* spendthrift
tél *n.* winter
telefon *n.* phone
telefon *n.* telephone
telefonál *v.t.* telephone
telefonkagyló *n.* receiver
telek *n.* allotment
telek *n.* lot
telek *n.* plot
telek *n.* site
teleltet *v.i* winter
telepátia *n.* telepathy
telepatikus *a.* telepathic

telepatikus *n.* telepathist
telepes *n.* settler
település *n.* settlement
televízió *n.* television
telezsúfol *v. t* clutter
teli *a.* full
teli *a.* replete
téli *a.* wintry
téliálom *n.* hibernation
telít *v.t.* saturate
telítettség *n.* fullness
telítettség *n.* saturation
teljes *a* absolute
teljes *a* complete
teljes *a* entire
teljes *a* utter
teljesen *adv* absolutely
teljesen *adv* entirely
teljesen *adv.* full
teljesen *adv.* fully
teljesen *adv.* stark
teljesen *adv.* wholly
teljesít *v.t.* accomplish
teljesít *v. i* comply
teljesítmény *n.*
    accomplishment
teljesítmény *n.* achievement
teljesítmény *n.* output
teljesség *n.* totality
teljesség *n* whole
téma *n.* theme
téma *n.* topic
tematikus *a.* thematic
temetés *n* burial
temetés *n.* funeral
temetkezőhely *n.* necropolis
temető *n.* cemetery
temető *n.* churchyard
templom *n.* church
templom *n.* temple
templomhajó *n.* nave
templomtorony *n.* steeple

tender *n* tender
tengely *n.* axis
tengely *n.* axle
tengely *n.* pivot
tengely *n.* shaft
tenger *n.* sea
tengeralatti *a* submarine
tengeralattjáró *n.* submarine
tengerész *n.* mariner
tengerész *n.* sailor
tengeri *a.* marine
tengeri *a.* maritime
tengeri *a.* nautical
tengernagy *n.* admiral
tengerpart *n* beach
tengerpart *n* coast
tengerpart *a.* littoral
tengerpart *n.* shore
tengerszoros *n.* strait
tenisz *n.* tennis
tény *n* fact
tenyér *n.* palm
tenyérjós *n.* palmist
tenyérjóslás *n.* palmistry
tenyészt *v.t* breed
tényező *n* factor
ténykedik *v.i.* officiate
tényleges *a.* actual
tényleges *a* virtual
teológia *n.* theology
teológiai *a.* theological
teológus *n.* theologian
teoretikus *n.* theorist
teoretizál *v.i.* theorise
tép *v.t.* pluck
tép *v.t.* tear
terápia *n.* therapy
terasz *n.* terrace
térbeli *a.* spatial
térd *n.* knee
térdel *v.i.* kneel
terem *v.t.* yield

teremtés *n* creation
teremtő *n* creator
térfogat *n.* volume
terhel *v. t* debit
terhel *v. t.* encumber
terhelés *n.* load
terhes *a.* pregnant
terhesség *n.* pregnancy
tériszony *n.* agoraphobia
terjed *v. t.* cover
terjedelem *n.* purview
terjedelem *n.* spread
terjedelmes *a.* voluminous
terjeszkedés *n.* expansion
terjeszt *v.t.* propagate
terjesztés *n.* propagation
térkép *n* map
termál *a.* thermal
termék *n.* product
termékeny *a* fertile
termékeny *a.* prolific
termékenység *n* fertility
termel *v.t.* produce
termelékeny *a.* productive
termelékenység *n.*
productivity
termelés *n.* production
termelés *n* yield
termelő *n.* grower
termény *n.* produce
természet *n.* nature
természetes *a.* natural
természetesen *adv.* naturally
természetfölötti *a.*
supernatural
természettudós *n.* naturalist
termosz *n.* thermos (flask)
termosztát *n.* thermometer
terpentin *n.* turpentine
terrier *n.* terrier
terrorista *n.* terrorist
terrorizál *v. t.* bully

terrorizál *v.t.* terrorise
terrorizmus *n.* terrorism
terület *n* area
terület *n.* territory
területi *a.* territorial
terv *n.* plan
tervez *v. t.* design
tervez *v.t.* plan
tervez *v.i.* scheme
tervezés *n.* design
test *n* body
testalkat *n.* physique
testápoló *n.* lotion
testes *a* bulky
testi *a* bodily
testi *a* corporal
testőr *n.* bodyguard
testtartás *n.* pose
testtartás *n.* posture
testületi *a* corporate
testvér *n* brother
testvérgyilkosság *n.* fratricide
testvéri *a* brotherly
testvéri *a.* fraternal
testvéri *a.* sisterly
testvériesség *n.* fraternity
testvériség *n* brotherhood
tesz *v.t.* put
tészta *n* dough
tét *n* bet
tét *n* stake
tétel *n.* item
tétlen *a.* idle
tétlenség *n.* idleness
tétlenség *n.* inaction
tető *n.* roof
tető *n.* top
tetőfok *n.* heyday
tetőpont *n.* climax
tetovál *v.t.* tattoo
tetoválás *n.* tattoo
tétovázás *n* demur

tétovázik *v. t* demur
tétovázik *v.i.* vacillate
tetszetős *a.* sightly
tetszik *v.t.* please
tett *n.* act
tett *n* deed
tett *n* feat
tettet *v.t* feign
tetű *n.* louse
teve *n.* camel
tévéadás *n.* telecast
téved *v. i* err
téved *v.t.* miscalculate
téved *v.t.* mistake
tévedés *n* fallacy
tévedés *n.* miscalculation
tévedés *n.* misdirection
tevékenység *n.* activity
tevékenység *n.* function
teveszőrszövet *n* camlet
tévhit *n.* misbelief
textil *n* textile
textiles *n* draper
tézis *n.* thesis
tiara *n.* tiara
tífusz *n.* typhoid
tífusz *n.* typhus
tigris *n.* tiger
tíkfa *n.* teak
tikkasztó *a.* sultry
tilalom *n.* ban
tilalom *n.* prohibition
tiltakozás *n.* objection
tiltakozás *n.* protest
tiltakozás *n.* protestation
tiltakozik *v.t.* object
tiltakozik *v.i.* protest
tiltó *a.* prohibitive
tiltó *a.* prohibitory
tiltott *a.* illicit
tincs *n.* ringlet
tinta *n.* ink

tipikus *a.* typical
tipp *n.* tip
tippel *v.t.* tip
típus *n.* type
tiszt *n.* officer
tiszta *a* clean
tiszta *a* pure
tiszta *a.* sheer
tisztálkodás *n* ablution
tisztaság *n* cleanliness
tisztaság *n.* purity
tisztátlan *a.* impure
tisztel *v. t* esteem
tisztel *v.t.* respect
tisztel *v.t.* revere
tisztel *v.t.* venerate
tisztelendő *a.* reverend
tisztelet *n* esteem
tisztelet *n.* respect
tisztelet *n.* reverence
tisztelet *n.* veneration
tiszteletadás *n.* obeisance
tiszteletbeli *a.* honorary
tiszteletdíj *n.* honorarium
tiszteletlenség *n* disrespect
tiszteletreméltó *a.* honourable
tiszteletreméltó *a.* venerable
tiszteletteljes *a.* respectful
tiszteletteljes *a.* reverent
tisztességtelen *a* unfair
tisztességtelenség *n.*
   dishonesty
tisztít *v. t* clarify
tisztít *v. t* cleanse
tisztít *v.t.* launder
tisztít *v.t.* purify
tisztítás *n.* purification
tisztviselő *n* official
titkár *n.* secretary
titkárság *n.* secretariat (e)
titkos *a.* clandestine
titkos *a.* secret

titkosírás *n* cypher
titok *n.* secret
titoktartás *n.* secrecy
titokzatos *a.* mysterious
titokzatos *a.* mystic
titokzatos *a.* secretive
tíz *a.* ten
tíz *n.* ten
tizedel *v.t.* decimate
tizenegy *n* eleven
tizenéves *n.* teenager
tizenéves *n. pl.* teens
tizenharmadik *a.* thirteenth
tizenhárom *n.* thirteen
tizenhárom *a* thirteen
tizenhat *a* sixteen
tizenhat *n.* sixteen
tizenhatodik *a.* sixteenth
tizenhét *n.* seventeen
tizenhét *a.* seventeen
tizenhetedik *a.* seventeenth
tizenkét *a.* twelve
tizenkettedik *a.* twelfth
tizenkettedik *n.* twelfth
tizenkettő *n* twelve
tizenkilenc *n.* nineteen
tizenkilencedik *a.* nineteenth
tizennégy *n.* fourteen
tizennyolc *a* eighteen
tizenöt *n* fifteen
tízes *a* decimal
tízév *n.* decennary
tízezer *n.* myriad
tó *n.* lake
több *a* excess
több *a.* more
többes *n* multiple
többes-szám *a.* plural
többistenhit *n.* polytheism
többistenhitű *n.* polytheist
többistenhitű *a.* polytheistic
többlet *n* excess

többlet *n.* surfeit
többnejű *a.* polygamous
többnyelvű *a.* polyglot
többoldalú *a.* multilateral
többség *n.* majority
többször *a.* multiparous
többszörös *a.* multiple
toboroz *v.t.* accrete
toboroz *v.t.* recruit
tóga *n.* toga
tőgy *a.* mammary
tőgy *n.* udder
tojás *n* egg
tojásfehérje *n* albumen
tojássárgája *n.* yolk
tök *n.* gourd
tök *n.* pumpkin
tök *n* squash
tőke *n.* capital
tőkeáttétel *n.* leverage
tökéletes *a* accomplished
tökéletes *a.* perfect
tökéletesít *v.t.* perfect
tökéletesség *n.* perfection
tökéletesség *n.* prime
tökéletlen *a.* imperfect
tökéletlenség *n.* imperfection
tökfej *n* blockhead
tökfilkó *n* dunce
tol *v.t.* push
tolakodik *v.t.* intrude
tolakodik *v.t.* jostle
tolás *n.* push
tolat *v.t.* shunt
tölcsér *n.* cornet
tolerancia *n.* tolerance
toleráns *a.* tolerant
tölgy *n.* oak
toll *n.* pen
tollaslabda *n.* badminton
tollaslabdajáték *n.* shuttlecock

tollhegy *n.* nib	**tőrdöfés** *n.* lunge
tolmács *n.* interpreter	**töredék** *n.* fragment
tolmácsol *v.t.* interpret	**töreked** *v.i.* strive
tolong *v.t.* mob	**törékeny** *a.* brittle
tölt *v.t* fill	**törékeny** *a.* fragile
töltény *n.* cartridge	**törekszik** *v.t.* aspire
töltet *v.t.* load	**törekszik** *v.i* endeavour
tolvaj *n.* thief	**törekvés** *n.* aspiration
töm *v.t.* stuff	**törekvés** *n* endeavour
tömb *n* block	**törés** *n* break
tombol *v.i.* rampage	**törés** *n* breakage
tombolás *n.* rampage	**törés** *n.* fracture
tömeg *n* bulk	**törés** *n.* rupture
tömeg *n* crowd	**törlés** *n* cancellation
tömeg *n.* gross	**törlés** *n.* wipe
tömeg *n.* mass	**törmelék** *n* debris
tömeg *n* shoal	**torna** *n.* gymnastics
tömeg *n.* throng	**torna** *n.* tournament
tömítés *n.* gasket	**torna-** *a.* gymnastic
tömjén *n.* incense	**tornác** *n.* porch
tömjénez *v. t* cense	**tornádó** *n.* tornado
tömör *a* concise	**tornász** *n.* gymnast
tömör *n* solid	**tornaterem** *n.* gymnasium
tömörített *a.* compact	**tornyosul** *v.i.* tower
tömörség *n* brevity	**törődés** *n* concern
tompa *a* blunt	**törődik** *v. i.* care
tompa *a.* obtuse	**torok** *n.* throat
tömzsi *a.* stout	**torokhangú** *a.* guttural
tonik *n.* tonic	**toroköblögetés** *n.* gargle
tönkretesz *v.t.* ruin	**töröl** *v. t* erase
tonna *n.* ton	**töröl** *v.t.* wipe
tonna *n.* tonne	**torony** *n.* tower
topáz *n.* topaz	**törpe** *n* dwarf
topográfia *n.* topography	**törpe** *n.* midget
topográfiai *a.* topographical	**törpe** *n.* pigmy
topográfus *n.* topographer	**törpe** *n.* pygmy
töpreng *v.t.* mull	**torpedó** *n.* torpedo
töpreng *v.i.* ruminate	**torta** *n.* cake
tör *v. t* break	**történelem** *n.* history
tör *v.t.* rupture	**történelmi** *a .* historic
tőr *n.* dagger	**történelmi** *a.* historical
tőrbe-csal *v. t.* entrap	**történész** *n.* historian

történet *n.* story
történik *v. t* befall
történik *v.t.* happen
törülközik *v.t.* towel
törülköző *n.* towel
törvény *n.* law
törvény *n.* statute
törvénybe-iktat *v.t.* ratify
törvényellenes *a.* lawless
törvényes *a.* lawful
törvényesít *v.t.* legalise
törvényesség *n.* legality
törvényesség *n.* legitimacy
törvényhozás *n.* legislation
törvényhozás *n.* legislature
törvényhozó *n.* legislator
törvényhozói *a.* legislative
törvényszék *n* chancery
törvénytelen *a.* illegitimate
törvényt-hoz *v.i.* legislate
törzs *n.* tribe
törzshely *n* haunt
törzsi *a.* tribal
tovább *adv.* forth
tovább *adv.* onwards
további *a.* additional
további *a* further
trágár *a.* bawdy
trágár *a.* obscene
trágárság *n.* obscenity
tragédia *n.* tragedy
tragédiaíró *n.* tragedian
tragikus *a.* tragic
trágya *n* compost
trágya *n* dung
trágya *n* fertiliser
trágya *n.* manure
trágyáz *v.t* fertilise
trágyáz *v.t.* manure
traktor *n.* tractor
traktus *n.* tract
transzcendens *a.* transcendent

transzparens *n.* banner
tranzakció *n.* transaction
tranzit *n.* transit
tréfa *n.* gag
tréfa *n.* jest
tréfa *n.* joke
tréfacsináló *n.* joker
tréfál *v.i.* joke
tréfás *a* comic
tréfás *a.* humorous
tricikli *n.* tricycle
trikolór *n* tricolour
trilláz *v.i.* warble
trillázás *n* warble
trófea *n.* trophy
trombita *n.* trumpet
trombitál *v.i.* trumpet
trón *n.* throne
trónol *v.t.* throne
tropikus *n.* tropic
trópusi *a.* tropical
trösztellenes *n* antitrust
trükk *n* trick
trükkös *a.* tricky
tű *n.* needle
tű *n.* pin
tubákol *v.t.* snuff
tubákolás *n.* snuff
tuberkulózis *n.* tuberculosis
tucat *n* dozen
tud *v.* can
tud *v.t.* know (subject)
tudás *n.* knowledge
tudatában *a.* aware
tudatlan *a.* ignorant
tudatlanság *n.* ignorance
tudatlanság *n.* nescience
tudomány *n.* lore
tudomány *n.* science
tudományos *a.* scholarly
tudományos *a.* scientific
tudós *n.* luminary

318

tudós *n.* scholar
tudós *n.* scientist
tudósító *n.* reporter
tüdő *n* lung
tüdőgyulladás *n.* pneumonia
tükör *n* mirror
tülekedés *n* scramble
tündér *n* fairy
tünemény *n.* phenomenon
tüneményes *a.* phenomenal
tünet *n.* symptom
türelem *n.* patience
türelem *n.* toleration
türelmes *a.* patient
türelmetlen *a.* impatient
türelmetlen *a.* intolerant
türelmetlenség *n.* impatience
türelmetlenség *n.* intolerance
tüske *n.* prick
tüske *n.* spike
tüske *n.* thorn
tüskés *a.* thorny
tüsszent *v.i.* sneeze
tüsszentés *n* sneeze
tüzel *v.t* fire
tüzel *v.t.* stoke
tüzérség *n.* artillery
tüzes *a* fiery
tüzes *a.* mettlesome
túl *prep.* beyond
túladagol *v.t.* overdose
túladagolás *n.* overdose
tulajdon *n.* ownership
tulajdoni *a.* proprietary
tulajdonít *v.t.* ascribe
tulajdonít *v.t.* attribute
tulajdonjog *n.* possession
tulajdonképpen *adv.* actually
tulajdonos *n.* owner
tulajdonos *n.* proprietor
túláradó *a.* lavish
túláradó *a.* profuse

túlbecsül *v.t.* overrate
túlél *v.i.* outlive
túlél *v.i.* survive
túlél *v.t.* weather
túlélés *n.* survival
túlerőben-van *v.t.* outnumber
túlfed *v.t.* overlap
túlfizettet *v.t.* overcharge
túlkarikíroz *v.t.* overdraw
túllicitál *v.t.* outbid
túllövés *n* over
túlméretezett *a.* outsize
túlmunka *n.* overwork
túlnő *v.t.* outgrow
túloldalon *adv.* overleaf
túlóra *n* overtime
túlórán *adv.* overtime
túloz *v. t.* exaggerate
túloz *v.t.* overact
túloz *v.t.* overdo
túlsúly *n.* preponderance
túlsúlyban *v.i.* predominate
túlsúlyban-van *v.i.*
  preponderate
túltengés *n.* luxuriance
túlterhel *v.t.* overburden
túlterhel *v.t.* overload
túlterhel *v t.* surcharge
túlterhelés *n* overcharge
túltesz *v.i* excel
túlzás *n.* exaggeration
túlzás *n* extreme
túlzás *n.* hyperbole
túlzott *a.* overboard
tumor *n.* tumour
tűnődik *v. i.* brood
tunya *n.* slothful
turbán *n.* turban
turbékol *v. i* coo
turbékolás *n* coo
turbina *n.* turbine
turbulencia *n.* turbulence

tűrhetetlen *a.* intolerable
turista *n.* tourist
turistaszálló *n.* hostel
turkál *v.i.* rummage
turkálás *n* rummage
turné *n.* tour
turnézik *v.i.* tour
tusakodik *v.t.* skirmish
tusakodik *v.i.* tussle
tuskó *n.* stub
túsz *n.* hostage
tűz *n* fire
tűzhely *n* cooker
tűzhely *n.* hearth
tűzhely *n.* stove
tyúk *n.* hen

uborka *n* cucumber
udvar *n.* court
udvar *n.* courtyard
udvar *n.* yard
udvarias *a* civil
udvarias *a.* courteous
udvarias *a.* mannerly
udvarias *a.* polite
udvarias *a.* urbane
udvariasság *n.* courtesy
udvariasság *n.* politeness
udvariasság *n.* urbanity
udvariatlan *a* discourteous
udvariatlan *a.* impolite
udvarlás *n.* courtship
udvarló *n.* suitor
udvarol *v. t.* court
udvarol *v.t.* woo
udvaronc *n.* courtier
üdítő *a.* tonic
üdülőhely *n* resort

üdülőhely *n* sojourn
üdvös *a.* salutary
üdvözlés *n.* salutation
üdvözöl *v.t.* greet
üdvözöl *v.t* hail
üdvözöl *v.t* welcome
üget *v.l.* canter
üget *v.i.* trot
ügetés *n* canter
ügetés *n* trot
ügy *n.* affair
ügy *n.* case
ügy *n.* matter
ügyes *a.* adept
ügyes *a.* adroit
ügyes *a.* artful
ügyes *a* deft
ügyes *a.* skilful
ügyesség *n.* skill
ügyetlen *a* clumsy
ügyetlen *a.* maladroit
ügyetlenség *n* bungle
ügyfél *n..* client
ügyirat *n* file
ügynök *n* agent
ügynökség *n.* agency
ügyvéd *n* advocate
ügyvéd *n.* attorney
ügyvéd *n.* barrister
ügyvéd *n.* counsel
ügyvéd *n.* lawyer
ügyvéd *n.* solicitor
ül *v.i.* sit
üldöz *v. t.* chase
üldöz *v.t.* pursue
üldözés *n.* chase
üldözés *n.* persecution
üldözés *n.* pursuit
üledék *n.* sediment
ülés *n.* seat
üllő *n.* anvil
ültet *v.t.* plant

ültet *v.t.* seat
ültetvény *n.* plantation
ünnepel *v. t.* celebrate
ünnepi *a* festive
ünneplés *n.* celebration
ünnepség *n.* ceremony
ünnepség *n* festivity
üreg *n.* cavity
üres *a* blank
üres *a* empty
üres *a.* hollow
üres *a.* vacant
üres *a.* void
üresség *n.* vacancy
üröm *n.* wormwood
ürügy *n* pretext
ürühús *n.* mutton
üstök *n* forelock
üstökös *n* comet
üt *v.t.* bang
üt *v. i* bat
üt *v.t.* strike
ütem *n* beat
ütés *n* blow
ütés *n* hit
ütés *n.* punch
ütés *n.* stroke
ütés *n.* thump
ütő *n* bat
ütő *n.* racket
ütőér *n.* artery
üveg *n* bottle
üveg *a.* glass
üvegcse *n.* phial
üvegcse *n.* vial
üvegcserép *n.* cullet
üveges *n.* glazier
üveggyöngy *n* bead
üvölt *v.i.* bawl
üvöltés *n* howl
üvöltés *n.* roar
üzem *n* plant

üzemanyag *n.* fuel
üzenet *n.* message
üzlet *n* business
üzletember *n* businessman
üzlettárs *n* co-partner
ugar *n* fallow
ugat *v.t.* bark
ugat *v.i.* yap
ugatás *n* yap
ugrál *v. i* hop
ugrás *n.* jump
ugrás *n* leap
ugrás *n.* vault
ugratás *n.* raillery
ugrik *v.i* jump
ugrik *v.i.* leap
ugrik *v.i.* spring
ugrik *v.i.* vault
ugyancsak *adv.* likewise
új *a.* new
újdonság *n.* novelty
újgazdag *n.* upstart
újít *v.t.* innovate
újító *n.* innovator
ujj *n* finger
ujj *n* sleeve
újjáéledés *n.* resurgence
újjászületés *n.* rebirth
újjászületés *n.* regeneration
ujjatlan-kesztyű *n.* mitten
ujjong *v. i* exult
ujjongó *a.* jubilant
újonc *n.* novice
újonc *n.* recruit
újra *adv.* anew
újrakezdés *n.* resumption
újra-kinyomtat *v.t.* reprint
újranyomás *n.* reprint
újságírás *n.* journalism
újságíró *n.* journalist
újszerű *a.* novel
ultimátum *n.* ultimatum

unalmas *a* dull
unalmas *a.* tedious
unalom *n* boredom
unalom *n.* tedium
uncia *n.* ounce
undok *a.* hideous
undok *a.* odious
undor *n.* repugnance
undorító *a.* repugnant
undorító *a.* revolting
unió *n.* union
unionista *n.* unionist
unokahúg *n.* niece
unokaöcs *n.* nephew
unokatestvér *n.* cousin
úr *n.* lord
úr *n.* mister
úr *n.* sir
űr *n.* space
űr *n.* void
uradalom *n.* lordship
Urak *abbrev.* Messrs
uralkodás *n.* predominance
uralkodik *v. t* dominate
uralkodik *v.t.* master
uralkodik *v.i.* reign
uralkodó *a* dominant
uralkodó *n.* monarch
uralkodó *a.* predominant
uralkodó *a.* prevalent
uralkodó *n.* ruling
uralkodó *a* sovereign
uralom *n* domination
uralom *n* dominion
uralom *n.* mastery
uralom *n* reign
urasági *a.* manorial
űrhajós *n.* astronaut
úriember *n.* gentleman
urna *n* urn
úrnő *n.* mistress
uszály *n.* barge

úszás *n* swim
úszik *v.i.* swim
úszó *n.* swimmer
úszóhártyás *a.* webbed
úszó-jéghegy *n.* iceberg
úszóképesség *n* buoyancy
uszony *n* fin
úszva *adv.* afloat
út *n.* road
út *n.* way
utal *v.i.* allude
utál *v.t.* loathe
utálatos *a* abominable
utálatos *a.* loathsome
utálatos *a.* nasty
utalvány *n.* voucher
után *prep.* after
utána *adv* after
utánatölt *v.t.* replenish
utánfutó *n.* trailer
utánoz *v.t.* ape
utánoz *v. t* emulate
utánoz *v.t.* imitate
utánoz *v.t* mimic
utánozhatatlan *a.* inimitable
utánzás *n.* imitation
utánzó *n.* imitator
utánzó *a.* mimic
utánzott *adj* mock
utas *n.* passenger
utasítás *n.* ordinance
utaskísérő *n.* steward
utat-tör *v.t.* pioneer
utazás *n.* journey
utazás *n* travel
utazik *v.i.* journey
utazik *v.i.* travel
utazó *n.* traveller
utca *n.* street
utcaseprő *n.* scavenger
utcaseprő *n.* sweeper
útifű *n.* plantain

útkereszteződés *n.* intersection
útlevél *n.* passport
útmutató *n.* mentor
utóbb *a.* latter
utód *n* descendant
utód *n.* successor
utódok *n.* progeny
utókor *n.* posterity
utolsó *a* final
utolsó *a.* last
útonálló *n.* ruffian
utópia *n.* utopia
utópisztikus *a.* utopian
utószó *n* epilogue
utószó *n.* postscript
úttörő *n.* pioneer
útvonal *n.* route
uzsora *n.* usury
uzsorás *n.* usurer

V

vacsora *n* dinner
vacsora *n.* supper
vacsorázik *v. t.* dine
vad *a.* barbarous
vad *a* fierce
vad *a.* savage
vad *a.* wild
vád *n* accusation
vadállat *n* beast
vadász *n.* hunter
vadászat *n* hunt
vadászik *v.t.* hunt
vadászkutya *n.* hound
vadászlegény *n.* huntsman
vaddisznó *n* boar
vadember *n* savage
vadházasság *n.* concubinage

vádirat *n.* indictment
vádló *n.* prosecutor
vádlott *n.* accused
vadnyúl *n.* hare
vádol *v.t.* accuse
vádol *v. t.* charge
vádol *v. t* denounce
vádol *v.t.* incriminate
vádol *v.t.* indict
vadság *n.* savagery
vág *v. t* cut
vág *v.t.* hack
vágány *n.* track
vágás *n* cut
vagdal *v.t.* hew
vagina *n.* vagina
vágtázik *v. i.* dash
vágtázik *v.t.* gallop
vágy *n* cupidity
vágy *n* desire
vágyakozás *n.* longing
vágyakozik *v.i.* hanker
vágyakozó *a* agog
vágyakozó *a.* longing
vágyakozó *a.* wistful
vagyok am
vagyon *n.* wealth
vagyontárgy *n.* asset
vaj *n* butter
vajon *conj.* whether
vak *a* blind
vakáció *n.* vacation
vakbélgyulladás *n.* appendicitis
vakírás *n* braille
vakmerő *a.* reckless
vakolat *n.* plaster
vakolókanál *n.* trowel
vakon *adv.* blindfold
vakond *n* mole
vakság *n* amaurosis
vakság *n* blindness

323

vákuum *n.* vacuum
val *prep.* with
váladék *n.* secretion
valaha *adv* ever
valahogyan *adv.* anyhow
valahogyan *adv.* somehow
valahol *adv.* somewhere
valaki *pron.* somebody
valaki *n.* somebody
valaki *pron.* someone
valamennyire *adv.* any
valami *a.* some
valami *pron.* something
valamilyen *a.* any
válás *n* divorce
válasz *n* answer
válasz *n* reply
válasz *n.* response
válaszol *v.t* answer
válaszol *v.i.* reply
válaszol *v.i.* respond
válaszoló *n.* respondent
választ *v. t.* choose
választ *v. t* elect
választ *v.i.* opt
választ *v.t.* select
választás *n.* alternative
választás *n.* choice
választás *n* election
választék *n.* range
választék *n.* selection
választék *n.* variety
választható *a* eligible
választható *a.* optional
választójog *n.* franchise
választójog *n.* suffrage
választókerület *n* constituency
választótestület *n* electorate
válik *v. i* become
vall *v.t.* profess
váll *n.* shoulder
vállal *v.t.* undertake

vállalat *n* corporation
vállalkozás *n* enterprise
vállalkozás *n.* venture
vállalkozik *v.t.* venture
vállalkozó *n* contractor
vállára-vesz *v.t.* shoulder
vallás *n.* religion
vallási *a.* religious
vállat-von *v.t.* shrug
vállkendő *n.* shawl
vállvonás *n* shrug
valóban *adv.* indeed
valóban *adv.* really
valódi *a.* genuine
valódi *a.* real
válogatós *a.* selective
válogatott *a* select
valóság *n.* reality
valóságos *a.* veritable
valószerű *a.* realistic
valószínű *a.* likely
valószínű *a.* probable
valószínűség *n.* likelihood
valószínűség *n.* probability
valószínűtlen *a.* unlikely
válság *n* crisis
válságos *a* critical
válságos *a.* crucial
váltakozó *a.* alternate
váltogat *v.t.* alternate
váltogat *v.t.* vary
változás *n.* change
változat *n.* version
változatos *a* diverse
változatos *a.* varied
változik *v. i.* change
változó *a.* variable
változtat *v.t.* alter
változtat *v. t.* change
váltságdíj *n.* ransom
valuta *n* currency
vályogtégla *n.* adobe

vám *n.* toll	vastagít *v.i.* thicken
vándor *n.* rover	vastagon *adv.* thick
vándor *n.* wayfarer	vasút *n.* railway
vándorlás *n.* trek	vasúti *a.* railway
vándorló *a* vagabond	vasúton-szállít *v.t.* rail
vándorol *v.i.* migrate	vászon *n.* canvas
vándorol *v.i.* trek	vau *interj.* woof
vándorol *v.i.* wander	vazelin *n.* vaseline
vánszorog *v.i.* plod	vázlat *n* draught
vár *v.i.* wait	vázlat *n.* outline
várakozás *n.* expectation	vázlat *n.* sketch
várakozás *n.* wait	vázlatos *a.* sketchy
várakozik *v.t.* await	vázol *v.t.* sketch
várakozik *v. t* bide	vécé *n.* toilet
varangy *n.* toad	véd *v. t* defend
várárok *n.* moat	védekező *a* defensive
varázs *n.* fascination	védelem *n* defence
varázslás *n.* sorcery	védelmez *v.t.* shield
varázslat *n* magic	védett *a* proof
varázslat *n.* spell	védhetetlen *a.* indefensible
varázslatos *a.* magical	vedlik *v.i.* moult
varázsló *n.* sorcerer	vedlik *v.t.* slough
varázsló *n.* wizard	védő *n.* protector
varázsol *v.t.* conjure	védőbeszéd *n.* plea
variáns *n.* variation	védőszemüveg *n.* goggles
varjú *n* crow	védőügyvéd *n.* pleader
varjú *n.* rook	vég *n.* end
város *n* city	vég *n* finish
város *n.* municipality	végállomás *n* terminal
város *n.* town	végállomás *n.* terminus
városi *a.* urban	végbél *n.* rectum
varr *v.t.* sew	végbélnyílás *n.* anus
varrás *n.* seam	véges *a* finite
varróráma *n:* welt	vegetáriánus *n.* vegetarian
vas *n.* iron	vegetáriánus *a* vegetarian
vasal *v.t.* iron	végigsimít *v.t.* stroke
vásár *n.* fair	végösszeg *n.* total
vásárlás *n.* purchase	végrehajt *v. t.* enforce
vasárnap *n.* Sunday	végrehajt *v.t.* fulfil
vásárol *v.i.* shop	végrehajt *v.t.* implement
vastag *a.* thick	végrehajtás *n.* fulfilment
vastagbél *n* colon	végrehajtó *n.* bailiff

végrendelet *n.* testament	vereget *v.t.* pat
végrendelet *n.* will	veregetés *n* pat
végrendelkezik *v.t.* will	verekedés *n* fray
végső *a.* terminal	verekedés *n.* tussle
végső *a.* ultimate	verekszik *v.i.* scuffle
végtag *n.* limb	verem *n.* pitfall
végtelen *a.* infinite	verés *n.* thrash
végtelen *a.* interminable	véres *a* bloody
végtelenség *n.* infinity	vereség *n* defeat
végül *adv.* lastly	veretez *v.t.* stud
végül *adv.* ultimately	vérhas *n* dysentery
végülis *adv.* eventually	vérmérgezés *n.* sepsis
vegyész *n.* chemist	vérmérséklet *n.* mettle
végzés *n.* writ	vérmérséklet *n.* temperament
végzet *n* destiny	verőfény *n.* glare
végzet *n* doom	vérontás *n* bloodshed
végzet *n.* nemesis	vérontás *n* carnage
végződés *n.* termination	vérrokon *a.* agnate
vékony *a* flimsy	vers *n.* poem
vékony *a.* thin	vers *n.* verse
vékonyít *v.i.* slim	versel *v.t.* versify
vékonyít *v.t.* thin	verselés *n.* versification
vél *v.i.* deem	versengés *n.* rivalry
vél *v.t.* opine	verseny *n.* competition
vélelem *n.* presumption	verseny *n.* contest
vélemény *n.* opinion	verseny *n.* race
veleszületett *a.* inborn	versenyez *v. i* compete
veleszületett *a.* innate	versenyez *v.i* race
véletlen *a* accidental	versenyez *v.t.* rival
véletlen *a.* incidental	versenyez *v.i.* vie
véletlen *a.* random	versenyképes *a* competitive
velős *a.* terse	versenytárgyal *v.t.* tender
vendég *n.* guest	versenytárgyalás *n* tender
vendégszeretet *n.* hospitality	verstan *n.* prosody
vendégszerető *a.* hospitable	vértanú *n.* martyr
ventilátor *n* fan .	vértanúság *n.* martyrdom
ventilátor *n.* ventilator	vérzik *v. i* bleed
ver *v. t.* beat	vés *v. t.* chisel
ver *v.t.* mint	vés *v.t.* imprint
vér *n* blood	vese *n.* kidney
veranda *n.* verendah	véső *n* chisel
veréb *n.* sparrow	vessző *n* comma

vesszőfonás *n.* wicker	vezércsillag *n.* loadstar
vesz *v. t.* buy	vezet *v. t* conduct
vesz *v.t* take	vezet *v. t* drive
veszedelmes *a.* perilous	vezet *v.t* head
veszekedés *n.* altercation	vezet *v.t.* lead
veszekszik *v. t* bicker	vezet *v.t.* man
veszély *n.* danger	vezeték *n.* wiring
veszély *n.* hazard	vezeték-nélküli *a.* wireless
veszély *n.* jeopardy	vezetéknév *n.* surname
veszély *n.* peril	vezetés *n.* lead
veszélyes *a* dangerous	vezetés *n.* leadership
veszélyeztet *v. t.* endanger	vezetés *n.* management
veszélyeztet *v.t* hazard	vezető *n* driver
veszélyeztet *v.t.* imperil	vezető *n.* leader
veszélyeztet *v.t.* jeopardise	vezetői *a.* managerial
veszélyeztet *v.t.* peril	viasz *n.* tallow
veszettség *n.* rabies	viasz *n.* wax
vészhelyzet *n* emergency	viaszol *v.t.* wax
veszít *v.t.* lose	vicces *n.* funny
veszteget *v. t.* bribe	vicsorgás *n.* snarl
veszteség *n.* loss	vicsorog *v.i.* snarl
vesztőhely *n.* scaffold	vidám *a.* cheerful
vet *v.t.* sow	vidám *a.* gay
vét *v.l.* default	vidám *a.* hilarious
vetélő *n.* shuttle	vidám *a.* jocular
vetélytárs *n.* rival	vidám *a.* jolly
veterán *n.* veteran	vidám *a* merry
vetésterülete *n.* acreage	vidám *a.* mirthful
vetít *v.t.* project	vidámság *n.* gaiety
vetítő *n.* projector	vidámság *n.* hilarity
vétkes *a.* guilty	vidámság *n.* jollity
vétkezik *v.i.* sin	vidámság *n.* joviality
vétó *n.* veto	vidámság *n.* merriment
vétót-emel *v.t.* veto	vidámság *n.* mirth
vétség *n.* default	vidámság *n.* pleasantry
vétség *n* demerit	vidéki *a.* pastoral
vétség *n.* misdemeanour	vidéki *a.* provincial
vetület *n.* projection	vidéki *a.* rural
vevő *n.* buyer	vidékiesség *n.* provincialism
vevő *n* customer	vidra *n.* otter
vezekel *v.i.* atone	vigasz *n* consolation
vezércikk *n* editorial	vigasz *n.* solace

vigasztal *v. t* comfort
vigasztal *v. t* console
vigasztal *v.t.* solace
vígság *n.* glee
vihar *n.* storm
vihar *n.* tempest
viharos *a.* stormy
viharos *a.* tempestuous
viharos *a.* thunderous
vihog *v. i* cackle
vihog *v.i.* giggle
világ *n.* world
világegyetem *n.* universe
világias *a.* worldly
világít *v.t.* light
világítófelhő *n.* nimbus
világos *a* clear
világosság *n* clarity
világváros *n.* metropolis
villámlás *n.* lightning
villamos *n* electricity
villamos *n.* tram
villanás *n* flash
villant *v.t* flash
villanykörte *n.* bulb
vinnyog *v.i.* squeak
virág *n* flower
virágárus *n* florist
virágcsokor *n.* nosegay
virágfüzér *n.* garland
virágos *a* flowery
virágpor *n.* pollen
virágszirom *n.* petal
virágzás *n* bloom
virágzás *n* blossom
virágzik *v.i.* bloom
virágzik *v.i* blossom
virágzik *v.i* flourish
virrasztás *n.* vigil
vírus *n.* virus
visel *v.t* bear
visel *v.t.* wear

viselet *n.* attire
viselkedés *n* behaviour
viselkedik *v. i.* behave
viselt *a* borne
visít *v.i.* shriek
visítás *n.* shriek
viskó *a.* shanty
vissza *adv.* back
visszaad *v.t.* restore
visszaél *v.t.* misuse
visszaélés *n.* misuse
visszaemlékezés *n.* reminiscence
visszaesés *n.* relapse
visszaesik *v.i.* backslide
visszaesik *v.i.* relapse
visszafelé *adv.* aback
visszafizet *v.t.* reimburse
visszafizet *v.t.* repay
visszafizet *v.i.* retaliate
visszafizetés *n.* rebate
visszafizetés *n.* repayment
visszaháramlik *v.i.* revert
visszaható *a* reflexive
visszahelyez *v.t.* reinstate
visszahelyezés *n.* reinstatement
visszahív *v.t.* recall
visszahívás *n.* recall
visszamegy *v.t.* retrace
visszanyer *v.t.* reclaim
visszanyer *v.t.* resume
visszapattan *v.i.* rebound
visszarendel *v.t.* countermand
visszarúg *v.i.* recoil
visszaszerez *v.t.* retrieve
visszaszorít *v.t.* repel
visszatart *v. t* detain
visszatart *v.i.* refrain
visszatart *v.t.* restrain
visszatart *v.t.* withhold
visszatartás *n.* retention

visszatartó *a.* retentive
visszataszító *a.* repellent
visszatekintés *n.* retrospect
visszatekintés *n.* retrospection
visszatekintő *a.* retrospective
visszatér *v.i.* return
visszatérés *n.* return
visszatérítés *n.* refund
visszatükröz *v.t.* mirror
visszatükröz *v.t.* reflect
visszatükrözés *n.* reflection
visszatükröző *a.* reflective
visszaugrás *n.* rebound
visszaugrás *n.* recoil
visszavág *v.t.* retort
visszavágás *n.* repartee
visszavágás *n.* retort
visszaver *v.t.* repulse
visszaverés *n.* repulse
visszaverődés *n.* repercussion
visszavon *v.t.* revoke
visszavon *v.t.* withdraw
visszavonás *n.* revocation
visszavonás *n.* withdrawal
visszavonható *a.* revocable
visszavonul *v.i.* recede
visszavonul *v.i.* retire
visszavonul *v.i.* retreat
visszhang *n* echo
visszhangzik *v. t* echo
visszhangzik *v.i.* resound
viszály *n* discord
viszály *n.* feud
viszket *v.i.* itch
viszketés *n.* itch
viszlát *interj.* adieu
viszlát *interj.* farewell
viszonoz *v.t.* reciprocate
viszont *adv.* however
viszontagság *n.* vicissitude
viszontlátás *n.* adieu
viszontlátásra *interj.* goodbye

viszonválasz *n.* rejoinder
viszonyít *v.t.* correlate
viszonylagos *a* comparative
viszonylagos *a.* relative
vita *n.* argument
vita *n* controversy
vita *n.* debate
vita *n* dispute
vita *n.* loggerheads
vita *n.* moot
vita *n.* quarrel
vita *n.* row
vitamin *n.* vitamin
vitat *v.t.* argue
vitathatatlan *a.* indisputable
vitatkozik *v. i* contend
vitatkozik *v. t.* debate
vitatkozik *v. i* dispute
vitatkozik *v.i.* quarrel
vitatkozik *v.i.* wrangle
vitéz *n* gallant
vitézség *n.* gallantry
vitézség *n.* prowess
vitézség *n.* valour
vitorla *n.* sail
vitorlázik *v.i.* sail
vitorlázik *v.i* yacht
vitorlázó *n.* glider
vív *v.t* fence
vívótőr *n.* rapier
víz *n.* water
vízalatti-áramlás *n.*
    undercurrent
vízálló *a.* waterproof
vízállóvátenni *v.t.* waterproof
vizel *v.i.* urinate
vizelde *n.* urinal
vizelés *n.* urination
vizelési *a.* urinary
vizelet *n.* urine
vizes *a.* watery
vízesés *n.* cascade

vízesés *n.* waterfall
vízforraló *n.* kettle
vízhatlan *a.* watertight
vízhólyag *n* blister
víziteknősbéka *n.* turtle
Vízöntő *n.* Aquarius
vízrebocsájt *v.t.* launch
vizsgabiztos *n.* invigilator
vizsgál *v.t.* test
vizsgálat *n.* examination
vizsgálat *n.* inquiry
vizsgázó *n* examinee
vizsgáztat *v.t.* quiz
vizsgáztató *n* examiner
vízszintes *a* level
víztároló *n.* reservoir
vizuális *a.* visual
vízvezeték *n* aqueduct
vízvezeték-szerelő *n.* plumber
vödör *n* bucket
vödör *n.* pail
vőlegény *n.* bridegroom
vőlegény *n.* groom
völgy *n* dale
völgy *n.* vale
völgy *n.* valley
volt *n.* volt
volt-diák *n* alumnus
vonaglik *v.i.* writhe
vonal *n.* line
vonalaz *v.t.* line
vonalzó *n.* ruler
vonás *n* feature
vonat *n.* train
vonatkozás *n.* relevance
vonatkozik *v.i.* pertain
vonatkozó *a.* pertinent
vonszol *v.t.* trail
vontatás *n.* traction
vonz *v.t.* attract
vonzás *n* allurement
vonzerő *n.* attraction

vonzó *a.* attractive
vonzódik *v.i.* gravitate
vöröses *a.* reddish
vörösödik *v.t.* redden
vulkán *n.* volcano
vulkanikus *a.* volcanic

watt *n.* watt
whisky *n.* whisky

xilofág *a.* xylophagous
xilofon *n.* xylophone

Yen *n.* Yen

zab *n.* oat
zabál *n.* gobble
zabkása *n.* porridge
zacskó *n.* pouch
zafír *n.* sapphire
zaj *n* din
zaj *n.* noise
zajong *v. i.* clamour
zajongás *n.* uproar
zajongó *a.* turbulent
zajos *a.* noisy
zaklat *v.t.* harass

330

zaklat v.t. molest
zaklatás n. harassment
zaklatás n. molestation
zálogjog n. lien
zamat n flavour
zamatos a. luscious
záp adj addled
záp- a molar
zápfog n. molar
zár v. t close
zár n. lock
záradék n clause
zarándok n. pilgrim
zarándoklat n. pilgrimage
zárda n convent
zárdafőnöknő n. prioress
zárójel n. parenthesis
zárol v.t block
zárótűz n. barrage
zárva a closed
zászló n flag
zászlóalj n battalion
zátony n. shoal
zavar v. t bother
zavar v. t disturb
zavar n. perplexity
zavaros a. chaotic
zebra n. zebra
zefír n. zephyr
zeke n. jerkin
zelóta n. zealot
zendülő a. rebellious
zendülő a. seditious
zene n. music
zenei a. musical
zenekar n. band
zenekar n. orchestra
zenekari a. orchestral
zenész n. musician
zengés n. resonance
zengő a. resonant
zengő a. vocal

zenit n. zenith
zihál v.i gasp
zihál v.i. heave
zihálás n. gasp
zökken v.t. jolt
zökkenés n. jolt
zokni n. sock
zokog v.i. sob
zokogás n sob
zöld a. green
zöldcitrom n. lime
zöldek n. greens
zöldellő a. verdant
zöldfülű a. callow
zöldhályog n. glaucoma
zöldség n. vegetable
zománc n enamel
zománc n glaze
zománcoz v.t. glaze
zömök a. squat
zóna n. zone
zongora n. piano
zongorista n. pianist
zoológus n. zoologist
zord a. austere
zord a. stern
zörög v. i. clink
zsák n. sack
zsákmány n booty
zsákmány n. loot
zsákmány n plunder
zsákmány n spoil
zsákmányolás n. capture
zsálya n. sage
zsámoly n. stool
zsargon n. jargon
zsargon n. lingo
zsarnok n autocrat
zsarnok n. oppressor
zsarnok n. tyrant
zsarnokság n. tyranny
zsarol v.t blackmail

331

zsarolás *n* blackmail
zseb *n.* pocket
zsebkendő *n.* handkerchief
zseblámpa *n.* torch
zsebre-tesz *v.t.* pocket
zselé *n.* jelly
zsémbel *v.t.* nag
zsemle *n.* roll
zseni *n.* genius
zseton *n.* token
zsibbadt *a.* numb
Zsidó *n.* Jew
zsigerek *n.* entrails
zsilip *n.* sluice
zsinór *n* cord
zsír *n.* adipose
zsír *n* fat
zsír *n* grease
zsír *n.* lard
zsiráf *n.* giraffe
zsíros *a.* greasy
zsíroz *v.t* grease
zsivány *n.* rogue
zsizsik *n.* weevil
zsoldos *a.* mercenary
zsolozsma *n.* hymn
zsolozsmáskönyv *n.* breviary
zsoltár *n.* psalm
zsonglőr *n.* juggler

zsonglőrködik *v.t.* juggle
zsugori *n.* niggard
zsugori *a.* niggardly
zsűri *n.* jury
züllött *n* debauchee
zümmög *v. i* hum
zümmögés *n* hum
zug *n.* recess
zúg *v. i* buzz
zúg *n.i.* whirl
zúg *v.i.* whizz
zúg *v.i.* zoom
zúgás *n.* buzz
zúgás *n.* whir
zúgás *n.* zoom
zuhanás *n* dive
zuhany *n.* shower
zuhanyzik *v.i.* shower
zuhogó *a.* torrential
zűrzavar *n* confusion
zűrzavar *n* disorder
zűrzavar *n.* havoc
zűrzavar *n.* jumble
zűrzavar *n.* muddle
zűrzavar *n.* pandemonium
zúz *v.t.* pound
zúzódás *n* bruise
zúzódás *n* contusion

veszélyes a. perilous
veszekedés n. altercation

veszély n. hazard
veszély n. peril
veszélyes a. dangerous
veszélyeztet v.t. endanger
veszélyeztet v.t. hazard
veszélyeztet v.t. imperil
veszélyeztet v.t. jeopardise
veszélyeztet v.t. peril
veszettség n. rabies
vészkijárat n. emergency
veszít v.t. lose
veszteget v.t. bribe
veszteség n. loss
vesztőhely n. scaffold
vet v.t. sow
vét v.i. default
vetélő n. shuttle
vetélytárs n. rival
veterán n. veteran
vetésterülete n. acreage
vetít v.t. project
vetítő n. projector
vétkes a. guilty
vétkezik v.i. sin
vétó n. veto
vétót-emel v.t. veto
vétség n. default
vétség n demerit
vétség n. misdemeanour
vetület n. projection
vevő n. buyer
vevő n customer
vezekel v.i. atone
vezércikk n editorial

vidám a. gay
vidám a. hilarious
vidám a. jocular
vidám a. jolly
vidám a. merry
vidám a. mirthful
vidámság n. gaiety
vidámság n. hilarity
vidámság n. jollity
vidámság n. joviality
vidámság n. merriment
vidámság n. mirth
vidámság n. pleasantry
vidéki a. pastoral
vidéki a. provincial
vidéki a. rural
vidékiesség n. provincialism
vidra n. otter
vigasz n consolation
vigasz n. solace